JN068812

4週間でマスター

2級土木施工管理

技術検定　問題集

第1次・第2次検定対策編

國澤　正和　編著

弘文社

はじめに

土木施工管理技術検定は，建設業法第27条（技術検定）に基づき土木工事に従事する施工技術者の技術の向上，技術水準の確保を目的としている。

建設業法の改正により，１級・２級技術検定は，従来の学科試験，実地試験から第１次検定，第２次検定に再編され，それぞれの合格者には**「技士補」**，**「技士」**の称号が与えられ，１級技術検定では「監理技術者の専任」の緩和(注１)，２級技術検定では「専門工事一括(いっかつ)管理制度(注２)」が導入された。

２級技術検定では，17歳以上実務経験なしで受検できる「第１次検定のみ」と，一定の実務経験を経て受検する「第１次・第２次検定」及び第１次検定合格者に対する「第２次検定のみ」の３区分となる。第２次検定合格者は，その後の実務経験を経ることなく，１級第１次検定を受検することができる。

「２級土木施工管理技士」は，建設業法に定められた一般建設業(注３)の許可を受ける際の営業所に置かなければならない**「専任技術者(注４)」**および工事現場の施工の技術上の管理を司(つかさど)る**「主任技術者」**となることができる。一方，入札参加資格の「経営事項審査」の技術力評価が該当業種ごとに２点配点される。

本書は，短期間で能率的に学習できるように構成している。多くの皆様が本書を活用され，２級土木施工管理技術検定に合格されることを願っています。

著　者

（注１）**主任技術者及び監理技術者の設置等**（法第26条）：①建設業者は，請け負った建設工事を施工するときは，**主任技術者**を置かなければならない。

②発注者から直接建設工事を請け負った特定建設業者は，下請金額4,000万円以上となる場合は，**監理技術者**を置かなければならない。

③公共性のある施設等の建設工事（請負金額3,500万円以上）については，工事現場ごとに，専任の主任技術者又は監理技術者を置かなければならない。但し，監理技術者については，１級技士補を置く場合は，この限りでない。

（注２）**専門工事一括管理制度**：特定の専門工事（鉄筋工事・型枠工事）につき，元請負人の主任技術者が，下請負人の主任技術者の職務を併せて行うことができ，この場合，当該下請負人は主任技術者の配置を要しない。以上，右ページ参照。

（注３）**一般建設業，特定建設業**：一般建設業とは，発注者から直接請け負う１件の建設工事を4,000万円未満の下請契約を締結して施工する建設業。

特定建設業は，4,000万円以上の下請契約で施工する建設業。

（注４）**専任技術者**：請負契約の締結にあたり，技術的なサポートを行う技術者。

技術検定制度

土木施工管理技術検定試験は，**第１次検定**（施工技術の基礎となる知識と能力の判定）と**第２次検定**（実務経験に基づく技術管理・指導監督に関する知識と応用能力の判定）から成る。１級技術検定と２級技術検定は，次のとおり。

⑴　**１級技術検定**

第１次検定合格者には，１級技士補の資格が与えられる。２級土木施工管理技士を有する**１級技士補**は，監理技術者を補佐する者（監理技術者補佐）として現場に専任で配置され，これにより元請監理技術者は当面２現場の兼務が可能となる。「１現場に１名の専任配置義務」からの緩和措置。第２次検定合格者は，１級土木施工管理技士として**監理技術者**(注)の資格を得る。

⑵　**２級技術検定**

第１次検定は，満 17 歳以上，実務経験なしで受検でき，合格者には２級技士補の資格が，また実務経験を経て第２次検定を受検した合格者は，２級土木施工管理技士として**主任技術者**(注)となる資格を得る。

(注)　**主任技術者（監理技術者）の職務**：施工計画の作成，具体的な工事の工程管理や工事目的物，工事仮設物，資材等の品質管理，また，公衆災害，労働災害の発生を防止するための安全管理，労務管理等である。

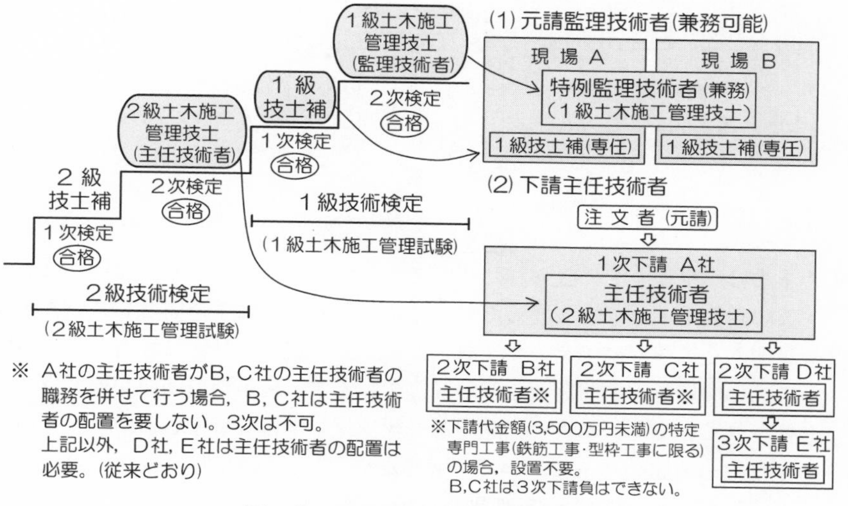

図　キャリアUP（技士補の創設）

本書の学習の仕方

学習する受検区分について

受検資格により,「第１次検定のみ」「第１次・第２次検定」「第２次検定のみ」の３種類に区分されます。それぞれの学習方法は次のように。

第１次検定 受検　**本書の第１章～第５章**に加えて**第６章の６－２～６－５**も参考にして下さい。土木工学等，法規，施工管理法に関する知識を基本に，さらに施工の管理を適確に行うために必要な基礎的な能力が問われます。

第１次検定・第２次検定 受検　**第１章～第６章**の全てを学習して下さい。

第２次検定 受検　**第６章**（施工管理法，主任技術者として工事の施工を適確に行うための知識及び応用能力）が**メイン**になります。

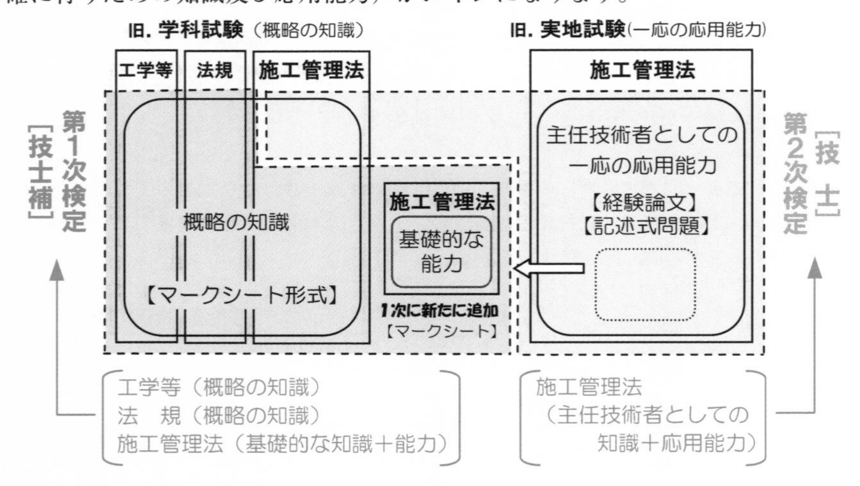

本書の特徴

1．本書は，受検までに限られた時間で，これだけはマスターしなければならない重要ポイントをまとめたものです。所要期間は４週間としています。

2．見開き２ページに１テーマを取り上げ，分野別・項目別に最新の出題傾向の高い問題を重要問題として解説しています。毎年類似問題が繰り返し出題されています。本書の出題問題を繰り返し学習して下さい。

3．４肢択一問題の「～について，**適当なもの**はどれか。」の設問には，何が不適当なのかを解説，「**不適当なもの**はどれか。」については，正解以外のものは正しい記述ですから，それらを基礎知識として整理して下さい。

目　次

序　章　受検案内

土木工学等　第1章　土木一般（第１次検定）

土木工学等　第2章　専門土木（第１次検定）

受検案内

1 2級土木施工管理技士の資格取得まで

1） 2級技術検定の受検申込は，受検資格により，「第1次検定・第2次検定」（表2の資格を有する者），「第1次検定のみ」（17歳以上，実務経験不要），「第2次検定のみ」（第1次検定合格者，実務経験必要）の3区分となる。

① 「第1次検定」は，17歳以上が対象で，年2回（前期・後期）実施される。

② 第1次検定合格者には，生涯有効な資格として「2級施工管理技士補」，第2次検定合格者には「2級施工管理技士」の称号が与えられる。

③ 「第2次検定」に合格した者は，1級受検に必要な実務経験を経なくても，1級の第1次検定を受検（1級施工管理技士補）することができる。

表1 2級土木施工管理技術検定の日程

第1次検定（前期）	
受検申込	3月上旬～中旬
検定試験	6月上旬
合格発表	7月上旬
第1次・2次検定，第1次検定（後期），第2次検定	
受検申込	7月上旬～中旬
検定試験	10月下旬
合格発表	第1次検定（後期） 1月中旬 その他 2月上旬

フローチャート

- 受検申込
- 検定
- 第1次検定 ⇒ 不合格
- 第2次検定 ⇒ 不合格 → 第1次検定合格者 技士補
- 「第2次検定のみ」（→ 受検申込へ）
- ⇓ 合格
- 2級技術検定合格証明書交付

※日程は変更される場合があります。必ず事前に確認をして下さい。

表2 2級土木施工管理技術検定（第2次検定）の受検資格

学　歴	実務経験年数	
	指定学科卒業後（注3）	指定学科以外卒業後
大学，専門学校（高度専門士に限る注1）	1年以上	1年6カ月以上
短期大学，高等専門学校 専門学校（専門士に限る注2）	2年以上	3年以上
高等学校，中等教育学校 専門学校（高度専門士・専門士を除く）	3年以上	4年6カ月以上
その他の者	8年以上	

（注1）：修業年限4年以上　　（注2）：修業年限2年以上

（注3）：指定学科とは，土木工学（建設工学，社会開発工学，都市工学，交通工学等），建築，造園，農業土木等に関する学科をいう

2）試験の問合せ先（指定試験機関）

〒187－8540　東京都小平市喜平町２－１－２

一般財団法人　全国建設研修センター土木試験課　TEL 042－300－6860

2 検定の内容

1）**第１次検定**（施工技術の基礎知識と能力）は，土木工学等（「土木一般」，「専門土木」），法規及び施工管理法（基礎的な知識＋基礎的な能力）について，マークシート方式で問われます。

2）**第２次検定**（実務経験に基づく主任技術者としての施工管理の知識と応用能力）は，施工経験記述，土工，コンクリート工に関する記述問題と安全管理・品質管理・環境保全・建設副産物等の施工管理に関する知識と応用能力についての記述問題が出題されます。施工経験記述は論文，他は穴あき問題や短問記述です。

表３　検定の内容

検定区分	検定科目	知識能力	検定基準	方式
第1次検定	土木工学等	知識	・土木工学，電気工学，電気通信工学，機械工学及び建築学に関する概略の知識 ・設計図書を正確に読み取るための知識	マークシート方式
	施工管理法	知識	・施工計画の作成方法及び工程管理，品質管理，安全管理等工事の施工の管理方法に関する基礎的な知識	
		能力	・施工の管理を適確に行うために必要な基礎的な能力	
	法規	知識	・建設工事の施工に必要な法令に関する概略の知識	
第2次検定	施工管理法	知識	・主任技術者として工事の施工の管理を適確に行うために必要な知識	記述式
		能力	・主任技術者として土質試験及び土木材料の強度等の試験の正確な実施かつその結果に基づいて必要な措置を行うことができる応用能力	
			・主任技術者として設計図書に基づいて工事現場における施工計画の適切な作成，施工計画を実施することができる応用能力	

3 合格基準

1）第１次検定の合格基準は，60％以上の正解です。合格率は約50％です。

2）第２次検定の合格基準は，60％以上の正解です。よい評価を得るための記述が求められます。合格率は約40％です。

第１次検定の出題傾向と対策 ここがポイント！

1）No.1～No.11の**「土木一般」**は，「土工」，「コンクリート工」及び「基礎工」であり，広く浅く基礎知識の整理を行う必要があります。

2）No.12～No.31の**「専門土木」**は，範囲が広くまた専門性の高いところですが，各人が得意とする分野から選択解答することができます。

3）No.32～No.42の**「法規」**は，労働基準法，建設業法等の業務に関する内容です。基本的なものは一応整理しておく必要があります。

4）No.43～No.53の**「施工管理」**は，「測量・設計図書・機械」等の**共通工学**と「施工計画」，「安全管理」，「品質管理」及び「環境保全・建設副産物等」等の**施工管理**で必須問題です。

5）No.54～No.61の**「施工管理法」**は，「施工計画」，「工程管理」，「安全管理」，「品質管理」の施工管理法の基礎的な能力を問う問題で，穴あき部分を問う，4肢択一の必須問題です。

◦午前の部（第１次検定）

表４　第１次検定の出題範囲と出題数

問題番号	分　野	項　目　（　）出題数	出題数	解答数
No.1～11 （選択問題）	土木一般	土工(4)，コンクリート工(4)， 基礎工(3)	11問	9問
No.12～31 （選択問題）	専門土木	RC・鋼構造物(3)，河川・砂防(4)， 道路(4)，ダム・トンネル(2)， 海岸・港湾(2)，鉄道・地下構造物(3)， 上下水道(2)	20問	6問
No.32～42 （選択問題）	法　規	労働基準法(2)，労働安全衛生法(1)， 建設業法(1)，道路法・道路交通法(1)， 河川法(1)，建築基準法(1)， 火薬類取締法(1)，騒音規制法(1)， 振動規制法(1)，港則法(1)	11問	6問
No.43～53 （必須問題）	施工管理	測量(1)，契約・設計図書(2)， 施工計画・建設機械(2)，安全管理(2)， 品質管理(2)， 環境保全・建設副産物(2)	11問	11問
No.54～61 （必須問題）	施工管理法 （基礎的な能力）	施工計画(2)，工程管理(2)， 安全管理(2)，品質管理(2)	8問	8問
合　計		〔試験時間：２時間10分〕	61問	40問

第2次検定の出題傾向と対策　ここがポイント！

1）問題1**「施工経験記述」**問題は，受検者が施工管理についての経験・知識が十分にあるか，求められている事項を適確に記述する能力があるかを判別するのが目的です。記述内容は「土木工事」に関するもので，技術的判断・応用力が求められます。

2）**施工経験記述**は，〔設問1〕工事概要と〔設問2〕技術的課題から成り，〔設問1〕の解答が無記載又は記入漏れがある場合，〔設問2〕の解答が無記載又は設問で求められている内容以外の記述の場合，以降は採点の対象とならないので，注意して下さい。

3）採点基準は，発表されていませんが，施工経験記述は配点が大きく，これに合格しないと第2次検定は不合格となります。

4）問題2～問題9「土木工学等」及び「施工管理法」に関しては，穴あき問題における語句，短問記述問題の記述ポイントを整理しておくこと。

◦午後の部（第2次検定）

表5　第2次検定の出題範囲と出題数

	問題番号	分　野	出題数	解答数
施工管理法	問題1～問題5 （必須問題）	施工経験記述（注1）	1問	1問
		施工管理 土木工学等（注2，注3）	4問	4問
	問題6～問題7 （選択問題(1)）	土木工学等（注2）	2問	1問
	問題8～問題9 （選択問題(2)）	施工管理法（注3）	2問	1問
合　計		〔試験時間：2時間〕	9問	7問

（注1）問題1を適切に解答しない場合は，問題2以降は採点されない。
（第2次検定は不合格）
（注2）穴あき問題
（注3）短問記述問題

表6　第2次検定の出題傾向と要点のまとめ

[施工経験の記述]
あなたが経験した土木工事の現場において，工夫した○○管理又は工夫した○○管理のうちから1つ選び，その工事概要，技術的課題，検討した項目・理由・内容及び実施した対応処置とその評価について，記述しなさい。
○○管理については，
① 現場で工夫した安全管理
② 現場で工夫した品質管理
③ 現場で工夫した工程管理
3テーマのうち，2テーマの組合せで出題される。

[土木工学等（土工）]
① 土の原位置試験
② 盛土の施工，切土の施工上の留意点
③ 土の締固め規定（締固め作業・締固め機械）
④ 構造物の裏込め・埋戻し
⑤ 法面保護工の目的・特徴
⑥ 軟弱地盤対策工

[土木工学等（コンクリート工）]
① コンクリートの用語の説明
② レディーミクストコンクリートの受入れ検査
③ コンクリートの運搬・打込み・締固め・養生に関する留意事項
④ 暑中・寒中コンクリートの施工上の留意点
⑤ 型枠及び鉄筋の配置・組立てに関する留意事項
⑥ コンクリートの配合（混和剤の種類・機能）

[施工管理法]
① 足場組立て等の安全管理の留意事項
② 土止め支保工の安全管理の留意事項
③ 明り掘削作業の安全管理の留意事項
④ 移動式クレーンの安全管理の留意事項
⑤ 工程表の特徴（ネットワーク工程表，横線式工程表）
⑥ 施工手順・工程表の作成と所要日数の算定
⑦ コンクリート及び土の品質・規格，骨材の品質
⑧ 建設副産物，建設リサイクル法（特定建設資材）
⑨ 建設工事の施工体制台帳及び施工体系図の作成

施工管理法のポイント：主任技術者として，土木一式工事の施工の管理を適確に行うために必要な知識と応用能力

土木工学等

第1章

土木一般

[第1次検定]

内容

1. 土　工
2. コンクリート工
3. 基礎工

対策

1. 土木工学等のうち，土木一般では，土工，コンクリート工及び基礎工の概略の知識が問われます。
（参考：11問出題，うち9問題選択・解答）
2. 解答は，4肢択一でマークシート形式です。
　消去法で解くと，正解率を高めることができます。設問に対して最も正解でないと思われるものから消去していき，最後に残ったものが正答です。
3. 土木一般の内容は，第2章「専門土木」以降の基礎となるもので，基本的な項目については，整理しておく必要があります。特に，土工，コンクリート工は，他の分野に大きく関係します。

重要問題 1　原位置試験・土質試験

土質調査の原位置試験の「名称」とその「試験結果の利用」との組合せとして，**適当でないもの**はどれか。

［名　称］　［試験結果の利用］

(1)　標準貫入試験 ………………地盤支持力の判定
(2)　砂置換法による土の密度試験 ………………土の締固め管理
(3)　ポータブルコーン貫入試験 ………………地盤の安定計算
(4)　ボーリング孔を利用した透水試験………………地盤改良工法の設計

解答と解説　原位置試験（土質調査）

1．**原位置試験**とは，土が元々の位置にある自然の状態のままで実施する試験をいう。**サウンディング**は，パイプ・ロッド先端の抵抗体に貫入・回転・引抜き等の力を加えた際の土の抵抗から土層の分布とその強さを判断する。

2．**標準貫入試験**は，63.5±0.5 kg のドライブハンマを 76±1 cm の高さから自由落下させ，ボーリングロッド先端の**サンプラー**が 30 cm 貫入するのに要する打撃回数 N 値により，支持層の位置や支持力の判定を行う（P 46）。

(3)　**ポータブルコーン貫入試験**は，土工機械の走行性（**トラフィカビリティー**），浅い層の軟弱地盤の調査に利用される（P 132）。　**解答**　(3)

表1・1　土質調査に用いる主な原位置試験

試験の名称	試験結果から求められるもの	試験結果の利用
弾性波探査	地盤の弾性（地震）波速度 V	地層の種類，性質，成層状況の推定
電気探査	地盤の比抵抗値	地下水の状態の推定
単位体積質量（密度）試験（砂置換法又はカッター法）	湿潤密度 ρ_t 乾燥密度 ρ_d	締固めの施工管理
標準貫入試験※	動的貫入抵抗　N 値	土の硬軟，締まり具合の判定
スウェーデン式サウンディング※	静的貫入荷重 W_{sw} 半回転数 N_{sw}	土の硬軟，締まり具合の判定
オランダ式二重管コーン貫入試験※	コーン指数 q_c	土の硬軟，締まり具合の判定
ポータブルコーン貫入試験※	コーン指数 q_c	トラフィカビリティーの判定
ベーン試験※	粘着力 c	細粒土の斜面や基礎地盤の安定計算
平板載荷試験	地盤係数 K	締固めの施工管理
現場 CBR 試験	CBR（支持力値）	現場の支持力の判定
現場透水試験	透水係数 k	透水関係の設計計算 地盤改良工法の設計

※サウンディング調査

関連問題 土質試験の「目的」とその「土質試験名」との組合せとして，**適当でないもの**はどれか。

［目　的］　　　　　　　　　　　　　　［土質試験名］

(1)　粘性地盤の沈下量の推定……………………圧密試験
(2)　盛土の締固め度の推定　……………………締固め試験
(3)　盛土材料の選定　……………………コンシステンシー試験
(4)　地盤の透水性の推定　……………………含水比試験

解説　土質試験

1．**土質試験**には，現地で採取した土試料に基づき，土の判別分類のための試験（含水比試験，粒度試験，コンシステンシー試験（P 65））と土の力学的性質（締固め特性・透水性・強度・圧密特性など，土工の設計・施工に必要な係数）を求める試験がある。

(4)　地盤の透水性の推定……透水試験。土の性質は，**含水比**（P 19）に大きく影響される。含水比は土の状態を表す基本となる値である。　**解答**　(4)

土質調査
- 原位置試験……自然の状態にある土に対して実施する。
  ボーリング，サウンディング等
- 土質試験………採取した試料の力学的性質や土の判別・分類を行う。
  地層の状況，圧密・せん断・透水性等

表1・2　土の力学的性質を求める試験

試験の名称	試験結果から求められるもの	試験結果の利用
せん断試験 直接せん断試験 （一面せん断試験） 一軸圧縮試験 三軸圧縮試験	 せん断抵抗角 ϕ 粘着力 c 一軸圧縮強さ q_u 粘着力 c 鋭敏比 s_t せん断抵抗角 ϕ 粘着力 c	基礎，斜面，擁壁などの安定の計算 細粒土の地盤の安定計算 細粒土の構造の判定
圧密試験	e-$\log p$ 曲線 圧縮係数 a_v 透水係数 k 圧密係数 c_v	粘土層の沈下量の計算 粘土の透水係数の実測 粘土層の沈下速度の計算
透水試験	透水係数 k	透水関係の設計計算
締固め試験	含水比－乾燥密度曲線 最大乾燥密度 ρ_{dmax} 最適含水比 W_{opt}	路盤及び盛土の施工方法の決定·施工管理·相対密度の算定
CBR 試験	CBR 値（%）	たわみ性舗装厚さの設計

重要問題2　土の締固め

道路盛土の路体の締固めに関する下記の文章の［　　］に当てはまる語句の組合せとして，**適当なもの**はどれか。

盛土の締固めは，一般に盛土材料が砂質土や礫質土の場合，目標とする締固め度を［（イ）］によって規定するのが普通であり，路体では締め固めた後の［（ロ）］が，JIS A 1210 に定められた室内の突固め試験によって得られる［（ハ）］の 90% 以上となるよう規定する。

	（イ）	（ロ）	（ハ）
(1)	CBR……………	含水比　……………	最適含水比
(2)	CBR……………	含水比　……………	最大乾燥密度
(3)	密度……………	現場乾燥密度……………	最大乾燥密度
(4)	密度……………	現場湿潤密度……………	最適含水比

解答と解説　土の締固め

1．外から圧力を加えて土中の空気を追い出し，体積を小さくして(イ)**密度**を高めることを土の**締固め**という。土の間隙（かんげき）が最小となる時の(ロ)**乾燥密度**を(ハ)**最大乾燥密度** ρ_{dmax}，この時の含水比を**最適含水比** w_{opt} という。

2．締固めの目的は，次のとおり。
- ①　密度を高め，水の浸入による軟化・膨張を防ぐ。
- ②　盛土の安定・支持力の増大を図る。
- ③　盛土完成後の圧縮沈下を小さくする。

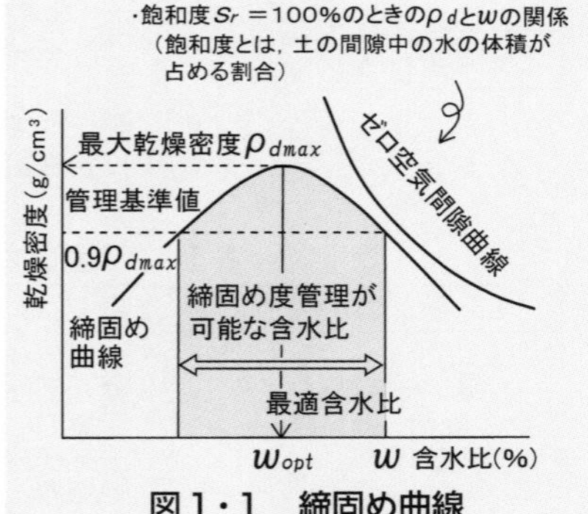

図1・1　締固め曲線

3．盛土の設計にあたって，締固め度，施工含水比，施工層厚などの締固めの基準が定められる。土の締固めの規定方式には，**品質規定方式**と**工法規定方式**がある。**締固め度**は，品質規定方式のうち，**乾燥密度規定**である。

$$\textbf{締固め度} = \frac{\text{現場の締固め後の乾燥密度 } \rho_d}{\text{室内締固め試験の最大乾燥密度 } \rho_{dmax}} \times 100(\%) \quad \cdots式(1\cdot1)$$

なお，締め固めた土の評価は **CBR 試験**（P 64），平板載荷試験で行う。

解答　(3)

関連問題 土の締固め管理に関して，**適当でないもの**はどれか。

(1) 品質規定方式は，盛土に必要な品質を仕様書に明示し，締固めの工法は施工者にまかせる方法である。
(2) 品質規定方式による締固めの管理は，請負契約の性格上合理的な方式であり，最近の請負工事においては多くの機関で採用されている。
(3) 工法規定方式は，使用する締固め機械の機種や締固め回数，盛土材料の巻出し厚さなど，工法そのものを仕様書に規定している。
(4) 品質規定方式による締固めの管理方法において，最も一般的なものは，現場における締固めの程度を含水比で規定する方法である。

解説 土の締固め規定

(1) **品質規定方式**は，盛土の品質を乾燥密度（締固め度 90〜95%），空気間隙率（10〜20% 以下）又は飽和度（85〜95% 以上），強度特性等で規定し，その品質を確保するための施工法については施工者に委ねるものである。
(3) **工法規定方式**は，盛土の締固めに使用する機械の機種・締固め回数，巻出し厚さなどの工法を仕様書に規定し管理するものである。 **解答** (4)

表１・３ 土の締固め規定

締固め規定方式		適性材料	規　定
品質規定	① 乾燥密度による規定	粘土・シルト質土	締固め度 C_d
	② 空気間隙率又は飽和度による規定	高含水比材料	空気間隙率 n_a 飽和度 S_r
	③ 強度特性による規定	玉石・砂利・砂・砂質土	CBR・K値・貫入量
工法規定		岩塊・玉石	機種・転圧回数

[土の状態の表し方]

土の状態を表す要素
・水の含み具合（含水比）
・締り具合（乾燥密度）
・すき間の量（間隙比，飽和度）

（体 積）　（質 量）
V　V_v　V_a　V_w　V_s　空 気　水　土粒子　m_a　m_w　m_s　m

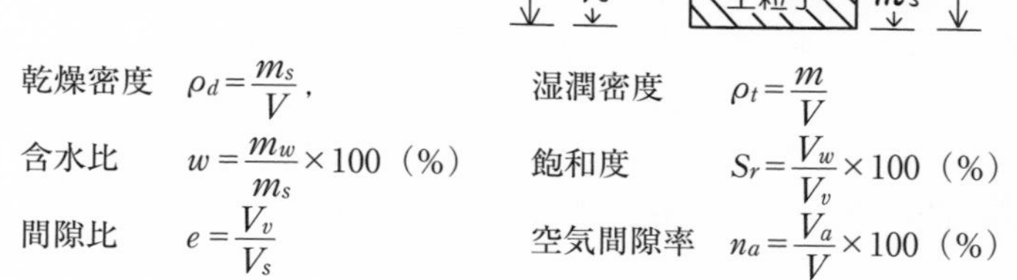

乾燥密度 $\rho_d = \dfrac{m_s}{V}$，　湿潤密度 $\rho_t = \dfrac{m}{V}$

含水比 $w = \dfrac{m_w}{m_s} \times 100$（%）　飽和度 $S_r = \dfrac{V_w}{V_v} \times 100$（%）

間隙比 $e = \dfrac{V_v}{V_s}$　空気間隙率 $n_a = \dfrac{V_a}{V} \times 100$（%）

重要問題３　土量の変化率

土量の変化に関して，**適当なもの**はどれか。

ただし，土量の変化率を $L=1.20$，$C=0.90$ とする。

⑴　1, 800 m³ の盛土をするのに必要な地山土量は，2, 160 m³ である。

⑵　1, 800 m³ の地山土量を掘削して運搬する土量は，2, 000 m³ である。

⑶　1, 800 m³ の盛土に必要な地山をほぐした土量は，2, 400 m³ である。

⑷　1, 800 m³ の地山土量をほぐして締め固めた土量は，1, 500 m³ である。

解答と解説　土量の変化（ほぐし率 L，締固め率 C）

地山を切りくずし，再びこれを締め固めた場合，土量に変化が生じる。土量の変化率は，地山土量を基準にして，**ほぐし率 L，締固め率 C** で表す。ほぐし率は土量の運搬計画に，締固め率は配分計画に用いる。

ほぐし率 $L=\dfrac{\text{ほぐした土量}}{\text{地山土量}}$

締固め率 $C=\dfrac{\text{締固め後の土量}}{\text{地山土量}}$

（注）　地山土量　　：掘削すべき土量
ほぐした土量：運搬すべき土量
締固め土量　：盛土量

……式（１・２）

⑴　締固め率 $C=0.90$ であるから，盛土量は地山土量に比べて小さくなる。
地山土量＝盛土量／締固め率 $C=1,800\ \text{m}^3/0.90=\underline{2,000\ \text{m}^3}$

⑵　運搬される土は，ほぐした状態にある。ほぐし率 $L=1.20$ であるから，
運搬土量＝地山土量×ほぐし率 $L=1,800\ \text{m}^3\times1.20=\underline{2,160\ \text{m}^3}$

⑶　1, 800 m³ の盛土に必要な地山土量は $1,800\ \text{m}^3/0.90=2,000\ \text{m}^3$
ほぐした土量＝地山土量×ほぐし率 $L=2,000\ \text{m}^3\times1.20=2,400\ \text{m}^3$

⑷　締固め土量＝地山土量×締固め率 $C=1,800\ \text{m}^3\times0.90=\underline{1,620\ \text{m}^3}$

解答　⑶

関連問題　土量の変化率に関して，**誤っているもの**はどれか。
ただし，$L=1.20$，$C=0.90$

⑴　締め固めた土量 100 m³ に必要な地山土量は 111 m³ である。

⑵　100 m³ の地山土量の運搬土量は 120 m³ である。

⑶　ほぐされた土量 100 m³ を盛土して締め固めた土量は 75 m³ である。

⑷　100 m³ の地山土量を運搬し盛土後の締め固めた土量は 83 m³ である。

解説　土量の変化（土量換算係数 f）

求める土量 Q と基準の土量 q が異なる場合，表の土量換算係数 f を用いる。なお，ほぐした土量は運搬土量，締固め後の土量は盛土量である。

求める土量 Q ＝土量換算係数 f ×基準の土量 q　……式（1・3）

表１・４　土量換算係数 f の値

基準の土量 (q) ＼ 求める土量 (Q)	地山の土量	ほぐした土量	締固め後の土量
地山の土量 (A)	1	L	C
ほぐした土量	$1/L$	1	C/L
締固め後の土量	$1/C$	L/C	1

求める土量Q ほぐした土量 ÷L ×L 地山土量 ×C ÷C 締固めた土量 $L=1.20,\ C=0.90$	(1)	(2)	(3)	(4)
	$Q=1/C\times100$ ↑ ＝$\underline{111\ \mathrm{m^3}}$ $q=100\ \mathrm{m^3}$	$Q=L\times100$ ↑ ＝$\underline{120\ \mathrm{m^3}}$ $q=100\ \mathrm{m^3}$	$q=100\ \mathrm{m^3}$ ↓ $(1/L)\times100$ ↓ $Q=(C/L)\times100$ $=\underline{75\ \mathrm{m^3}}$	$q=100\ \mathrm{m^3}$ ↓ $Q=C\times100$ $=\underline{90\ \mathrm{m^3}}$

解答　(4)

関連問題　盛土材料に用いる土の性質として，**適当でないもの**はどれか。

(1)　吸水による膨潤性が低いこと
(2)　締め固めた後の圧縮性が大きいこと
(3)　敷均し締固めの施工が容易であること
(4)　雨水などの浸食に対して強いこと

解説　盛土材料に要求される一般的性質

○　盛土材料の選定には，**コンシステンシー試験**が利用される。
①　機械施工の走行性（**トラフィカビリティー**）が確保できること。
②　所定の締固めが行いやすいこと。
③　締め固められた土のせん断強さが大きく，圧縮性の小さいこと。
④　透水性が小さいこと。
⑤　有機物（草木・その他）を含まないこと。
⑥　吸水による膨潤性の低いこと。

解答　(2)

重要問題4　法面保護工，土工機械

法面保護工の「工種」とその「目的・特徴」との組合せとして，**適当なものはどれか。**

［工　種］　　　　　　　　　　［目的・特徴］
(1)　モルタル吹付工　　　………………土圧に対する抵抗
(2)　張芝工　　　　　　　………………すべり土塊の滑動力に対する抵抗
(3)　ブロック張工　　　　………………風化，侵食，表面水の浸透防止
(4)　グラウンドアンカー工………………不良土，硬質土法面の侵食防止

解答と解説　法面保護工の工種とその目的・特徴

1．**法面保護工**（のりめん）は，法面の風化，浸食を防止し法面の安定を図るもので，植物を用いて法面を保護する**植生工（法面緑化工）**と，コンクリート・石材等の**構造物による保護工（構造物工）**がある。

2．植生工には，盛土に種子散布工，植生筋工，筋芝工が，切土には張芝工，植生土のう工等が用いられる。構造物工には，降雨の浸透を防ぐ密閉型としてモルタル吹付工，コンクリート吹付工，ブロック張工が，開放型として編柵工，蛇かご工が，抗土圧型としてコンクリート張工，グランドアンカー工等がある。(3)のブロック張工は，法面の風化・浸食の防止として1：1.0より緩い勾配の粘着力のない土砂，崩れやすい粘土法面に用いられる（P 184）。

解答　(3)

関連問題　土工作業の種類と使用機械の組合せのうち，**適当でないもの**はどれか。

［土工作業の種類］　　［使用機械］
(1)　伐開・除根　…………………タンピングローラ
(2)　掘削・積込み…………………トラクターショベル
(3)　掘削・運搬　…………………スクレーパ
(4)　法面仕上げ　…………………バックホウ

解説　土工作業と使用機械

(1)　伐開・除根作業には，ブルドーザ，レーキドーザ等が用いられる。土工作業の種別と適用機械については，P 133 参照のこと。

解答　(1)

関連問題 土工の締固め機械に関して，**適当なもの**はどれか。

(1) ロードローラは，ローラの表面に突起をつけたもので，突起の先端に荷重が集中でき，粘性土，土塊や岩塊などの破砕や締固めに効果がある。
(2) タンパは，動的な衝撃荷重によって土を締め固めるもので，人力で移動させる小型締固め機械である。
(3) 振動ローラは，起振機を転圧板の上に直接装備したもので，人力で締固め作業を行うものである。
(4) タンピングローラは，平滑な鉄輪を有し，路盤やアスファルト舗装に使用され，平滑な仕上り面を作ることができる。

解説 土工の締固め機械

1．土の締固め作業では，適切な締固め機械を選定し，所定の品質を確保する。

表1・5　締固め機械と土質の関係

締固め機械	土質との関係
ロードローラ	路床，路盤の締固めや盛土の仕上げに用いられる。粒度調整材料，切込砂利，礫混り砂などに適している。
タイヤローラ	砂質土，礫混り砂，山砂利，マサなど細粒分を適度に含んだ締固め容易な土に最適。
振動ローラ	岩砕，切込砂利，砂質土などに最適。法面の締固めにも用いる。
タンピングローラ	風化岩，土丹，礫混り粘性土など細粒分は多いが，鋭敏性の低い土に適している。
振動コンパクタ タンパなど	鋭敏な粘性土などを除くほとんどの土に適用できる。他の機械が使用できない狭い場所や法肩などに用いる。

（備考）鋭敏な粘性土，水分を過剰に含んだ砂質土などのようにトラフィカビリティーが容易に得られない土にやむを得ずブルドーザを用いることがある。
鋭敏比：粘性土が乱されるとせん断強さが低下する。

(1) ロードローラ（マカダムローラ）

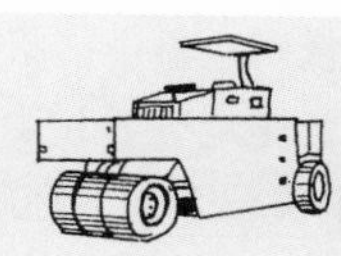
(2) タイヤローラ

(3) 振動ローラ

(4) タンピングローラ

(5) タンパ

図1・2　締固め機械

(1)はタンピングローラ，(3)転圧板の上→車輪内，(4)はロードローラである。

解答 (2)

重要問題5  軟弱地盤対策工

軟弱地盤対策工の「工法」とその「工法の概要」との組合せとして，**適当なもの**はどれか。

［工　法］	［工法の概要］
(1)　サンドドレーン工法	…………地盤中に鉛直方向の砂柱を設置し，水平方向の圧密排水距離を短縮し，圧密沈下を促進させ，強度を増加させる。
(2)　押え盛土工法	…………盛土側方の地盤に矢板を打設し，地盤の側方変位を減少させる。
(3)　載荷重工法	…………軟弱地盤に荷重を加えて圧密沈下させ，地盤のせん断強さを減少させる。
(4)　サンドコンパクションパイル工法	…………地盤に締め固めた砂杭を造り，軟弱層を締め固めると共に砂杭の支持力によって安定を増し，沈下量を増加させる。

解答と解説　軟弱地盤対策工法の概要

軟弱地盤とは，土の粒度分布や含水比が適当でない一般に N 値が5以下の十分な支持力をもたない地盤をいう。軟弱地盤は，圧密・排水，締固め，固結，掘削置換等により行う。

(2)　**押え盛土工法**は，本体盛土に先行して側方に押え盛土を施工し，すべり抵抗を増加させて本体盛土を安全に施工する。

(3)　**載荷重工法**は，上部構造物に見合う荷重の盛土をあらかじめかけておき，圧密沈下により地盤のせん断力を増加させ，沈下完了後に盛土を取り去り，構造物を構築する安定対策工法である。

(4)　**サンドコンパクションパイル工法**は，軟弱地盤中に締め固めた砂杭を造り，軟弱層を締め固め，砂杭の支持力によって安定を増し沈下量を減ずる工法。

資料1⇒P208参照　**解答**　(1)

関連問題　軟弱地盤対策工として用いられる**押え盛土工法の施工により，最も期待される効果**はどれか。

(1)　圧密沈下の促進　　(2)　すべり抵抗の増加
(3)　地盤の強度増加　　(4)　液状化の防止

解説 軟弱地盤対策工の目的と効果

(2) 押え盛土は，盛土の側方に小規模な盛土を設けすべり抵抗を増加させる。

表1・6 軟弱地盤対策工の目的と効果

対策工の目的	対策工の効果		対策工法
沈下対策	圧密沈下の促進	地盤の沈下を促進して，有害な残留沈下量を少なくする。	盛土載荷工法 サンドドレーン工法
	全沈下量の減少	地盤の沈下そのものを少なくする。	軽量盛土工法 深層混合処理工法
安定対策（側方流動）	せん断変形の抑制	盛土によって周辺の地盤が膨れ上がったり，側方移動したりすることを抑制する。	表層混合処理工法 サンドマット工法 矢板工法
	強度低下の抑制	地盤の強度が盛土などの荷重によって低下することを抑制し，安定を図る。	段階載荷工法 軽量盛土工法
	強度増加の促進	地盤の強度を増加させることによって，安定を図る。	盛土載荷工法 サンドドレーン工法
	すべり抵抗の増加	盛土形状を変えたり地盤の一部を置き換えることによって，すべり抵抗を増加し安定を図る。	押え盛土工法 盛土補強工法 深層混合処理工法 矢板工法
地震時対策（すべり破壊）	液状化の防止	液状化を防ぎ，地震時の安定を図る。	振動締固め工法 サンドコンパクションパイル工法

解答 (2)

関連問題 軟弱地盤の地盤改良工に関して，**適当でないもの**はどれか。

(1) 深層混合処理工法は，石灰，セメント系の安定材と原位置の軟弱土とを混合し，軟弱地盤の含水比を低下させ，圧密を促進させる工法である。
(2) 載荷重工法は，あらかじめ軟弱地盤上に盛土を行い圧密沈下を促進させるとともに，地盤の強度増加を図る工法である。
(3) サンドマット工法は，圧密のための上部排水層の役割を果たす目的で，軟弱地盤上に厚さ0.5～1.2 m 程度の敷砂を施工する工法である。
(4) 表層排水工法は，盛土施工前の地表面にトレンチを掘削して地表水を排除し，同時に地盤表層部の含水比を低下させる工法である。

解説 軟弱地盤の地盤改良工

(1) **深層混合処理工法**は，セメント又は石灰などの安定材を軟弱土と混合し，強固な柱体状，ブロック状又は壁状の安定処理土を形成し，盛土のすべり防止，沈下の低減，橋台背面の側方流動防止などを目的とする。 **解答** (1)

重要問題６　コンクリートの配合

フレッシュコンクリートに関して，**適当なもの**はどれか。

⑴　ワーカビリティーは，変形・流動に対する抵抗の程度を表す。
⑵　ブリーディングは，練混ぜ水の一部の表面水が内部に浸透する現象である。
⑶　スランプは，軟らかさの程度を示す指標である。
⑷　コンシステンシーは，打込み・締固め・仕上げ作業の容易さを表す。

解答と解説　フレッシュコンクリートの性質

1．まだ固まらないコンクリートを**フレッシュコンクリート**という。**コンシステンシー**とは，主として水量の多少によって左右されるフレッシュコンクリートの変形・流動に対する抵抗。**スランプ試験**によって求める。

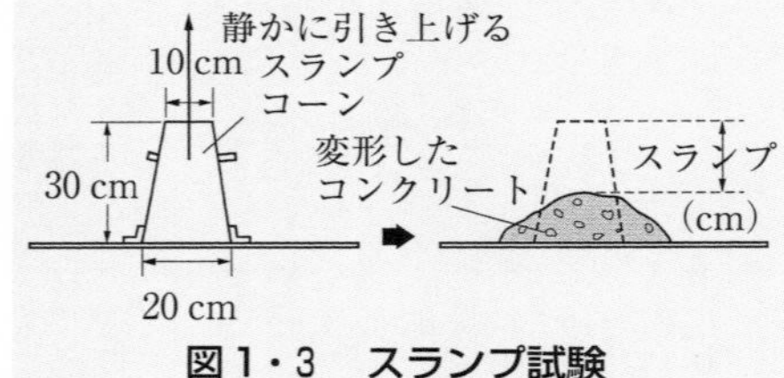

図１・３　スランプ試験

2．**ワーカビリティー**とは，材料分離を生じることなく，運搬・打込み・締固め・仕上げ等の作業が容易にできる程度（作業性）を表すフレッシュコンクリートの性質。

なお，⑴はコンシステンシー，⑵**ブリーディング**は練混ぜ水の一部が上昇する現象（P 30），⑷はワーカビリティーの説明である。

解答　⑶

関連問題　コンクリートの混和材料等を用いた場合のコンクリートの特性に関して，**適当でないもの**はどれか。

⑴　減水剤を用いたコンクリートは，ワーカビリティーが改善される。
⑵　AE 剤で空気量を増加させたコンクリートは，圧縮強度が低下する。
⑶　AE 剤を用いたコンクリートは，凍結融解に対する抵抗性は低下する。
⑷　フライアッシュの混入量を増やしたコンクリートは，凝結が遅れて初期強度が小さくなる。

解説　コンクリートの混和材料

混和材料（混和材，混和剤）は，セメント・水・骨材以外の材料で，必要に応じてコンクリートの成分として加え，コンクリートの性質を改善する。使用量が少なく，それ自体の容積が配合計算に関係しないものを**混和剤**，関係するものを**混和材**という。（P 189）。

⑶ **AE 剤**は，コンクリート中に微小な気泡を混入させワーカビリティー及び凍結融解に対する抵抗性を改善し，単位水量を減じる目的で使用される。

なお，⑷**フライアッシュ**（混和材，石炭火力発電所の微粉炭）の混合率を増やすと，凝結が遅れ初期強度が小さくなる。フライアッシュセメントはセメント質量の 5% を超え 10% 以下のものを A 種，10% を超え 20% 以下のものを B 種，20% を超え 30% 以下のものを C 種とする。

資料 2 ⇒ P 210 参照　**解答**　⑶

関連問題　コンクリートの配合に関して，**適当でないもの**はどれか。

⑴ 単位水量は，作業ができる範囲内で，できるだけ少なくなるように試験によって定める。

⑵ 細骨材の粗骨材に対する割合を大きくした場合には，所要のスランプのコンクリートを得るために必要な単位水量を減らすことができる。

⑶ AE 剤を用いると，所要のワーカビリティーを得るための単位水量を減らすことができる。

⑷ 水密性をもとにして水セメント比を定める場合，その値は，55% 以下を標準とする。

解説　コンクリートの配合

⑴ コンクリートの配合は，品質に大きく影響する水セメント比と単位水量を基に決める。所要の品質と作業に適するワーカビリティーが得られる範囲内で，単位水量ができるだけ少なくなるよう試験によって定める。

⑵ **細骨材率**（細骨材と骨材全量との容積比）を大きくした場合，所要のワーカビリティー（スランプ）を得るために必要な単位水量は増える。細骨材率は，所要のワーカビリティーが得られる範囲内で，単位水量が少なくなるよう試験によって定める。単位量とはコンクリート 1 m^3 造るときの使用量。

⑶ AE 剤を用いると，ワーカビリティーが改善され単位水量を減少できる。

⑷ **水セメント比**（W/C）は，セメントペースト中の水（W）とセメント（C）との質量比（%）で，所要の強度，耐久性，水密性を考えて定める。水セメント比は，劣化に対する耐久性から 65% 以下，**水密性**（透水性や透湿性の小ささ）が要求されるコンクリートでは 55% 以下とする。　**解答**　⑵

重要問題7　セメント，骨材，鉄筋工

コンクリート用セメントに関して，**適当でないもの**はどれか。

⑴　セメントは，風化すると密度が高くなる。
⑵　粉末度は，セメント粒子の細かさをいう。
⑶　中庸熱ポルトランドセメントは，ダムなどのマスコンクリートに適している。
⑷　セメントは，水と接すると水和熱を発しながら徐々に硬化していく。

解答と解説　コンクリート用セメント

コンクリートは，セメント，水，細骨材・粗骨材及び必要に応じて混和材料を練り混ぜ，硬化させたものをいう。**セメント**には**ポルトランドセメント**（普通，早強等の6種類）と**混合セメント**（高炉・フライアッシュ等）及び**エコセメント**がある。

⑴　普通ポルトランドセメントの**密度**は，約3.15 g/cm^{3}である。**風化**（セメントが空気中の水分と水和反応を起こす）すると密度は小さくなり，凝縮や強さに悪影響を及ぼす。なお，⑵粉末度は，セメント粒子の細かさをいう。比表面積の大きいセメントは水和反応や硬化が早く，風化も生じやすい。

解答　⑴

関連問題　コンクリートの骨材に関して，**適当でないもの**はどれか。

⑴　細骨材は，10 mm網ふるいを全部通過し，5 mm網ふるいを質量で85%以上通過する骨材をいう。
⑵　粗骨材の最大寸法は，質量で骨材の全部が通過するふるいのうち，最小寸法のふるいの呼び寸法である。
⑶　粗骨材は，5 mm網ふるいに質量で85%以上とどまる骨材をいう。
⑷　細骨材率は，コンクリート中の全骨材量に対する細骨材量の絶対容積比を百分率で表わした値である。

解説　コンクリートの骨材

⑵　**粗骨材の最大寸法**は，質量で少なくとも90%が通過するふるいのうち，最小のふるいの寸法で示す。粗骨材の最大寸法が大きくなるほど，コンクリートは経済的となるが，練混ぜ，取扱いが困難となり材料分離が生じる。

解答　⑵

関連問題 コンクリートの骨材に関して，**適当でないもの**はどれか。

(1) 砕石は，丸みをおびた骨材と比べ表面が粗であるので，モルタルとの付着がよくなり，強度は大きくなる。
(2) 骨材の粒度は，骨材の大小粒が混合している程度を表し，よい品質のコンクリートをつくるために重要な性質である。
(3) 骨材の密度は，湿潤状態における密度であり，骨材の硬さ，強さ，耐久性を判断する指針になる。
(4) ロサンゼルス試験機を用いた場合のすりへり減量は，その量が小さいほど良質な骨材である。

解説 コンクリートの骨材

(3) 骨材の含水状態により，**絶対乾燥状態**（骨材の内部に全く水がない），**表面乾燥飽水状態**（表乾状態，表面水がなく，内部に水が満たされている）等に区分される。密度は，表乾状態の骨材（規定：2.5 kg/cm³ 以上）で表し，配合計算に用いられ，骨材の硬さ，強さ，耐久性を判断する指針となる。

解答 (3)

関連問題 鉄筋の組立てに関して，**適当でないもの**はどれか。

(1) 型枠に接するスペーサーは，原則として鋼製あるいはプラスチック製を使用する。
(2) 鉄筋を加工する場合には，太い鉄筋でも原則として常温で加工する。
(3) 鉄筋の組立ては，0.8 mm 以上の焼きなまし鉄線又は適切なクリップで鉄筋の交点部を緊結しなければならない。
(4) 鉄筋のかぶりを正しく保つためのスペーサーの数は，はり，床版で 1 m² 当たり 4 個程度を配置する。

解説 鉄筋の組立て

(1) 鉄筋とせき板との間隔は，**スペーサー**を用いて正しく保ち，**かぶり**（鋼材表面からコンクリート表面までの最短距離）を確保する。型枠に接するスペーサーは，モルタル製あるいはコンクリート製を使用することを原則とする。

解答 (1)

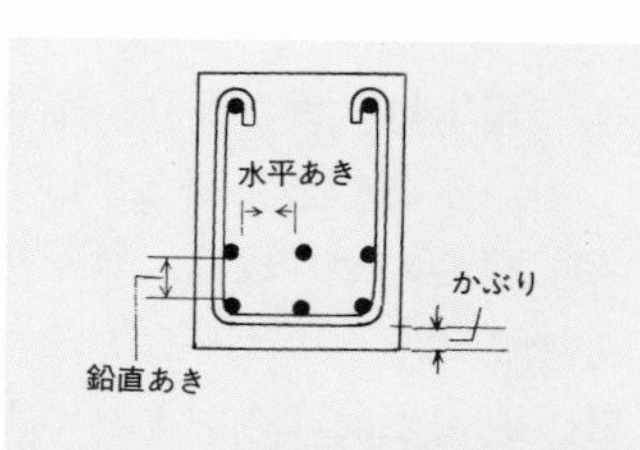

図 1・4　鉄筋のあき・かぶり

重要問題８ 打込み・締固め

コンクリートの打込みと締固めに関して，**適当でないもの**はどれか。

(1) コンクリート打込み中にコンクリート表面に集まったブリーディング水は，仕上げを容易にするために，そのまま残しておく。
(2) 型枠内面には，コンクリート硬化後に型枠をはがしやすくするため，はく離剤を塗布しておく。
(3) 棒状バイブレータは，コンクリートに穴を残さないように，ゆっくりと引き抜く。
(4) 再振動を行う場合には，コンクリートの締固めが可能な範囲でできるだけ遅い時期に行う。

解答と解説 コンクリートの打込み・締固め

コンクリートは，練混ぜ後，速やかに運搬し直ちに打込み，締固める。

(1) **ブリーディング**とは，**フレッシュコンクリート**（まだ固まらない状態のコンクリート）において，固体材料の沈降又は分離によって，練混ぜ水の一部が遊離して上昇する現象。水和作用に不要な水であるので取り除く。

(3) コンクリートの締固めは，内部振動機（**棒状バイブレータ**）を用いることを原則とする。内部振動機の使用方法は次のとおり（P 193）。

① 内部振動機を下層のコンクリート中に 10 cm 程度挿入する。
② 挿入間隔 50 cm 以下，挿入時間 5 ～15 秒とする。
③ 引抜きは，後に穴が残らないよう徐々に行う。
④ コンクリートを横移動させる目的で使用してはならない。

(4) **再振動**は，コンクリートをいったん締め固めた後，適切な時期に再び振動を加え，強度及び鉄筋との付着を増し，沈下ひび割れの防止を目的とする。

解答 (1)

関連問題 コンクリートの施工に関して，**適当なもの**はどれか。

(1) 現場打ちコンクリートの締固めに用いる振動締固め機は，型枠振動機を用いることを原則とする。
(2) 型枠のせき板は，コンクリートの打込み時には，あらかじめ表面を乾燥させる。
(3) 直接地面にコンクリートを打ち込む場合には，あらかじめ均しコンクリートを敷いておく。
(4) 打込み中に材料分離が著しいコンクリートは，練り直して打ち込む。

解説 コンクリートの施工

(1) コンクリートの締固めは，内部振動機を用いることを原則とし，薄い壁など内部振動機の使用が困難な場合には型枠振動機を使用する。
(2) せき板等の吸水のおそれのある部分は，あらかじめ湿らせておく。
(3) コンクリートを地面に直接打ち込む場合には，**均しコンクリート**（地盤を均(なら)し，墨出(すみだ)しを容易にし，型枠を据(す)え易(やす)くする）を敷く。
(4) 打込み中の材料分離は，練り直しても均等質なコンクリートとすることは難しいので，型枠の中に打ち込むのをやめ，材料分離の原因を調べ防止する。

解答 (3)

関連問題 コンクリートの施工に関して，**適当なもの**はどれか。

(1) シュートを用いる場合，斜めシュートを原則とし，やむを得ず縦シュートを用いる場合，スランプの大きなコンクリートを使用する。
(2) 多量のコンクリートを広範囲に打ち込む場合，打込み箇所を少なくし，打込み区画全体は水平に打ち上がるようにする。
(3) 打ち込んだコンクリートは，型枠内を内部振動機で横移動させる。
(4) 壁や柱のコンクリートを連続して打ち込む場合，コンクリートの打ち上げ速度を速くすると，型枠に大きな圧力を及ぼしたりブリーディングによる悪影響が起こりやすい。

解説 コンクリートの打込み

(1) シュートを用いる場合は，縦シュートの使用を標準とする。やむを得ず斜めシュートを用いる場合，シュートの傾きは水平2に対して鉛直1以下，吐出口には材料分離を防ぐために，バッフルプレート及び漏斗管を設ける。

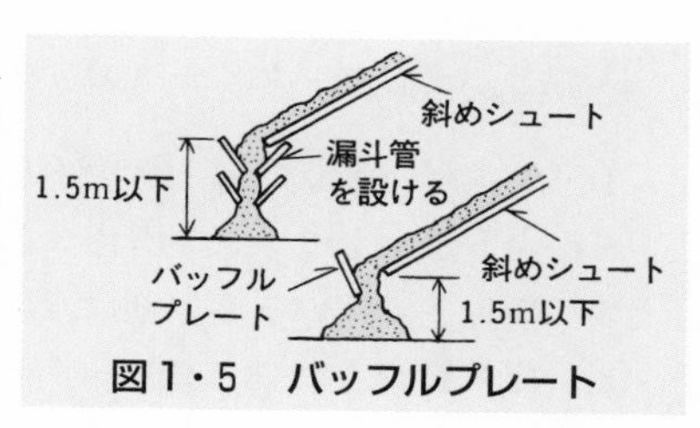

図1・5　バッフルプレート

(2) コンクリートは，打込み箇所を多くし目的の位置に近いところにおろし，一区画内で水平になるように打ち込む。
(3) 内部振動機でコンクリートを横移動させてはならない。
(4) 打上がり速度は30分につき1～1.5m程度を標準とする。

解答 (4)

重要問題９　　養生，型枠・支保工

コンクリートの養生に関して，**適当なもの**はどれか。

(1)　セメントの水和反応は，養生時のコンクリート温度によっても著しい影響を受ける。
(2)　コンクリートの湿潤養生期間は，混合セメントＢ種を用いたものの方が普通ポルトランドセメントを用いた場合より短くてよい。
(3)　コンクリートの硬化を促進させるため，打込み後，直射日光を当てる。
(4)　外気温が著しく高い場合，コンクリートの初期の強度が早く増加し，長期材齢における強度の伸びも大きくなる。

解答と解説　コンクリートの養生

(1)，(2)　コンクリート打込み後，一定期間硬化に必要な温度及び湿度を保ち，衝撃や荷重などの有害な作用を受けないように**養生**する。

表１・７　湿潤養生期間の標準

日平均気温	普通ポルトランドセメント	混合セメントＢ種	早強ポルトランドセメント
15℃ 以上	5日	7日	3日
10℃ 以上	7日	9日	4日
5℃ 以上	9日	12日	5日

(3)　コンクリート打込み後，硬化を始めるまで十分な水和反応の確保，ひび割れ防止のため，日光の直射，風等による水分の逸散を防ぐ。
(4)　養生温度が高いほど初期の強度発現は大きいが，長期強度は伸びない。

解答　(1)

関連問題　コンクリートの養生に関して，**適当なもの**はどれか。

(1)　早強ポルトランドセメントを用いると水和熱が大きくなるので，普通ポルトランドセメントを用いる場合に比べ長期の湿潤養生が必要となる。
(2)　膜養生で用いる養生剤は水は通さず，水蒸気を通すものが良い。
(3)　打ち終わったコンクリートの上部は，早く硬化させるために，直射日光を当て風が通るようにする。
(4)　湿潤養生の効果は，打込み後３日間に発揮される部分が，その後の３日間に発揮される部分より大きい。

解説 コンクリートの養生

⑵ 膜養生は，水分の逸散を防止するために行う。湿気(水分)を通さないこと。

⑶ 直射日光や風などにより表面が急激に乾燥すると，水和反応が十分に行われず，乾燥によるひび割れの原因となる。

解答 ⑷

関連問題 各種コンクリートに関して，**適当でないもの**はどれか。

⑴ 日平均気温4℃以下のときは，寒中コンクリートとして施工する。

⑵ 寒中コンクリートで保温養生を終了する場合は，コンクリート温度を急速に低下させる。

⑶ 日平均気温25℃を超える場合は，暑中コンクリートとして施工する。

⑷ 暑中コンクリートの打込みを終了したときは，速やかに養生を開始する。

解説 各種コンクリート

⑵ 日平均気温が4℃以下となるときは，コンクリートが凍結しないように**寒中コンクリート**としての措置をとり，断熱・結露防止等の保温に努める。急速のコンクリートの温度低下は，品質に悪影響を及ぼすので避ける。

暑中コンクリートは，スランプの低下，空気量の減少等の防止措置をとる。

解答 ⑵

関連問題 型枠及び支保工に関して，**適当でないもの**はどれか。

⑴ 柱・壁などの鉛直部材の型枠は，スラブ・はりなどの水平部材の型枠よりも早く取り外すのが原則である。

⑵ 型枠及び支保工を取り外した直後に構造物へ載荷する場合は，コンクリートの強度，作用荷重の種類と大きさ等を考慮しなければならない。

⑶ 型枠を締め付けるために用いたボルトや棒鋼の端が，型枠取り外し後，コンクリート表面より突き出している場合には，コンクリート面と同一平面になるように切断する。

⑷ 型枠及び支保工は，コンクリートがその自重及び施工期間中に一時的に加わる荷重に耐えられる強度に達するまで，取り外してはならない。

解説 型枠及び支保工

⑶ コンクリート表面から2.5 cmの間にある型枠の締付け用ボルトや棒鋼は，穴をあけて取り除き，高品質のモルタル等で埋めておく。

解答 ⑶

重要問題10  レディーミクストコンクリート

JIS A 5308に基づき，レディーミクストコンクリートを購入する場合，品質の指定に関する項目として，**適当でないもの**はどれか。

(1) セメントの種類　(2) 水セメント比の下限値
(3) 骨材の種類　(4) 粗骨材の最大寸法

解答と解説　レディーミクストコンクリートの指定事項

レディーミクストコンクリートは，コンクリート製造工場から随時購入できるフレッシュコンクリートをいう。

次の事項は，購入者が生産者と協議のうえ指定する。①～④は必ず協議して指定，⑤～⑰は必要に応じて指定する。

表1・8　レディーミクストコンクリートの指定事項

生産者と協議すべき事項	必要に応じて指定すべき事項
① セメントの種類 ② 骨材の種類 ③ 粗骨材の最大寸法 ④ 骨材のアルカリ・シリカ反応の抑制対策	⑤ 骨材のアルカリシリカ反応性による区分 ⑥ 呼び強度が36を超える場合の水の区分 ⑦ 混和材料の種類と使用量 ⑧ 標準とする塩化物含有量の上限値と異なる場合はその上限値 ⑨ 呼び強度を保証する材齢 ⑩ 標準とする空気量と異なる場合にはその値 ⑪ 軽量コンクリートの場合は，コンクリートの単位容積質量 ⑫ コンクリートの最高又は最低の温度 ⑬ 水セメント比の目標値の上限値 ⑭ 単位水量の目標値の上限値 ⑮ 単位セメント量の目標値の下限値又は上限値 ⑯ 流動化コンクリートの場合は，流動化する前からのスランプの増大値　⑰ その他の必要事項

解答　(2)

関連問題　レディーミクストコンクリートの受入れ検査の項目とその時期として，**適当でないもの**はどれか。

(1) 空気量の検査用試料採取を工場出荷時に行った。
(2) 圧縮強度の検査用試料採取を荷おろし時に行った。
(3) フレッシュコンクリートの状態検査を荷おろし時に行った。
(4) 塩化物イオン量の検査用試料採取を工場出荷時に行った。

解説　受入れ検査とその時期

購入者は，現場に荷おろしされるコンクリートが所要の品質を有しているか**受入れ検査**を行う。受入れ検査は，強度・スランプ又はスランプフロー・空気量及び塩化物含有量について行い，荷おろし地点で所定の条件を満足すること。

1）**圧縮強度**：1回の試験結果は，任意の一運搬車から採集した3個の供試体の試験値の平均値で表す。

① 1回の試験結果は，購入者が指定した呼び強度の85% 以上で，かつ

② 3回の試験結果の平均値は，購入者が指定した呼び強度の値以上。

2）**スランプ又はスランプフロー，空気量**：

表1・9　スランプ値・スランプフロー

スランプ（注）	スランプの許容差(cm)
2.5	±1
5以上8未満	±1.5
8以上18未満	±2.5
21	±1.5

スランプフロー	スランプフローの許容差(cm)
50	±7.5
60	±10

(注)
打込み時の最小スランプ

表1・10　空気量の許容差

コンクリートの種類	空気量(%)	空気量の許容差
普通コンクリート	4.5	±1.5 (%)
軽量コンクリート	5.0	
舗装コンクリート	4.5	
高強度コンクリート	4.5	

3）**塩化物含有量**：コンクリート中に含まれる塩化物量は荷おろし地点で，塩素イオンとして0.3 kg/m³ 以下であること。（なお，塩化物含有量の検査は，工場出荷時に行うことによって荷おろし地点で所定の条件を満足することが可能な場合には，工場出荷時に行うことができる。）

解答　(1)

関連問題　呼び強度24，スランプ12 cm，空気量4.5% と指定したレディーミクストコンクリート（JIS A 5308）の受入れ時の判定基準を**満足しないもの**は，次のうちどれか。

(1)　3回の圧縮強度試験結果の平均値は，25 N/mm² である。
(2)　1回の圧縮強度試験結果は，19 N/mm² である。
(3)　スランプ試験の結果は，10.0 cm である。
(4)　空気量試験の結果は，3.0% である。

解説　レディーミクストコンクリートの判定

(2)　**強度規定**：1回の試験結果は指定した呼び強度24 N/mm² の85%（20.4 N/mm²）以上で，かつ3回の試験結果の平均値は24 N/mm² 以上であること。

(3)　**スランプの規定**：スランプ8 cm 以上18 cm 未満の許容差は±2.5 cm，故に9.5 cm～14.5 cm の範囲にあればよい。

(4)　**空気量の規定**：コンクリートの種類にかかわらず許容差±1.5%，故に3.0～6.0% の範囲にあればよい。

解答　(2)

重要問題11 直接基礎

橋脚の直接基礎の施工に関して，**適当でないもの**はどれか。

(1) 基礎底面の計画地盤まで掘削したとき，所定の支持力が得られない可能性がある場合には，平板載荷試験によって支持力を確認する。

(2) 橋脚基礎の支持層が砂質土層の場合には，N 値が 20 程度あれば一般に良質な支持層と考えてよい。

(3) 基礎底面の計画地盤まで掘削したとき，所定の支持力が得られない場合には，良質な支持地盤まで掘削してコンクリートで置き換える。

(4) 基礎地盤が岩盤の場合は，均しコンクリートと基礎地盤が十分かみ合うように，盤面を平滑な面としないように配慮する必要がある。

解答と解説 直接基礎の施工

直接基礎は，ベタ基礎，フーチング基礎等の浅い基礎で，地表近くに良質な地盤があり十分な支持力がある場合に用いる。直接基礎は，転倒，滑動，地盤の支持力に対して安全であること。外力をフーチング底面で受けもち地盤に伝える。

(2) 基礎の支持層は，一般に砂層・砂礫層においては概ね N 値≧30，粘性土層では概ね N≧20 の地盤を良質な支持層とみなす。

解答 (2)

関連問題 直接基礎の基礎地盤面の施工に関して，**適当でないもの**はどれか。

(1) 基礎の施工にあたって，掘削時に基礎地盤を緩めたり，必要以上に掘削することのないように処理する。

(2) 岩盤の基礎地盤を削り過ぎた部分は，基礎地盤面まで掘削した岩くずで埋め戻す。

(3) 岩盤の掘削が基礎地盤面に近づいたときは，手持ち式ブレーカーなどで整形し，所定の形状に仕上げる。

(4) 基礎地盤が砂層の場合で作業が完了した後は，湧水・雨水などにより基礎地盤面が乱されないように，割栗石や砕石を敷き並べる基礎作業を素早く行う。

解説　基礎地盤面の施工

(2) 基礎地盤が岩盤の場合は，割栗石を用いず，地山の緩んだ部分を取り除いて地盤を整えるため均しコンクリートを打設する。均しコンクリートと基礎地盤が十分にかみ合うように，基礎底面はある程度の不陸を残し，平滑な面としない。掘削しすぎた場合は，貧コンクリートで置き換える。

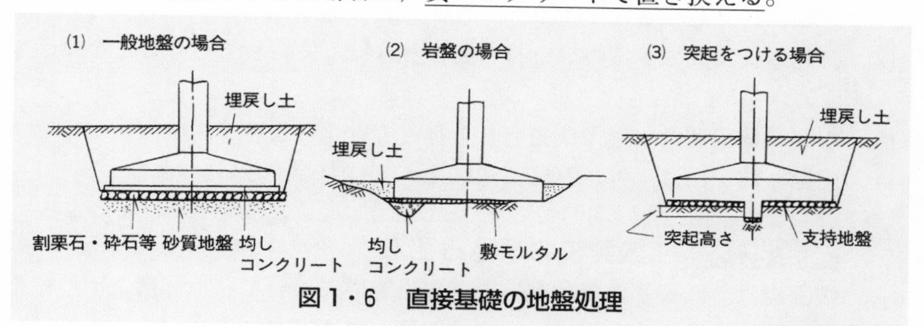

図1・6　直接基礎の地盤処理

解答 (2)

関連問題　道路構造物の直接基礎の施工に関して，**適当なもの**はどれか。

(1) 基礎地盤が岩盤の場合は，基礎底面地盤の不陸を整正し，平滑な面に仕上げる。

(2) 基礎底面における鉛直支持力が不足する場合は，突起を設けて鉛直支持力の増加を図ることがある。

(3) 基礎地盤が砂地盤の場合は，不陸を残さないように基礎底面地盤を整地し，その上に栗石や砕石を配置する。

(4) 一般に基礎が滑動するときのせん断面は，基礎の床付け面のごく浅い箇所に生じる。施工時に地盤に過度の乱れを生じないようにする。

解説　直接基礎の施工

(1) ある程度の不陸を残し，平滑な面としない。

(2) 直接基礎は，転倒，滑動，地盤の支持力に対して十分安全でなければならない。滑動に対する安定性が不足する場合，せん断抵抗力を増加させるためフーチング底面に**突起**を設ける。突起には鉛直支持力の増加を考慮しない。

(3) 砂地盤の場合，人力施工によって凹凸をなくし，栗石や砕石とのかみ合せが期待できるようにある程度の不陸を残した状態で基礎面整形を行った後，その上に栗石や砕石を配置する。

解答 (4)

重要問題12  既製杭基礎

既製杭の施工に関して，**適当でないもの**はどれか。

(1)　打込み杭工法で一群の杭を打つときは，周辺部の杭から中心部の杭へと，順に打ち込むものとする。
(2)　打込み杭工法で1本の杭を打ち込むときは，連続して行うことを原則とする。
(3)　中堀り杭工法は，過大な先堀りを行ってはならない。
(4)　中堀り杭工法は，打込み杭工法に比べ支持力が小さい。

解答と解説　既製杭の埋込み工法

杭基礎は，直接基礎では支持できない地盤において，上部構造物の荷重を下部の地盤に伝達するもので，**既製杭工法**と**場所打ち杭工法**がある。

(1)　杭群の中央から周辺に向かって打ち進む。**打込み工法**（打撃工法，振動工法）は，騒音・振動等の建設公害が生じ，都市内での施工は困難である。**無騒音・無振動工法**として，次の**埋込み工法**が用いられる。

①　**プレボーリング工法**は，あらかじめ掘削機械によって孔を掘り既製杭を建込み，支持力を確保するため1～3m打込むか，底コンクリートを打設により先端処理をする。孔壁防護にベントナイト溶液を用いる。

②　**中掘り工法**は，杭の中空部を利用し，オーガやバケットなどで杭の先を掘削し圧入する。杭先端が所定の深さに達したら打撃やコンクリート打設により先端処理をする。

解答　(1)

表1・11　杭基礎の工法

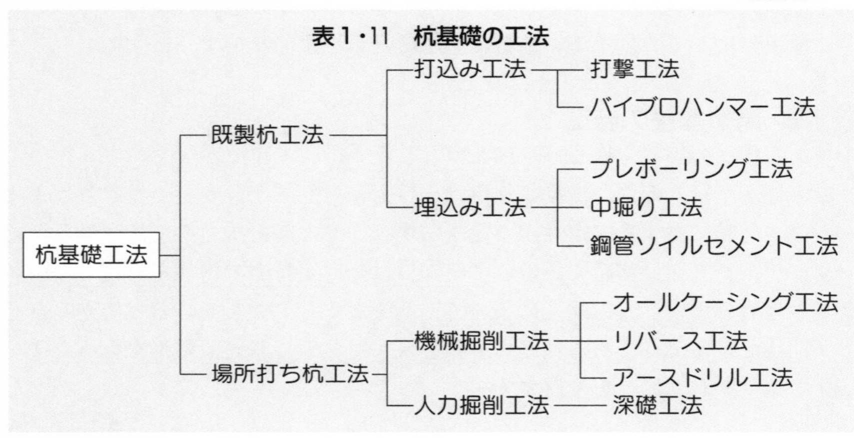

関連問題 既製杭の施工に関して，**適当でないもの**はどれか。

(1) 鋼管ソイルセメント工法は，原地盤に造成したソイルセメント柱に，外面に突起を有する鋼管を挿入した合成杭を築造する工法である。
(2) バイブロハンマ工法は，打止め管理式などにより，簡易に支持力の確認が可能である。
(3) 中掘り杭工法では，泥水処理，排土処理が必要である。
(4) バイブロハンマ工法は，中掘り杭工法に比べて騒音・振動が小さい。

解説 **既製杭の施工**

(4) **バイブロハンマ工法**は，強制振動力により杭を打設するため，中掘り杭工法に比べて騒音・振動は大きい。

なお，(2)モータの全消費電力等の動的先端抵抗力と杭の周面摩擦力から支持力を算定する。(3)中掘り杭工法では，掘削土，スライム，泥水等の建設副産物が発生するため，泥水処理，排土処理が必要となる。

解答 (4)

関連問題 既製杭の施工に関して，**適当でないもの**はどれか。

(1) 既製杭の現場溶接継手は，ガス圧接継手とする。
(2) 打込みを途中で休止すると時間の経過とともに打込みが困難となり，より大きな打込み設備が必要となることがある。
(3) 杭は建込み後，杭を直交する2方向から検測するのが一般的である。
(4) 施工地点における杭の施工性が十分把握されている場合は，試験杭の施工を省略することができる。

解説 **既製杭の現場溶接継手**

(1) 杭長が長くなる場合，杭を継ぎたして必要な長さの杭とする。継手は，溶接継手又はボルト継手を用いる。既製杭の現場溶接継手は，アーク溶接継手（全周グルーブ溶接，突合せ溶接）を原則とする。作業に際しては，十分に防湿し，乾燥させるとともに，気温5℃以下の場合は予熱する。

なお，(2)杭打ちを中断すると，杭周面の摩擦力が増し，打込みが困難となる。(4)**試験杭**は，施工方法，ハンマの容量，打止め位置，打止め貫入量等を確認するために行う。杭の施工性が把握されている場合は，省略することができる。

解答 (1)

重要問題13  場所打ち杭基礎1

場所打ちコンクリート杭の「工法」と「孔壁の保護」と「掘削方法」との一般的な組合せとして，**適当でないもの**はどれか。

	［工　法］	［孔壁の保護］	［掘削方法］
(1)	オールケーシング工法	……ケーシングチューブ	……削岩機
(2)	アースドリル工法	……安定液（ベントナイト）	……アースドリル
(3)	リバース工法	……自然泥水	……削孔機
(4)	深礎工法	……山留め材	……人力掘削

解答と解説　場所打ち杭の孔壁保護と掘削方法

場所打ち杭は，800 mm 以上の大径とすることができ，単位支持力当たりの工費が安く任意の杭長とすることができる。掘削にあたっては孔壁防護対策が必要となる。

表1・12　場所打ち杭工法の特徴

工　法		オールケーシング工法		リバース工法	アースドリル工法	深礎工法
施工要領	掘削・排土方法	杭全長にわたりケーシングチューブを揺動圧入又は回転圧入しながらハンマグラブで掘削・排土する。		回転ビットで掘削した土砂を，ドリルパイプを介して自然泥水とともに吸上げ（逆循環）排土する。	掘削孔内に安定液を満たして孔壁に水圧をかけ，ドリリングバケットにより掘削・排土する。	ライナープレート，波型鉄板とリング枠，モルタルライニングによる方法で，孔壁の土留めをしながら内部の土砂を掘削・排土する。
	掘削方式	ハンマグラブ		回転ビット（削孔機）	ドリリングバケット（アースドリル）	人力等
	孔壁の保護方法	ケーシングチューブ		スタンドパイプと自然泥水	表層ケーシングと安定液	山留め材（ライナープレート）
	標準的杭径(m)	揺動式	回転式	0.8〜3.0	0.8〜3.0	2.0〜4.0
		0.8〜2.0	0.8〜3.0			
	標準的掘削深度(m)	20〜40	30〜50	30〜60	30〜60	10〜20
付帯設備				自然泥水関係の設備（スラッシュタンク）	安定液関係の設備	やぐら バケット巻上げ用ウィンチ

(1)　オールケーシング工法……ケーシングチューブ……<u>ハンマグラブ</u>

解答　(1)

関連問題　場所打ち杭の施工に使用する器具として，**関係のないもの**はどれか。

(1)　キャップ，クッション　　(2)　スタンドパイプ
(3)　スラッシュタンク　　(4)　ケーシングチューブ

解説　場所打ち杭の施工に使用する器具

(1)　キャップ，クッションは，打込み杭工法に用いられる。**キャップ**はハンマと杭軸を一致させるもので，キャップ上部のクッションとともに杭頭部を保護し，ハンマの打撃力を杭に均等に伝える。

なお，(2)スタンドパイプはリバース工法の孔壁防護に，(3)スラッシュタンク（汚泥タンク）は，アースドリル工法及びリバース工法に，(4)ケーシングチューブはケーシング工法の孔壁防護に用いられる。

解答　(1)

関連問題　場所打ち杭工法のオールケーシング工法で孔壁の崩壊防止に使用する器材のうち，**該当しないもの**はどれか。

(イ)　ケーシングチューブ　　(ロ)　スタンドパイプ
(ハ)　安定液　　(ニ)　ライナープレート

(1)　(イ)(ロ)(ハ)　　(2)　(イ)(ニ)　　(3)　(ロ)(ハ)(ニ)　　(4)　(ロ)(ニ)

解説　オールケーシング工法

(3)　**オールケーシング工法**は，掘削に先立ち，ケーシングを揺動貫入し，孔壁を防護しながらハンマグラブバケットにより掘削する。孔壁防護にベントナイト等の安定液を使用し，掘削土と安定液が混合した**スライム**を処理した後，コンクリートを打設する。

なお，(ロ)スタンドパイプはリバース工法，(ハ)安定液はアースドリル工法，(ニ)ライナープレートは深礎工法の孔壁防護に用いられる。

図１・７　オールケーシング工法（ベノト工法）

解答　(3)

重要問題14 場所打ち杭基礎 2

場所打ち杭の工法と掘削方法の組合せのうち，**適当でないもの**はどれか。

〔工　法〕	〔掘削方法〕
(1) リバースサーキュレーション工法	掘削する杭穴に水を満たし，掘削土とともにドリルパイプを通して孔外の水槽に吸い上げ，水を再び杭穴に循環させて連続的に掘削する。
(2) オールケーシング工法	ケーシングチューブを土中に挿入し，ケーシングチューブ内の土をハンマーグラブを用いて掘削する。
(3) アースドリル工法	アースドリルで掘削を行い，地表面からある程度の深さに達したらケーシングを挿入し，地山の崩壊を防ぎながら掘削する。
(4) 深礎工法	ケーソンを所定の位置に鉛直に据え付け，内部の土砂をグラブバケットで掘削する。

解答と解説　掘削方式・孔壁防護

場所打ち杭工法は，孔壁防護の方法により次の4工法に分類される。

(1) **リバース工法**：回転ビットによって掘削し，杭穴に水をみたし静水圧（2m位）によって孔壁を防護する。ポンプによって水を循環させ，土砂を水とともに吸い上げるノーケーシング工法である。連続掘削が可能であるが，玉石や埋木がある場合は作業が困難となる（図1・8）。

(2) **ベノト工法（オールケーシング工法）**：掘削に先立ち，ケーシングを揺動貫入し，孔壁を防護しながらハンマグラブバケットにより掘削する（P41，図1・7参照）。

(3) **アースドリル工法**：孔壁防護はベントナイト等の安定液の汚水圧で行い，回転バケット（ドリリングバケット）により掘削する。なお，**ベントナイト**は，粘土の一種で水を含むと膨張してのり状となる（図1・9）。

(4) **深礎工法**は，人力掘削と円形リングを用いた土留工法との組合せで施工し，簡単な排土施設で作業ができるので山間部の傾斜地や狭隘（きょうあい）な場所での施工が可能である。この工法は支持地盤を直接，目で確認することができる。しかし，人力掘削であるので排水が可能であることが条件となる。設問はオープンケーソンの説明となっている（図1・10）。

なお，場所打ち杭の施工手順は，掘削（孔壁の保護）→孔底のスライム処理→鉄筋かごの建込み→コンクリート打設→養生→杭頭部の処理となる。

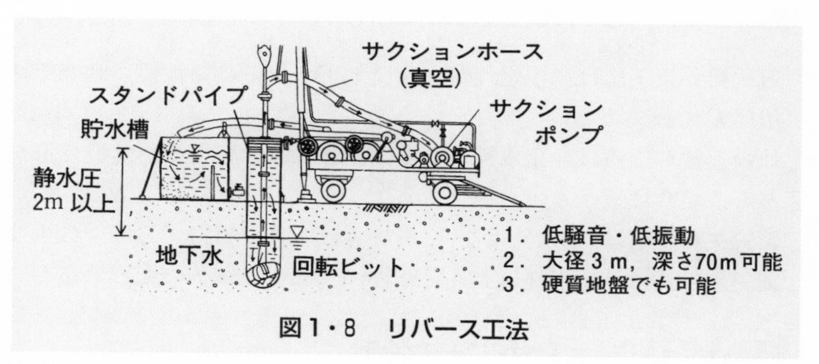

図1・8　リバース工法

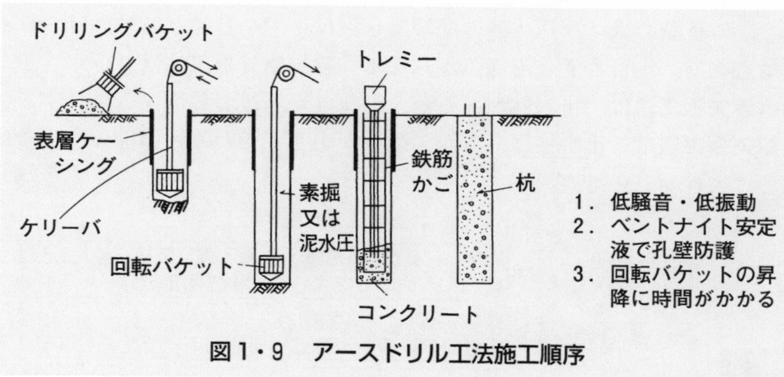

図1・9　アースドリル工法施工順序

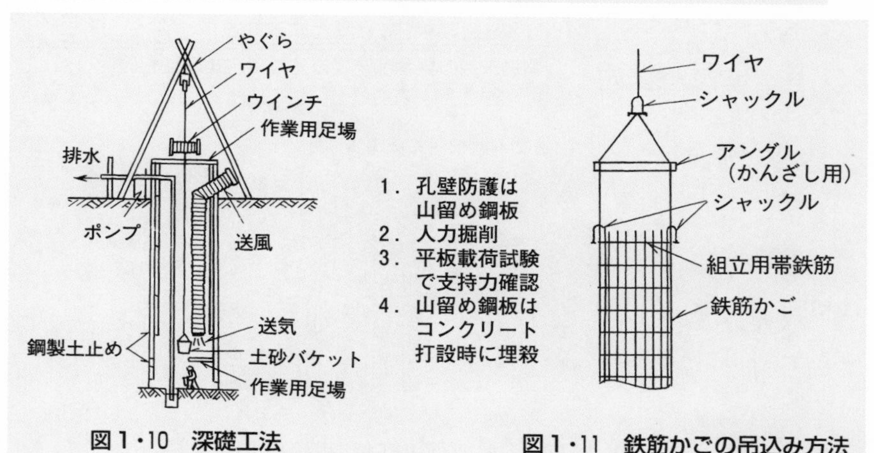

図1・10　深礎工法

図1・11　鉄筋かごの吊込み方法

解答　(4)

重要問題15  土留め工法

土留め工法に関して，**適当なもの**はどれか。

(1) 親杭横矢板工法は，止水性があり，地下水位の高い地盤，軟弱な地盤に用いられる。

(2) 地中連続壁工法は，止水性があり，剛性が大きいので，地盤変形が問題となる場合に適する。

(3) 鋼管矢板工法は，止水性はなく，引抜きは容易で残置する場合は少ない。

(4) 鋼矢板工法は，止水性はなく，剛性が大きく，壁体の変形は小さい。

解答と解説　土留め工法の特徴

(1) **土留め**は，周辺土砂の崩壊防止又は止水を目的として設けられる仮設構造物で，土留め壁と支保工からなる。**親杭**(おやくい)**横矢板工法**は，止水性がない。

(3) **鋼管矢板工法**は，止水性があるが，引抜きが困難で残置する場合が多い。

(4) **鋼矢板工法**は，止水性はあるが，剛性が小さくたわみ性の壁体で，壁体の変形は大きい（P 185 参照）。

解答 (2)

表1・13　土留め工法の種類

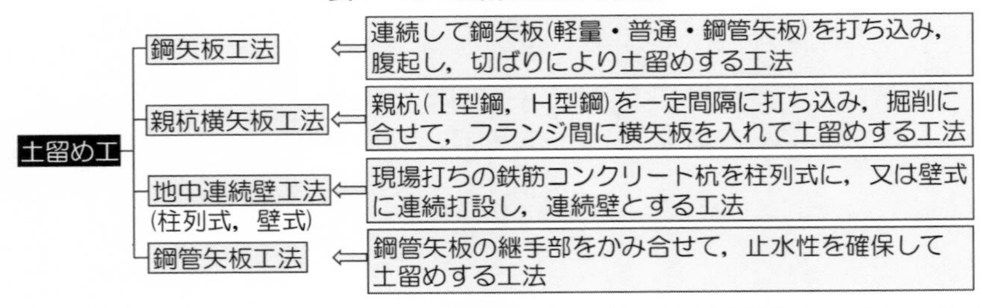

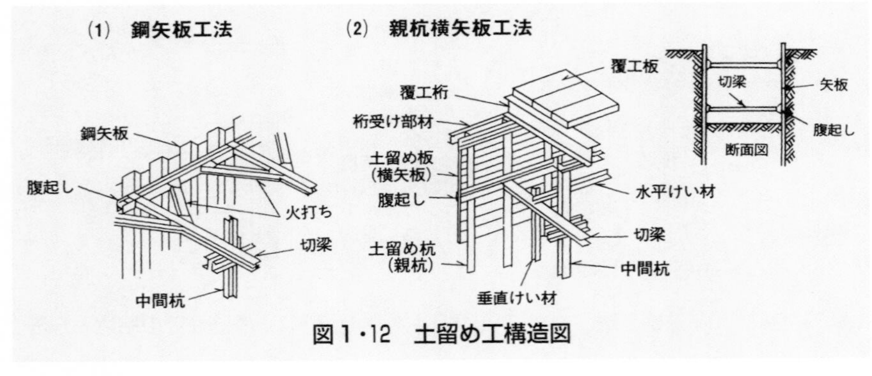

図1・12　土留め工構造図

関連問題 土留め支保工の安全対策に関して，**適当でないもの**はどれか。

(1) 土留め壁の応力度が許容値を超えると予測される場合，切ばり，腹起しの段数を増やす。

(2) 盤ぶくれに対する安定性が不足すると予測される場合，掘削底面下の地盤改良により不透水層の層厚を増加させる。

(3) ボイリングに対する安定性が不足すると予測される場合，背面側の地下水位を低下させる。

(4) ヒービングに対する安定性が不足すると予測される場合，背面地盤に盛土をする。

解説 土留め支保工の安全対策

わき水のある軟弱地盤では**鋼矢板工法**を用いる。鋼矢板に腹起し・切ばり・火打ちを設け，鋼矢板と腹起しの密着を図る。地下水位の高い粘性土では**ヒービング**の防止，地下水位の高い砂質地盤では**ボイリング**の防止対策をとる。

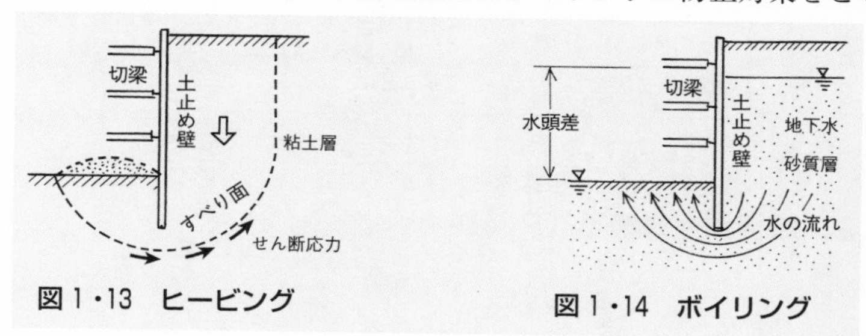

図1・13　ヒービング

図1・14　ボイリング

表1・14　ヒービング・ボイリングの安全対策

ヒービングの安全対策	ボイリングの安全対策
ヒービングは，軟弱な粘性地盤において，掘削背面の土の重量が掘削底面以下の地盤の支持力より大きくなると掘削背面の土が滑り出し，掘削底面がふくれ上がる現象をいう	ボイリングは，地下水位の高い砂質地盤において，矢板先端の内部の土圧と水圧のバランスが崩れ，締切りの内部に水や砂が噴き上がって急激に地盤が崩壊する現象をいう
① 十分に安全な矢板断面を確保する ② 矢板の根入れ長を大きくとる ③ 掘削底面下の地盤の改良をする ④ 掘削背面の荷重の低減等を行う	① 矢板の根入れ長を大きくする ② ウェルポイント等で地下水を排除する

(4) 土留め壁の背面地盤を盤下げして，ヒービング起動力を減少させる。なお，**盤ぶくれ**とは，掘削底面が下方からの水圧で持ち上げられるようになってふくれる現象をいう。

資料4 ⇒ P212参照　**解答** (4)

図表1．原位置試験（P 16）

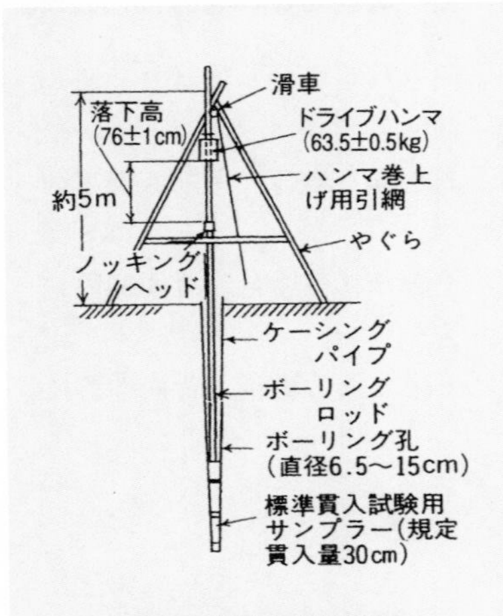

図1　標準貫入試験

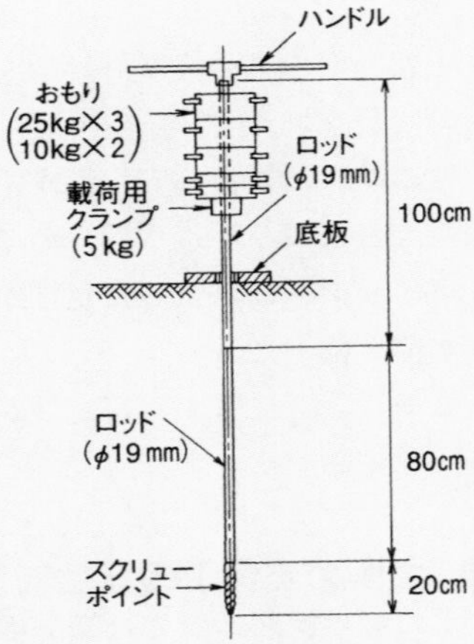

ハンドル
おもり
(25kg×3
10kg×2)
ロッド
(φ19mm)
載荷用
クランプ
(5kg)
底板
100cm
ロッド
(φ19mm)
80cm
スクリュー
ポイント
20cm

図2　スウェーデン式サウンディング

表　砂層と粘土層のN値

土の状態（砂層・粘土）	砂層（相対密度）	粘土層（コンシステンシー）
極めて緩い・極めて軟らかい	0～4	0～2
緩い・軟らかい	4～10	2～4
中位	10～30	4～8
密に締まっている・硬い	30～50	8～30
極めて密である・極めて硬い	50以上	30以上

図表2．軟弱地盤対策工（P 24）

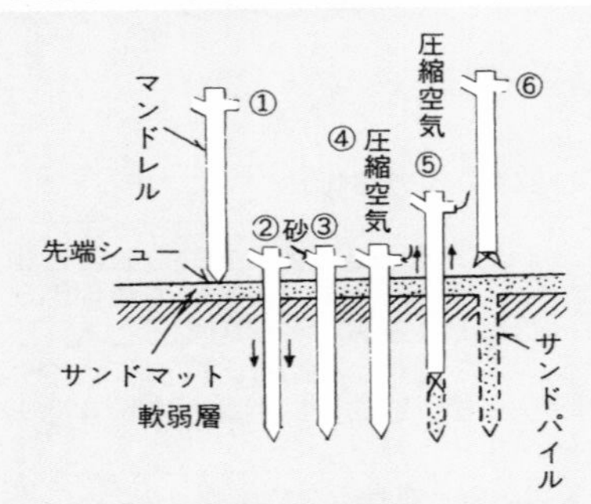

①マンドレルの先端シューを閉じ，所定位置に設置。
②振動によりマンドレルを打込む。
③砂を投入（バケットによる）
④，⑤砂投入口を閉じ，圧縮空気を送りながら
⑥マンドレルを引き抜く。

図3　サンドドレーン工法

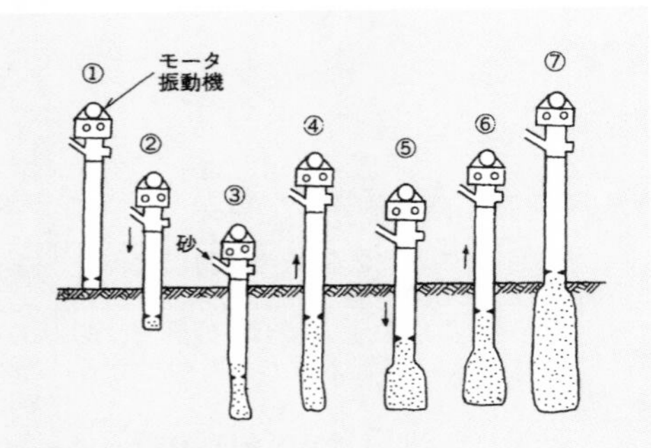

①先端に砂栓を設ける。
②パイプ頭部のバイブロによってパイプを地中に挿入する。
③砂を投入し，パイプを上下し，砂栓を抜く。
④，⑤，⑥振動させながらパイプを上下し，砂を地中に圧入。
⑦パイプを引き抜き，締固めた砂柱を作って完了。

図4　サンドコンパクションパイル工法

第2章

専門土木

[第1次検定]

内容

1. RC・鋼構造物工事
2. 河川・砂防工事
3. 道路・舗装工事
4. ダム・トンネル工事
5. 海岸・港湾工事
6. 鉄道・地下構造物工事
7. 上下水道工事

対策

1. 土木工学等のうち，専門土木では，各種の工事について概略の知識が問われます。
(参考：20問出題，うち6問題選択・解答)
2. 専門土木の分野は，その範囲が広く，専門性も高い。各人が得意とする分野あるいはより多く従事した土木工事の分野を中心に学習して下さい。

重要問題16  鋼材の種類

鋼材に関して，**適当でないもの**はどれか。

(1)　硬鋼線材を束ねたワイヤケーブルは，吊橋や斜張橋等のケーブルとして用いられる。

(2)　低炭素鋼は，表面硬さが必要なキー，ピン，工具等に用いられる。

(3)　棒鋼は，主に鉄筋コンクリート中の鉄筋として用いられる。

(4)　鋳鋼や鍛鋼は，橋梁の支承や伸縮継手等に用いられる。

解答と解説　鋼材の種類

鋼材(炭素鋼)は，炭素含有量によって鉄(０～0.02％)，鋼(0.02～2.1％)，鋳鉄（2.1～6.7％）に分類される。

鋼材は，炭素量が少ないほど延性や展性が向上し，硬さや強度が低下する。鋼板・形鋼・棒鋼には**低炭素鋼**が，ワイヤー，キー，ピン，軸，工具には**高炭素鋼**が用いられる。炭素鋼を型に鋳込む鋳造した**鋳鋼**はマンホールのふた等に，炭素鋼を外力で変形させる鋳造した**鍛鋼**は靭性（粘り強さ）を有し，橋梁の支承や伸縮継手に用いられる。

解答　(2)

表２・１　鋼材の種類

分類	種　類	記号	例	数字の意味	備　考
構造用鋼材	一般構造用圧延鋼材	SS	SS 400（注１）	引張強度	鋼板，形鋼
	溶接構造用圧延鋼材	SM	SM 400 A（注２） SM 490 YB SM 520 C	引張強度	鋼板，形鋼，溶接性に優れている
	溶接構造用耐候性熱間圧延鋼材（注３）	SMA	SMA 400 SMA 490	引張強度	鋼板，形鋼，防食性に優れている
鋼管	一般構造用炭素鋼鋼管	STK	STK 400 STK 490	引張強度	鉄塔・足場等構造物用
接合用鋼材	摩擦接合用高力六角ボルト	―	F 8 T F 10 T	引張強度	現場継手用鋼材
棒鋼	熱間圧延棒鋼	SR	SR 235	降伏点強度	鉄筋コンクリート用丸鋼
	熱間圧延異形棒鋼	SD	SD 295 SD 345	降伏点強度	鉄筋コンクリート用異形棒鋼

（注１）数値の単位 N/mm^2，但し，F 8 T は 780 N/mm^2 を示す。
（注２）A：靭性の保証なし，B：シャルピー吸収エネルギー 27 J 以上，
C：シャルピー吸収エネルギー 47 J 以上，Y：高降伏点を示す。
（注３）耐候性鋼材は，初期において発生した錆が安定錆を形成し鋼材の保護膜となり，それ以後は錆は進行しない。

関連問題 右図は一般的な鋼材の応力度とひずみの関係を示したものであるが，次の記述のうち，**適当でないもの**はどれか。

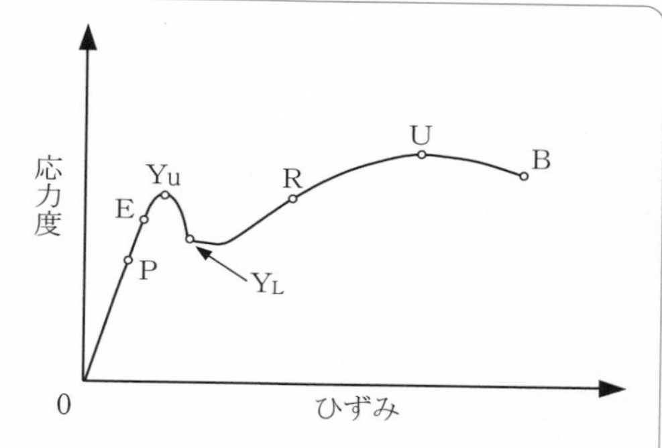

(1)　点Pは，応力度とひずみが比例する最大限度という。
(2)　点Eは，弾性変形をする最大限度という。
(3)　点Bは，最大応力度の点という。
(4)　点Yuは，応力度が増えないのにひずみが急激に増加しはじめる点という。

解説　引張試験（応力－ひずみ曲線）

鋼材は弾性と塑性の性質を合わせもち，応力度が弾性限度に達するまで弾性を示し，それを超えると塑性を示す。

(3)　鋼材に荷重を加えると，P点までは応力とひずみは比例する（**フックの法則** $\delta = Es \times e$，Es：弾性係数）。さらに荷重をかけると，伸びが急に大きくなる（Yu，Y_L）。構造用鋼材は引張強さ（U）で表す。棒鋼（鉄筋）は下降伏点で表す。B点は，破壊（破断）点である。

解答　(3)

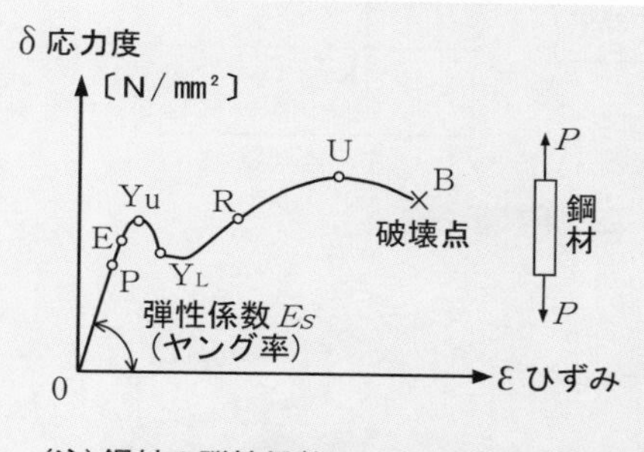

P点：応力とひずみが比例する限界点（比例限度）
E点：引張力を取ると，ひずみが元に戻る限界点（弾性限度）
Yu，Y_L点：ひずみが急に大きくなる点（上・下降伏点）
U点：引張強さが最大の点（引張強さ）
B点：破壊点（破壊強さ）

（注）鋼材の弾性係数 $Es \fallingdotseq 2 \times 10^5$ N/mm² とコンクリートの弾性係数 $Ec \fallingdotseq 3.3 \times 10^4$ N/mm² との比をヤング係数比 n という。部材の応力計算では $n = 15$ とする。

図2・1　応力－ひずみ曲線

重要問題17 鋼材の溶接・高力ボルト

鋼材の溶接接合に関して，**適当でないもの**はどれか。

(1)　橋の鋼材接合は，一般に被覆アーク溶接及びサブマージアーク溶接が用いられる。

(2)　溶接の始端と終端部は，溶接の乱れを取り除くためにスカラップを取り付けて溶接する。

(3)　溶接部分の強さは，溶着金属部ののど厚と有効長によって求められる。

(4)　応力を伝える溶接継手には，グルーブ溶接及びすみ肉溶接を用いる。

解答と解説　溶接接合

鋼材の継手には，**溶接継手**と**高力ボルト継手**がある。

(2)　鋼材接合には，**被覆アーク溶接**（手棒溶接）と**サブマージアーク溶接**（自動溶接）がある。応力を伝える鋼材の溶接継手には，部材に溝を設けて行う**グルーブ（開先）溶接**と，直交する2つの部材の面をつなぐ**すみ肉溶接**がある。溶接の始端・終端には**エンドタブ**（補助板）を取り付ける。

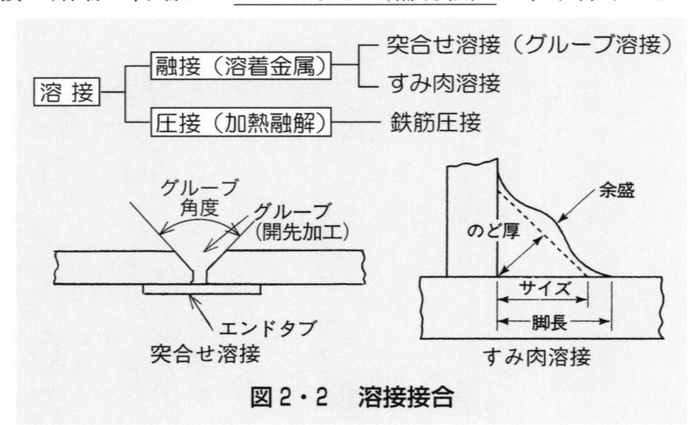

図2・2　溶接接合

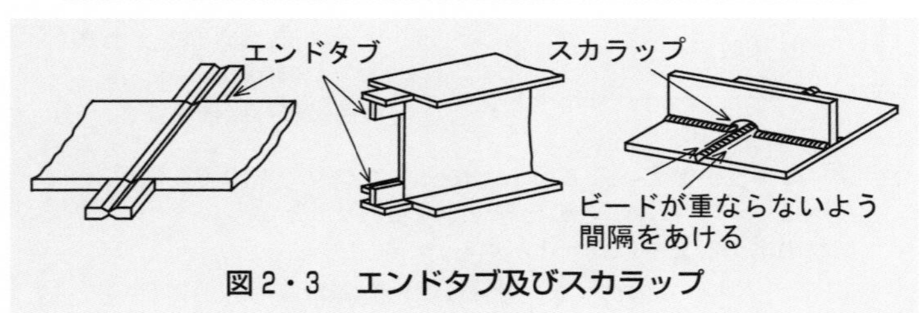

図2・3　エンドタブ及びスカラップ

解答　(2)

関連問題 高力ボルトの施工に関して，**適当なもの**はどれか。

(1) ナット回転法の締付け軸力の検査では，半数についてマーキングによる外観検査を行い，締付け回転角が規定範囲内であることを確認する。
(2) 摩擦接合において接合される材片の接触面を塗装する場合は，素地調整後錆び止めペイントを塗付する。
(3) ボルトの締付けは，連結板の端部のボルトから順次中央のボルトに向かって行い，2度締めを行う。
(4) トルク法による場合の締付け検査は，締付け後長期間放置するとトルク係数値が変わるため，締付け後速やかに行う。

解説 高力ボルト

(1) **高力ボルト継手**には，締付けトルクを管理する**トルク法**，ナットを回転させる**ナット回転**，**トルシア形高力ボルト**のピンテール基部の破断による方法がある。回転法では，全数についてマーキングによる外観検査を行う。
(2) 接触面は，0.4 以上のすべり係数を確保する。防錆処理をすると 0.4 以上のすべり係数の確保が困難となり，ボルト軸力の低下が生じる。
(3) ボルトの締付けは，中央から順次端部に向かって2度締めを行う。

解答 (4)

関連問題 鋼道路橋の現場溶接継手に関して，**適当なもの**はどれか。

(1) 被覆アーク溶接は，ガスシールドアーク溶接に比べて高温割れを起こしやすい。
(2) 現場溶接は，工場溶接と比較すると作業環境が不利となる場合が多いので，一般には工場溶接に比べて厳しい管理が必要となる。
(3) 鋼橋脚は，厚板を用いるので，溶接量が多くなる開先形状が望ましい。
(4) 厚板を被覆アーク溶接で行う場合には，拘束応力が小さくなり，高温割れが生じやすくなる。

解説 現場溶接継手の施工

(1)，(4) **被覆アーク溶接**は，ガスシールドアーク溶接より入熱量が少なく高温割れが生じにくい。
(3) 溶接量が多くなると残留応力が増加し作業量も増える。開先形状は，接合面を完全に溶融できる範囲で溶接量ができるだけ小さくなる形状とする。

解答 (2)

重要問題18  RC 構造物の耐久性

コンクリートの劣化機構に関して，**適当でないもの**はどれか。

(1)　中性化は，空気中の二酸化炭素が侵入することによりコンクリートのアルカリ性が失われる現象である。
(2)　塩害は，コンクリート中に侵入した塩化物イオンが鉄筋の腐食を引き起こす現象である。
(3)　疲労は，繰返し荷重が作用することで，コンクリート中の微細なひび割れがやがて大きな損傷になる現象である。
(4)　化学的侵食は，凍結や融解によりコンクリートが溶解する現象である。

解答と解説　RC 構造物の耐久性照査項目

表2・2　コンクリート構造物の耐久照査項目

項目	現　象	対　策
中性化	**中性化**とは，空気中の二酸化炭素の作用を受けて，コンクリート中の水酸化カルシウムが徐々に炭酸カルシウムになり，コンクリートのアルカリ性が低下する現象である。 これがコンクリートの鋼材位置まで達すると鋼材腐食が生じる。鋼材の腐食が始まると，腐食生成物の体積膨張がコンクリートにひび割れやはく離を引き起こし，鋼材の腐食が一層進み，断面減少などを伴う。	①　タイル，石張りなどで仕上げる。 ②　かぶり(厚さ)を大きくしたり，気密性の吹付け材を施工する。
塩化物イオンの侵入	**塩害**とは，コンクリート中に存在する塩化物イオンの作用により鋼材が腐食し，コンクリート構造物に損傷を与える現象である。 コンクリートに塩化物イオンが侵入する原因としては，コンクリートの材料（海砂，混和剤，セメント，練混ぜ水）に最初から含まれているものと，海水飛沫や飛来塩化物，凍結防止剤などの塩化物がコンクリート表面から浸透する場合とがある	①　コンクリート中の塩化物イオン量を少なくする。 ②　高炉セメントなどの混合セメントを使用する。 ③　水セメント比を小さくして密実なコンクリートとする。 ④　ひび割れ幅を小さく制御し，かぶりを十分大きくして水分や酸素の供給を少なくする。 ⑤　樹脂塗装鉄筋を使用したり，コンクリート表面にライニングをする。 ⑥　電気防食を行う。
凍結融解作用	コンクリートに含まれている水分が凍結すると，水の凍結膨張に見合う水分がコンクリート中を移動し，その際に生じる水圧がコンクリートの破壊をもたらす。この破壊はセメントペースト中，骨材中及び両者の境界で生じる。	①　耐凍害性の大きな骨材を用いる。 ②　AE 剤，AE 減水剤を使用して適正量のエントレインドエアを連行させる。 ③　水セメント比を小さくして密実なコンクリートとする。
化学的侵食	**化学的侵食**とは，侵食性物質とコンクリートとの接触によるコンクリートの溶解・劣化や，コンクリートに侵入した侵食性物質がセメント組成物質や鋼材と反応し，体積膨張によるひび割れやかぶりのはく離などを引き起こす劣化現象である。	①　コンクリート表面被覆。 ②　腐食防止処置を施した補強材の使用。 ③　かぶりを十分とるなどして鋼材を保護する。 ④　水セメント比を小さくして密実なコンクリートとする。
アルカリ骨材反応	コンクリートの**アルカリ骨材反応**による劣化とは，骨材中のある成分とアルカリが反応して生成物が生じ，これが吸水膨張してコンクリートにひび割れが生じる現象である。	①　アルカリシリカ反応の抑制効果のあるセメントを使用する。（高炉セメントＢ種・Ｃ種，フライアッシュセメントＢ種・Ｃ種） ②　コンクリート中のアルカリ総量を 3.0 kg/m^3 以下とする。 ③　骨材のアルカリシリカ反応性試験で無害と確認された骨材を使用する。

解答　(4)

関連問題 コンクリート構造物の劣化に関して**適当でないもの**はどれか。

(1) アルカリ骨材反応は，セメントなどに含まれるアルカリ分と骨材が長期にわたって起こす化学反応であり，コンクリートが異常に膨張し，ひび割れや破壊の原因となる。
(2) 化学的腐食とは，コンクリート構造物が外部からのいろいろな化学物質の作用によって腐食し劣化が進み，健全な機能を失うことである。特に温泉地帯の酸性のガスや河川水，化学工場では問題となる。
(3) アルカリ骨材反応の対策の１つとしては，早強ポルトランドセメントを用いるとともに，かぶりを大きくする方法がある。
(4) 塩害とは，コンクリート製造時に，海砂などによって塩化物イオンがコンクリートに混入したり，硬化後，コンクリートに外部から侵入した塩化物イオンによって，鉄筋が腐食し構造物に損傷を与える現象である。

解説 **RC 構造物の劣化**

(3) **アルカリ骨材反応**の対策として，高炉セメント（B・C 種），フライアッシュセメント（B・C 種）等を使用する。早強ポルトランドセメントの使用で，かぶりを大きくする方法は該当しない。

解答 (3)

関連問題 耐久性の優れたコンクリート構造物をつくるための対策に関して，**適当でないもの**はどれか。

(1) 水密性を高めるには，単位水量をワーカビリティーの許す範囲で少なくする。
(2) 塩害の防止対策としては，鉄筋のかぶりを多くとる。
(3) AE コンクリートは，凍害の改善効果が大きい。
(4) アルカリシリカ反応抑制対策としては，早強セメントを使用する。

解説 **耐久性の優れた RC 構造物**

(4) コンクリート構造物の**耐久性**（時間の経過に伴う構造物の性能低下に対する抵抗性）の照査項目は，表２・２のとおり。コンクリート構造物は，耐久性・水密性・耐火性に対して優れたものとする。(4)早強セメント→高炉セメント，フライアッシュセメントが正しい。

解答 (4)

重要問題19  鋼橋の架設

橋梁の架設工法の「工法」とその「架設方法」との組合せとして，**適当でないもの**はどれか。

[工　法]	[架設方法]
(1)　ベント式工法	………橋桁をベントで仮受けしながら部材を組み立て架設する。
(2)　ケーブルクレーン工法	………鉄塔で支えられたケーブルクレーンで橋桁部材を吊り込んで架設する。
(3)　片持ち式工法	………橋台又は橋脚から，主桁などを片持ち式に張り出して部材を組み立て架設する。
(4)　送出し工法	………組み立てられた部材を台船で現場までえい航し，フローティングクレーンで吊り込み架設する。

解答と解説　鋼橋の架設工法

橋梁の架設方法は，部材の支持方法（一括架設，足場式，片持ち式，ケーブル式）と架設機械（クレーン，架設桁，手延機）により下図のとおり。

(4)　**送出し工法**（押出し工法）は，架設地点で組み立てた橋桁を，手延機に連結し，桁を長くしておいて送り出して架設する工法である。　**解答** (4)

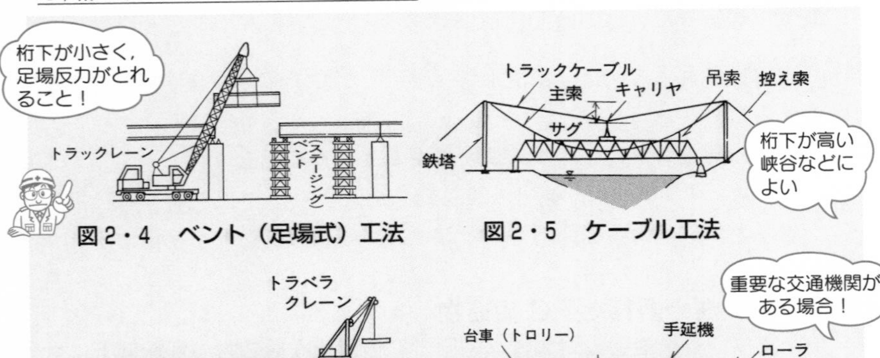

図２・４　ベント（足場式）工法

図２・５　ケーブル工法

図２・６　片持ち式工法

図２・７　送出し工法

関連問題 橋梁の架設工法に関して，**適当なもの**はどれか。

(1) 片持式架設工法は，既に架設し終わった橋桁から架設しようとする部材を片持式に張り出しながら架設する方法であり，桁下の空間が架設作業に利用できないところに用いられるが，架設途中の部材耐力が安全であるか十分な検討が必要である。
(2) ケーブル式架設工法は，橋桁をケーブル，鉄塔などの支持設備で支えながら架設する方法であり，ベントが不要で架設でき，一般に，他の架設方法に比べ支持設備の規模が小さくすむ利点がある。
(3) 送出し式架設工法は，橋桁を架設地点に隣接する箇所であらかじめ組み立てた後，所定の場所に引き出し（縦送り）架設する方法であり，架設中は架設地点における作業が多くなるため，桁下空間の制約を受けない場合に用いる。
(4) ベント式架設工法は，橋桁部材をベントで直接支えながら組み立てる方法であり，架設管理が容易で，桁下高が高い箇所で，仮設足場の支持力が不足するような基礎地盤条件でも施工できる利点がある。

解説 橋梁の架設工法

(2) **ケーブル式架設工法**は，他の工法に比べ，アンカー，鉄塔など支持設備の規模が大きく，仮設に日数を要する欠点がある。
(3) **送出し式架設工法**は，桁下空間の制約を受ける場合に採用される。橋桁を対岸からウィンチとワイヤにより引っ張り出して据え付ける工法。
(4) **ベント式架設工法**は，桁下高が高い箇所で，仮設足場の支持力が不足するような基礎地盤ではベントの安定性が確保できないため，施工に適さない。

解答 (1)

関連問題 鋼橋の架設工法において，**架設する桁を下側から直接支持しながら部材を組み立てる工法**はどれか。

(1) 片持ち式工法　　(2) ベント工法
(3) 架設桁工法　　(4) 送出し工法

解説 鋼橋の架設工法

(2) ベント工法は，部材の継手部に仮設の支持台を設置し，自走式クレーンで吊り込み現場で接合する。

解答 (2)

重要問題20  河川堤防

河川堤防の施工に関して，**適当でないもの**はどれか。

(1) 新堤工事は，堤防のない場所に新しく堤防を築堤する場合と，引堤工事の場合があり，軟弱な地盤の箇所を避ける。
(2) 堤防の法面は，河川の流水がある側を表法面，堤防で守られている側を裏法面という。
(3) 旧堤拡築工事では，旧堤防との接合を高めるために，幅0.5〜1.0ｍの階段状に段切りを行う。
(4) 旧堤拡築工事は，堤防の高さを増すかさ上げと断面積を増す腹付けがあり，腹付けは旧堤防の表法面に行うのが原則である。

解答と解説　河川堤防の施工

堤防は，洪水の氾濫を防止し，外力に対して安全な断面とする。

(4) 腹付けは，高水敷が広く川幅に余裕がある場合を除き，堤内地の裏腹付けを原則とする。

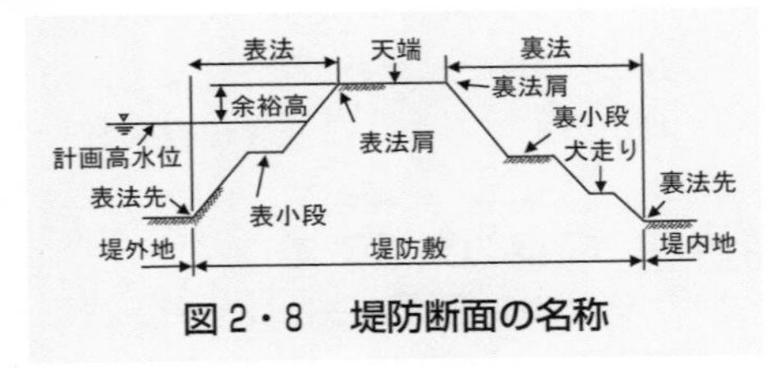

図２・８　堤防断面の名称

解答 (4)

関連問題　河川堤防の施工に関して，**適当でないもの**はどれか。

(1) 軟弱地盤上の築堤工事において，予期しない挙動が生じた場合には，速やかに原因を追及し，それに対処するために動態観測を実施する。
(2) 軟弱地盤の盛土の施工においては，安定を図るため，急速な盛土を行うことによって，残留沈下を少なくする。
(3) 河川堤防の工事は，圧縮性の小さい良質な土砂を使って入念な盛土・締固めを行い，流水による洗掘・浸透などがないようにする。
(4) 水田や草地などの湿地に盛土を行う場合は，事前に溝を掘って排水させるが，軟弱の程度に応じて土を置き換えることが必要となる。

解説　河川堤防の施工

(2) 緩速盛土により徐々に圧密を進行させ，地盤の安定を図る。急速な盛土は，滑り破壊や不等沈下の原因となる。

解答 (2)

関連問題 河川堤防の施工に関して，**適当なもの**はどれか。

(1) 築堤計画に用いる土量の変化率 C（締め固めた土量／地山の土量）は，一般に，1.0 以上である。
(2) 盛土施工中の雨水の集中流下を防ぐためには，堤防の縦断方向に 3 ～5% 程度の勾配を施工面に設ける。
(3) 築堤土の締固めは，一般に，1 層の仕上り厚さを 50 cm とする。
(4) 既設堤防の断面を増す腹付けをする場合は，一般に，50～60 cm 程度の段切りを行う。

解説 **河川堤防の施工**

(1) 築堤材料としては，粘性土，砂質土，砂礫土などが用いられ，その土量の変化率 C は0.85～0.95 位いである。盛土量は地山土量より少なくなる。
(2) 堤防の横断方向に 3 ～5% 程度の勾配を設ける。
(3) 1 層当たりの締固め厚さは，仕上り厚さで 30 cm 以下とする。
(4) 旧堤防を利用し堤防の拡築をする場合には，すべりを防ぐため法面を 50～60 cm 程度の**段切り**（階段状に掘る）する。腹付けは堤防の裏法に行う。

解答 (4)

関連問題 河川の築堤に用いる土質材料の選定に関して，**適当でないもの**はどれか。

(1) 有害な有機物及び水に溶解する成分を含まない材料がよい。
(2) 堤体の安定性に支障を及ぼす圧縮変形や膨張性がない材料がよい。
(3) 施工性がよく，締固めが容易である材料がよい。
(4) 締固めに対して，高い密度を得られる粒度分布で，せん断強度が小さい材料がよい。

解説 **築堤材料の選定**

(4) 河川築堤は，流水の作用（浸食，浸透）に対して安全な構造とする。**築堤材料**としては，空隙が小さく，粘着力，締固め効果の大きいもので，かつ，透水性，膨張・収縮が小さく，ひび割れの生じないせん断力の大きい材料が望ましい。また，可溶性の物質を含まず，含水比が増加してもすべりを起こさず，法面の安定が保てるものとする。

解答 (4)

重要問題21 河川護岸

河川護岸に関して，**適当なもの**はどれか。

(1) 根固工は，急流河川や流水方向にある水衝部などで河床洗掘を防ぎ，基礎工などを保護するために施工する。
(2) 護岸基礎工の天端の高さは，洗掘に対する保護のため平均河床高と同じ高さで施工する。
(3) 法覆工は，堤防の法勾配が緩く流速が小さな場所では，積ブロックで施工する。
(4) 高水護岸は，単断面河川において高水時に裏法面を保護するために施工する。

解答と解説　河川護岸

(1) **護岸**とは，河岸，堤防を被覆して流水による災害から直接保護する施設をいう。

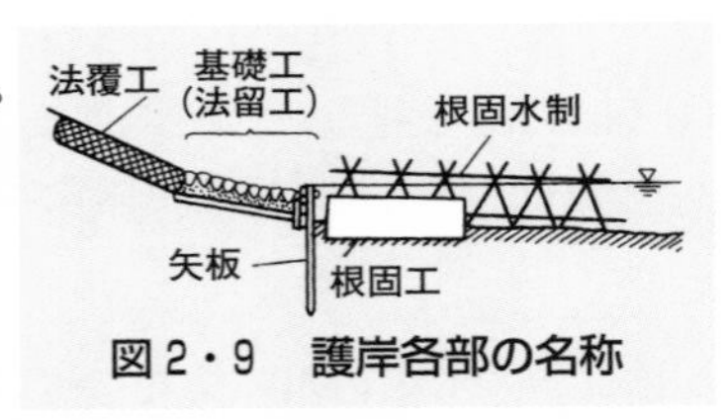

図２・９　護岸各部の名称

護岸表面には，適当な粗度を持たせ，護岸付近の流速をおさえる。低水護岸の基礎は，計画河床よりさらに0.5～1.5 m位い深く埋め込む。根固工設置高と基礎工天端高を同じ高さとする。**根固工**は，基礎工前面の河床の洗掘を防止し，基礎工の安定を図るため設ける。

なお，(2)同じ高さ→深く，(3)積ブロック（石積工）は，勾配急，流速大の場合に用いる。(4)裏法面（堤内地）→表法面（堤外地）。

解答　(1)

関連問題　河川護岸の施工に関して，**適当でないもの**はどれか。

(1) かごマット護岸は，屈とう性，空隙があるため，生物に対して優しい護岸である。
(2) 護岸基礎工の天端高は，現況河床高とする。
(3) 低水護岸の天端部分が洪水により侵食されるおそれがある場合には，護岸の天端部分に天端工，天端保護工を設置する。
(4) 河床の洗掘を防ぎ，護岸基礎工，法覆工を保護するためには，護岸の前面に根固工を施工する。

解説 **河川護岸**

(2) 護岸基礎工の天端高は，洪水時の洗掘による護岸基礎の浮き上がりが生じないよう，計画河床高か，現況の最深河床高よりも低く設定する。

解答 (2)

関連問題 河川護岸の施工に関して，**適当でないもの**はどれか。

(1) 根固工は，河床の洗掘を防ぎ，基礎工・法覆工を保護するもので，特に急流河川や水衝部に設ける必要がある。
(2) コンクリートブロック張（積）工は，法勾配が緩く流速が小さな場所では，平板ブロックを使用し，法勾配が急な場所では，間知ブロックを使用する。
(3) 護岸の破壊の原因は，基礎の洗掘によるものが多いため，基礎工や根固工の根入れの深さは，洪水時の河床の洗掘に対して，十分安全なものとする。
(4) コンクリート法枠工は，護岸の粗度を増すことができ，法勾配の急な場所での施工に多く用いられる。

解説 **河川護岸**

(4) **コンクリート法枠工**は，1～2 m 間隔のコンクリート格子枠の中に中詰めコンクリートを打設するもので，枠と中張りの凹凸によって護岸の粗度を増す。現場打ちコンクリートとなるので，法勾配が 1.5 割よりも急な場所では施工が困難となる。

解答 (4)

関連問題 河川護岸前面の根固めブロックの施工に関して，**適当でないもの**はどれか。

(1) 根固めブロックの積み方は，水深の浅い場合には乱積みを基本とする。
(2) 根固めブロックは，河床を直接覆うことにより急激な洗掘を緩和する。
(3) 根固めブロックには，数量等が確認できるよう一連番号をつける。
(4) 根固めブロックの据付け機械は，ブロック重量，現場条件等を考慮して機種を選定する。

解説 **根固めブロックの施工**

(1) 浅い場合には層積とし，深い場合は乱積とする。 **解答** (1)

重要問題22  砂防工事

砂防えん堤を砂礫層の上に施工する場合，下図に示す各部の一般的な施工順序として，**適当なもの**はどれか。

(1)　Ⓑ→Ⓔ→Ⓓ→Ⓐ→Ⓒ
(2)　Ⓑ→Ⓓ→Ⓔ→Ⓐ→Ⓒ
(3)　Ⓑ→Ⓓ→Ⓒ→Ⓔ→Ⓐ
(4)　Ⓑ→Ⓔ→Ⓒ→Ⓓ→Ⓐ

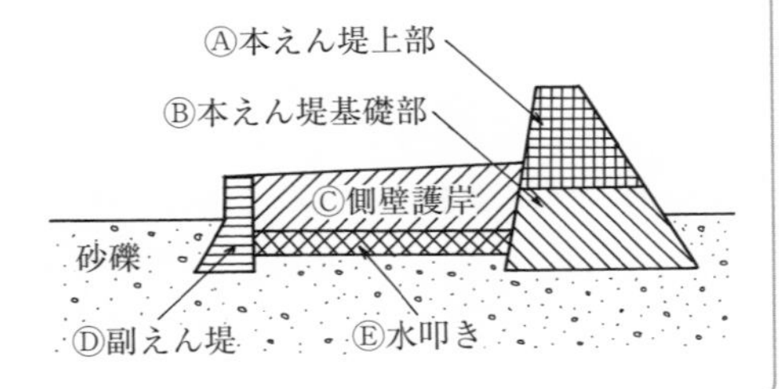

解答と解説　砂防えん堤の施工順序

砂防えん堤（砂防ダム）は，比較的急勾配の渓流において，渓床勾配の緩和，縦横の浸食の防止，山脚の固定と崩壊の防止，流送砂礫の貯留と調節，流路の整正などの目的で施工される。砂防施設は，次のとおり。

砂防施設
- 土砂生産抑制施設
  山腹，渓岸・渓床の保護，土砂生産の抑制（山腹緑化工等）
- 土砂流送制御施設
  流出土砂の制御（砂防えん堤，護岸工，渓流保全工等）

(3)　施工順序は，えん堤下流部が越流水による洗掘を防止するため，Ⓑ本えん堤基礎部→Ⓓ副えん堤→Ⓒ側壁護岸→Ⓔ水叩き→Ⓐえん堤上部となる。

解答　(3)

関連問題　砂防えん堤の施工に関して，**適当なもの**はどれか。

(1)　砂防えん堤に設ける水抜きは，施工中の流水の切り替えを目的として施工する。えん堤本体を完成させた後に閉塞する。
(2)　砂防えん堤の袖の勾配は，洪水が万一越流しても流水が両岸に向かわないように，原則として水平とする。
(3)　水叩きは，本えん堤を越流した落下水の衝撃を緩和し，洗掘を防止するために設ける。
(4)　砂防えん堤の堤体下流の法勾配は，できるだけ緩やかにすることが原則であり，一般に1：0.5程度とする。

解説　砂防えん堤の施工

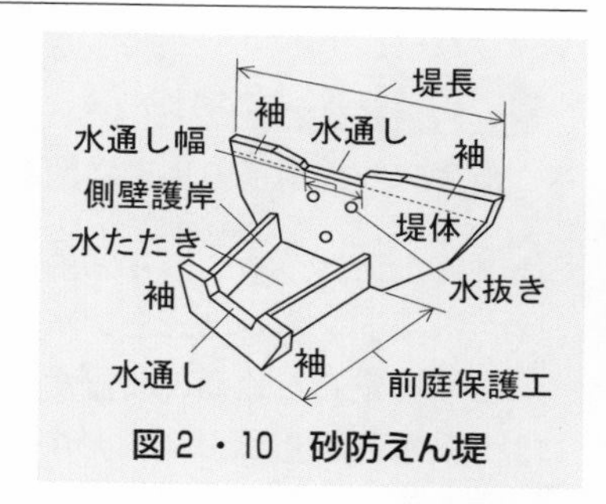

図２・10　砂防えん堤

(1)　砂防えん堤の水抜きは，堆砂後の浸透水圧の軽減，施工中の流水の切り替え，洪水時のえん堤のたん水時間の減少などの目的で設ける。
(2)　袖の勾配は，両岸に向かって上流の計画河床勾配と同程度かそれ以上の上り勾配とする。
(4)　下流法勾配は，１：0.2を標準とする。

解答　(3)

関連問題　砂防の渓流保全工の施工に関して，**適当でないもの**はどれか。

(1)　渓流保全工は，床固工と護岸工を併用して施工することを原則とする。
(2)　渓流保全工の施工にあたっては，橋梁，配水管等の横断構造物はなるべく少なくする。
(3)　渓流保全工計画区域の下流端には，原則としてえん堤もしくは床固工を施工する。
(4)　渓流保全工は，流路の是正による乱流防止及び縦断勾配の規制による縦・横侵食防止を目的として施工する。

解説　渓流保全工

流路工（渓流保全工）は，天井川となりやすい扇状地で行われ，渓床の変動を抑制し，固定を図るため，床固工，帯工（落差なし），水制工と組み合わせて両岸に護岸工を設け，流路を安定させる。掘込方式とし築堤式は避ける。また，乱流を防止するため，上流側より下流側に向かって施工する。
(3)　渓流保全工の上流部には，万一の土砂流出に対応するため，えん堤もしくは床固工を施工する。

解答　(3)

表２・３　砂防工作物の種類

砂防工作物	機　能
山　腹　工	山腹斜面上での土砂移動現象を減少させる 山腹から流路への土砂供給量を減少させる
砂　防　ダ　ム	侵食に対する基準面の設定 渓床土砂の移動の抑止及び流送土砂の貯留・調節 流送土砂の粒径分級（質的調節）
床　固　工	河床低下の規制（縦・横断形状の維持）
護岸工，水制工	側方より流路への土砂供給量の減少
流　路　工	河床変動高の規制，流路平面形の固定

重要問題23  地すべり対策

地すべり抑制工の施工に関して，**適当でないもの**はどれか。

(1) 排土工は，地すべり末端部の排土により斜面の安定を図る工法である。
(2) 排水トンネルは，トンネルを使って地下水を排水する工法で，原則として安定した地盤に設置する。
(3) 集水井の形状は，円形の井筒であり，その内径は3.5～4.0 mが標準である。
(4) 暗渠工，明暗渠工は浅層地下水排除工である。

解答と解説　地すべり抑制工

地すべりは，地形，地質，地下水等の要因と降雨等の気象条件，地震の誘因によって生じる。**地すべり防止工法**は，その発生機構，規模等に応じて**抑制工**と**抑止工**を適切に組み合わせて計画する。

① **抑制工**とは，地形，地下水状態などの自然条件を変化させて，地すべり活動を停止又は緩和させる工法である。
② **抑止工**とは，構造物を設けることによって，地すべり活動を停止させる工法である。

表2・4　地すべり防止工法の分類

分類	工法
抑制工	① 地表水排除工（水路工，浸透防止工）
	② 地下水排除工
	・浅層地下水排除工（暗渠工，明暗渠工，横ボーリング工）
	・深層地下水排除工（集水井工，排水トンネル工，横ボーリング立体排水工）
	③ 地下水遮断工（薬液注入工，地下遮水壁工）
	④ 排土工
	⑤ 押え盛土工
	⑥ 河川構造物（えん堤工，床固工，水制工，護岸工）
抑止工	① 杭　工（コンクリート杭工，鋼管杭工など）
	② シャフト工（深礎工など）
	③ アンカー工
	④ 擁壁工

(1) **排土工**は，地すべり頭部の排土により斜面の安定を図るものである。

なお，(2)**排水トンネル**は，地すべり規模が大きい場合など，トンネルから集水ボーリングや集水井によって地下水を排除するもので，安定した地盤に設置する。また，(3)**集水井**は，地すべり面より2 m以上の堅固な地盤に設置し，地下水を集水する。

解答　(1)

関連問題　地すべり防止工の施工に関して，**適当でないもの**はどれか。

(1)　地すべり防止対策は，抑制工，抑止工の順に行い，一般に，抑止工だけの施工は避ける。

(2)　横ボーリング工は，地下水の排除のため，帯水層に向けてボーリングを行う工法である。

(3)　抑止工は，地形，地下水の状態などの自然条件を変化させることによって，地すべり運動を緩和させることを目的とする。

(4)　抑止工の杭工は，鋼管などの杭を地すべり面に挿入し，地すべりを抑止する工法である。

解説　地すべり防止工

(3)　**抑止工**は，構造物を設け，構造物の持つせん断強度等の抑止力を利用して地すべりを停止させることを目的とする。

解答　(3)

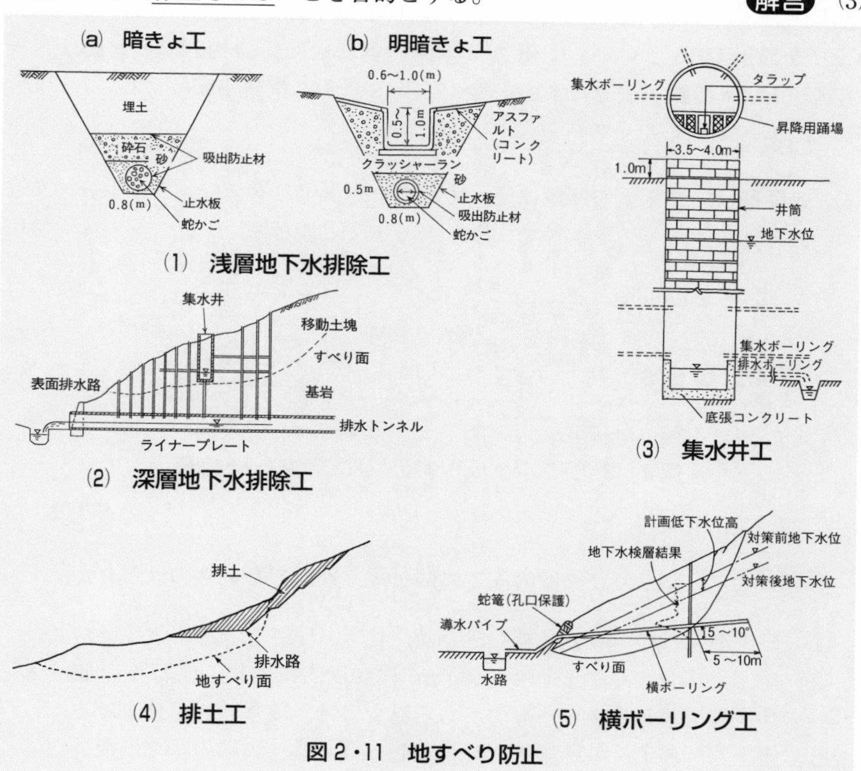

図 2・11　地すべり防止

重要問題24  舗装（路床・路盤）

コンクリート舗装の路床の施工に関して，**適当でないもの**はどれか。

(1) 路床の支持力は平板載荷試験によって判定し，路床土の強度特性はCBR試験によって判定する。
(2) 路床は，舗装の厚さを決める基となる部分であり，路盤の下約1mの土の部分である。
(3) 路床土が軟弱な場合は，置換工法や安定処理工法等で路床を改良する。
(4) 遮断層は，路床土が路盤に侵入するの防ぐため，路床の上部に粘性土で設ける。

解答と解説　路床の施工

路床とは，舗装（路盤）の下，厚さ約1mの部分をいう。盛土部では盛土仕上げ面より，切土部では掘削面より下約1mの部分をいう。路床土のCBRを**設計CBR**といい，CBRが3未満の軟弱な路床の場合には，盛土，安定処理工法，置換工法等によって設計CBR3以上の**構築路床**とする。

$$\text{CBR}=\frac{\text{締固めた土の荷重強さ}}{\text{標準荷重強さ}}\times 100\ (\%) \qquad \cdots\cdots\text{式}(2\cdot 1)$$

(4) **遮断層**は，路床土が路盤に侵入するのを防止するもので，シルト分の少ない砂やクラッシャーラン等で，厚さ15～30cm設ける。

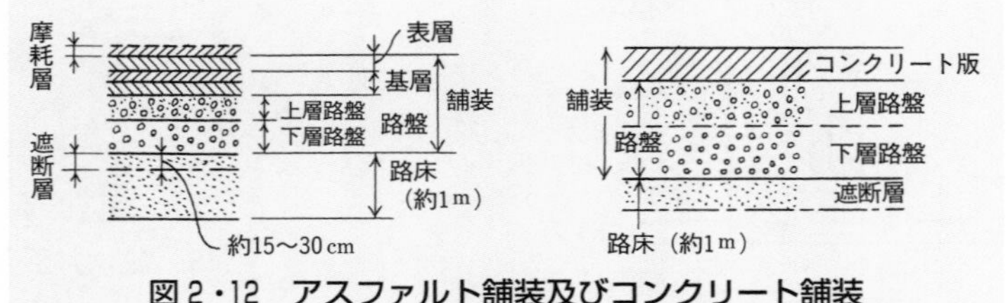

図2・12　アスファルト舗装及びコンクリート舗装

解答 (4)

関連問題 路床及び路盤の施工に関して，**適当でないもの**はどれか。

(1) 盛土路床材の1層の敷均し厚さは，仕上り厚さで30cmとする。
(2) 切土路床は，その表面から30cm程度以内に木根，転石その他路床の均一性を著しく損なうものがある場合には，取り除いて仕上げる。
(3) 盛土路床施工後の降雨排水対策としては，盛土天端の縁部に仮排水溝を設けておく。

(4) 路床土や路盤材（瀝青安定処理路盤材を除く）の敷均しには，一般に，ブルドーザやモータグレーダを使用する。

解説 路床及び路盤の施工

(1) 盛土路床は，モータグレーダやブルドーザで所定の厚さ，形状に敷き均し，1層の厚さは，仕上り厚さで20 cm 以下を目安とする。路床の表面から 30 cm 程度以内に木根，転石等の路床の均一性を損なうものは取り除いて仕上げる。盛土路床施工後の降雨対策として，横断方向に２％程度の勾配を付け縁部に仮排水溝を設けておく。

解答 (1)

関連問題 路床の強さを判定する試験として，**適当なもの**はどれか。

(1) PI（塑性指数）試験　(2) CBR 試験
(3) マーシャル安定度試験　(4) すり減り減量試験

解説 路床の強さ

(2)路床の強さは，**CBR 試験**で求める。なお，(1)**PI（塑性指数）試験**は粘性土の安定性を，(3)**マーシャル安定性試験**はアスファルト混合物の強度と変形を，(4)**すり減り減量試験**は骨材の耐摩耗性を求める試験である。

[土のコンシステンシーについて]

細粒土では，土の間隙中の含水比によって，その性質が変わる。含水比が大きいときは液状となり流動性を帯び，含水比の減少につれて塑性状態，半固体状態となる。図の w_L を**液性限界**，w_P を**塑性限界**，w_S を**収縮限界**という。

液性限界と塑性限界の差を**塑性指数**（PI）といい，土が塑性を保つ含水比の範囲で，塑性指数が大きいほど粘土分の多い土で，吸水による強度低下が著しい。

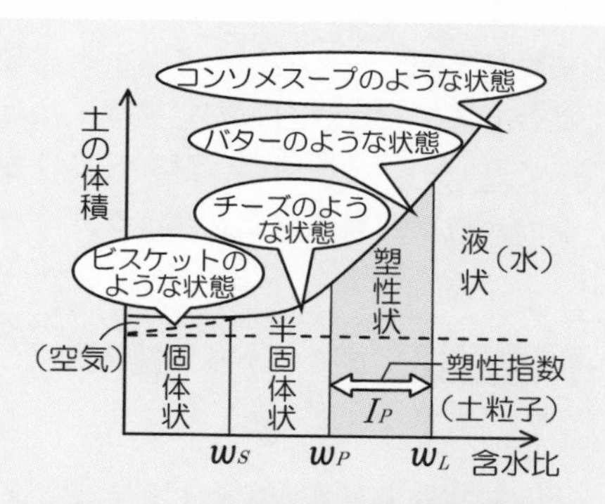

図２・13　土の含水比と体積変化

解答 (2)

重要問題25  路盤の施工

アスファルト舗装の下層路盤の施工に関して，**適当でないもの**はどれか。

⑴　下層路盤材料は，一般に施工現場近くで経済的に入手できるものを選択するが，再生路盤材の有効利用を図ることも必要である。
⑵　石灰安定処理工法は，セメント安定処理工法よりも強度の発現は早く，耐久性，安定性も，より期待できる。
⑶　セメント安定処理工法は，路盤材にセメントを添加することにより，路盤の強度を高め，不透水性を増す効果がある。
⑷　粒状路盤は，材料分離に留意しながら均一に敷均し，１層の仕上り厚さは 20 cm 以下を標準として施工する。

解答と解説　下層路盤

路盤は，交通荷重を路床に伝える部分で，下層路盤と上層路盤に分ける。**下層路盤**には比較的支持力の小さい修正 CBR 20 以上の安価な材料を，**上層路盤**には支持力の大きい修正 CBR 80 以上の良質な材料を用いる。**修正 CBR** とは，路盤材料の強さをいう。

下層路盤には，粒状路盤，セメント安定処理（修正 CBR 10 以上，PI 9 以下）及び石灰安定処理工法（修正 CBR 10 以上，PI 6 ～ 8 ）がある。

⑵　下層路盤の**石灰安定処理工法**は，現地発生材，補足材を加えたものに，石灰を添加して処理する工法である。**セメント安定処理工法**は，現地発生材，補足材を加えたものにセメントを添加して処理する工法である。ともに路上混合方式で行う。石灰安定処理工法は，強度の発現はセメント安定処理に比べて遅いが，長期的には耐久性及び安定性が期待できる。
なお，**粒状路盤工**は，クラッシャーラン，砂利，砂等を用いる工法である。

解答　⑵

関連問題　アスファルト舗装道路の下層路盤の施工に関して，**適当なもの**はどれか。

⑴　粒状路盤材料が乾燥し過ぎて，最適含水比よりも低い場合には，そのまま速やかに締め固める。
⑵　粒状路盤の１層の仕上り厚さは 20 cm 以下を標準とし，その敷均しは一般にモータグレーダで行う。

(3)　施工管理が難しい粒径の大きな下層路盤材料は，その最大粒径は1層の仕上り厚さを上限とする。
(4)　粒状路盤材料が締固め前の降雨により締固めが困難な場合には，瀝青乳剤を十分に散布，混合して締め固める。

解説　**下層路盤の施工**

(1)　粒状路盤材料が乾燥している場合は，散水し最適含水比付近で締め固める。
(3)　下層路盤の路盤材料の最大粒径は，50 mm以下とし，やむを得ないときは1層の仕上り厚さの1／2以下で100 mmまでとする。
(4)　水分を含み締固めが困難な場合は，晴天を待って曝気乾燥を行う。

解答　(2)

関連問題　アスファルト舗装の上層路盤に関して，**適当なもの**はどれか。

(1)　セメント安定処理の締固めは，安定処理材の硬化後に行う。
(2)　粒度調整路盤材の締固めは，一般にタンピングローラを用いる。
(3)　一般工法の瀝青安定処理路盤の施工では，路盤の1層の仕上り厚さを一般に20 cm程度とする。
(4)　石灰安定処理路盤材の締固めは，最適含水比よりやや湿潤状態で行う。

解説　**上層路盤（路盤工法の種類）**

上層路盤には，粒度調整工法，瀝青安定処理工法，セメント安定処理工法(PI 9以下)，石灰安定処理工法が用いられる。石灰安定処理工法は，塑性指数(PI 6～18）の大きい現地材料を活用する場合に用いる。

(1)　上層路盤の**セメント安定処理**は，骨材と安定材とを中央混合方式又は路上混合方式により製造し，1層の仕上り厚さ10～20 cmを標準として敷き均し，締め固める。振動ローラを使用する場合は30 cm以下とする。セメント安定処理の場合，硬化が始まる前までに締固めを完了する。
(2)　**粒度調整路盤**は，材料分離に留意しながら1層の仕上り厚さ15 cm以下（振動ローラの場合，上限20 cm）を標準に均一にモータグレーダで敷き均し，ロードローラ（10～20 t）とタイヤローラ（8～20 t）で締め固める。
(3)　**瀝青安定処理工法**は，下層路盤にプライムコート（P 69）を施し，瀝青安定処理路盤材料を均一に敷き均し，1層の仕上り厚さが10 cm以下となるよう締め固める（**一般工法**）。なお，仕上り厚さが10 cmを超えるものを**シックリフト工法**という。

解答　(4)

重要問題26  アスファルト舗設

アスファルト舗装道路の締固めに関して，**適当なもの**はどれか。

(1)　締固め作業を，初転圧，継目転圧，二次転圧及び仕上げ転圧の順序で行った。
(2)　初転圧は，70～90℃ の温度で行った。
(3)　二次転圧に，8～20 t のタイヤローラを使用した。
(4)　仕上げ転圧に，10～12 t のタンピングローラを使用した。

解答と解説　アスファルト舗設

アスファルト混合物（粗骨材，細骨材，フィラー，アスファルトを混合した材料）は，敷均し後，所定の密度が得られるように締め固める。

(1)　締固め作業は，①継目転圧，②初転圧，③二次転圧，④仕上げ転圧の順序で行う。
(2)　締固め温度は，高い程よいが，あまり高過ぎるとヘアクラックや変位を起こし，低過ぎると締固め効果が不十分となり，仕上げ面があばたとなる。一般に，初転圧 110～140℃，二次転圧 70～90℃ 位いである。
(4)　初転圧は8～12 t 程度のロードローラ（タンデムローラ，マカダムローラ）で，二次転圧は8～20 t のタイヤローラ又は6～10 t の振動ローラで，仕上げ転圧はタイヤローラ，ロードローラで行う。

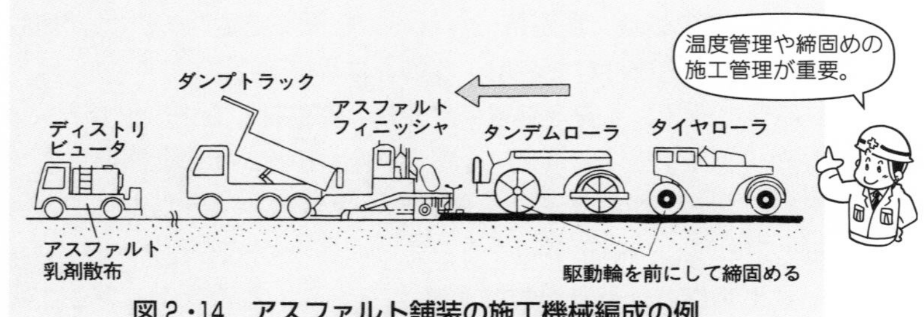

図2・14　アスファルト舗装の施工機械編成の例

解答　(3)

関連問題　アスファルト舗装の締固めに関して，**適当なもの**はどれか。

(1)　ローラによる転圧は，横断勾配の高い方から低い方へ向かって行う。
(2)　初転圧の温度は，ヘアクラックを生じないよう 90℃ を標準とする。

(3)　二次転圧に振動ローラを用いた場合は，仕上げ転圧にタイヤローラを用いるのがよい。
(4)　タイヤローラは，振動ローラを用いるよりも少ない転圧回数で所定の締固め度が得られる。

解説　**アスファルトの舗設**

(1)　ローラによる転圧は，道路の横断的に低い方から高い方へ向かって行う。
(2)　初転圧の温度は，110～140℃で，ロードローラの駆動輪を前にして行う。
(4)　振動ローラを用いる場合は，タイヤローラより転圧回数は少なくてよい。

解答　(3)

関連問題　アスファルト舗装のプライムコートに関して，**適当なもの**はどれか。

(1)　プライムコートは，基層から水分の蒸発を促進させる効果がある。
(2)　プライムコートを施工後やむを得ず交通解放する場合は，その上に砂を散布してはならない。
(3)　プライムコートは，基層と表層の接着性を高めることを目的とする。
(4)　プライムコートには，一般にアスファルト乳剤（PK－３）を用いる。

解説　**プライムコート**

(1)　**プライムコート**は，路盤とのなじみをよくするため，路盤（瀝青安定処理路盤を除く）を仕上げた後にアスファルト混合物の舗設に先立ち，路盤上にアスファルト乳剤(PK－３)を１～2ℓ/m² 散布して，路盤の防水性を高める。

表層 / タックコート / 基層 / プライムコート / 路盤 / 路床

図2・15　プライムコートとタックコート

(2)　交通解放する場合は，瀝青材料の車輪への付着を防ぐため，砂を散布する。
(3)　プライムコートは，路盤とその上のアスファルト混合物とのなじみをよくする。基層と表層の接着性を高めるためにはタックコートを用いる。

なお，**タックコート**は，瀝青材料などの下層（基層・表層）及びセメントコンクリート版とその上に舗設するアスファルト混合物との付着をよくするため，アスファルト乳剤（PK－４）を0.3～0.6ℓ/m² 散布する。

解答　(4)

重要問題27  補修工法，コンクリート舗装

アスファルト舗装道路の補修工法に関して，**適当でないもの**はどれか。

(1) オーバーレイ工法は，既設舗装の上に，厚さ3cm以上の加熱アスファルト混合物層を舗設する工法である。
(2) 表層・基層打換え工法は，発生したひび割れに沿って，既設舗装を表層又は基層まで打ち換える工法である。
(3) パッチング工法は，比較的幅の広いひび割れに注入目地材を充てんする工法である。
(4) 切削工法は，路面の凸部等を切削除去し，不陸や段差を解消する工法である。

解答と解説　アスファルト舗装の補修工法

(3) **パッチング工法**は，ポットホール（細粒分の流出による空洞部），くぼみなどを応急的に補修する機能的対策工法である。比較的幅の広いひび割れに注入目地材を充てんする工法は**シール注入工法**である。

 (3)

関連問題 アスファルト舗装の補修工法の選定に関して，**適当でないものはどれか。**

(1) ひび割れの程度が大きい場合は，路床，路盤の破損の可能性が高いので，打換え工法よりオーバーレイ工法を選定するのがよい。
(2) 流動によるわだち掘れが大きい場合は，表層・基層の打換え工法を選定するのがよい。
(3) 路面のたわみが大きい場合は，路床，路盤の調査を実施し，その原因を把握したうえで工法の選定を行う。
(4) 補修工法の選定は，舗装発生材を極力少なくすることや既設の舗装構造を考慮して行う。

解説　アスファルト舗装の補修工法

(1) ひび割れの程度が大きい場合は構造的な対策（修繕）が必要となり，**打換え工法**（既設舗装を打ち換える）とする。なお，**オーバーレイ工法**（既設舗装上に厚さ3cm以上の加熱アスファルト混合物を舗設する）は，舗装の機能的な対策を目的とする。

解答 (1)

関連問題 コンクリート舗装に関して，**適当でないもの**はどれか。

(1) コンクリート舗装に用いられるコンクリート版には，普通コンクリート版，連続鉄筋コンクリート版及び転圧コンクリート版がある。
(2) 転圧コンクリート版の施工は，荷おろし，敷均し，締固め，養生の順に行う。
(3) 普通コンクリート版の施工は，鉄網及び縁部補強鉄筋の設置，荷おろし，敷均し，締固め，仕上げ，養生の順に行う。
(4) 連続鉄筋コンクリート版の施工は，鉄筋の設置，荷おろし，敷均し，締固め，仕上げ，養生の順に行う。

解説 **セメントコンクリート舗装**

(3) **普通コンクリート版**の施工順序は，荷おろし，敷均し（下層），鉄網及び縁部補強鉄筋，敷均し（上層），締固め，荒仕上げ，平坦仕上げ，粗面仕上げ，養生となる。なお，**転圧コンクリート版**は，単位水量の少ない舗装コンクリートをアスファルトフィニッシャで敷き均し，振動ローラ，タイヤローラで締め固めたものをいう。**連続鉄筋コンクリート版**は，目地による振動や騒音の軽減，平坦性の確保のため，コンクリートの横目地のない構造とする。

解答 (3)

関連問題 セメントコンクリート舗装の施工に関して，**適当でないもの**はどれか。

(1) コンクリート版の表面は，最後にブラシ等により粗面に仕上げる。
(2) 湿潤養生は，現場養生を行ったコンクリート供試体の曲げ強度が所要の値以上に達するまで行う。
(3) コンクリート版中に用いる鉄網の埋込み位置は，コンクリート版の底面から版厚の１／3とする。
(4) 目地と目地の間のコンクリート版は，連続して打ち込む。

解説 **セメントコンクリート舗装**

(3) 鉄網及び縁部補強鉄筋は，下層コンクリートを敷き均した後，コンクリート版の上面から１／3の深さを標準に設置する。なお，(2)湿潤養生は，コンクリートが硬化するまでの初期養生（膜養生，屋根養生）とその後一定期間の後期養生（被覆養生，散水養生）で行う。

解答 (3)

重要問題28  コンクリートダム工事

コンクリートダムの施工に関して，**適当でないもの**はどれか。

(1) ダムの基礎掘削は，基礎岩盤に損傷を与えることが少なく，大量掘削に対応できるベンチカット工法が一般的である。
(2) 一般に，ダムのコンクリート打設は，ダム堤体全面に，水平に連続して実施する面状工法が多い。
(3) ダムのコンクリート配合においては，水和発熱量の少ないフライアッシュセメントの使用を避ける。
(4) ダムの基礎岩盤からの浸透防止には，岩盤のすき間に圧力を加え，セメントミルクを注入するグラウチングを実施する。

解答と解説　コンクリートダムの施工

コンクリート打設方法には，横継目と縦継目で分割する**柱状ブロック工法**（ブロック方式，レヤー方式）と，横目地のみの**面状工法**（拡張レヤー方式，RCD 工法）がある。**面状工法**は，堤体の横断方向のブロック割を水平に打設するもので，施工性に優れる。

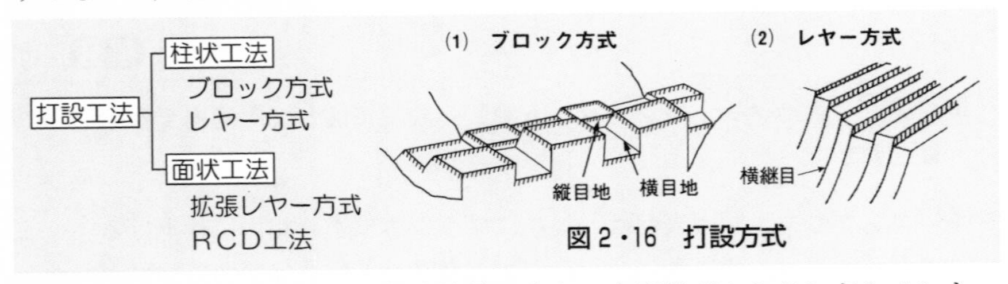

図 2・16　打設方式

(3) ダムコンクリートは，水和発熱量の少ない中庸熱ポルトランドセメント，<u>フライアッシュセメント</u>等が使用される。

解答 (3)

関連問題 RCD 工法の施工に関して，**適当でないもの**はどれか。

(1) コンクリートの1回当たりの打ち上がり高さをリフトといい，1リフトの高さは，75～100 cm 程度である。
(2) パイプクーリングによるコンクリートの温度規制は行わない。
(3) コンクリートの運搬は，バッチャープラントから打設面までトラックミキサー車を用いて行う。

(4) 横継目は，一般に，コンクリート敷き均し後，振動目地切機などを用いて設置し，その設置間隔は15 m程度とする。

解説 RCD工法（Roller Compacted Dam）

(3) **RCD工法**は，スランプゼロの超硬練りのコンクリートをインクライン（傾斜鉄道）とダンプトラックの組合せによりコンクリート打設地点まで運搬し，ブルドーザ等で敷き均し，振動ローラで締め固める工法である。堤体の水平面全体をレヤー（面状）で打設する。貧配合のコンクリートのためパイプクーリングは行わず，横目地は振動目地切り機で造成する。

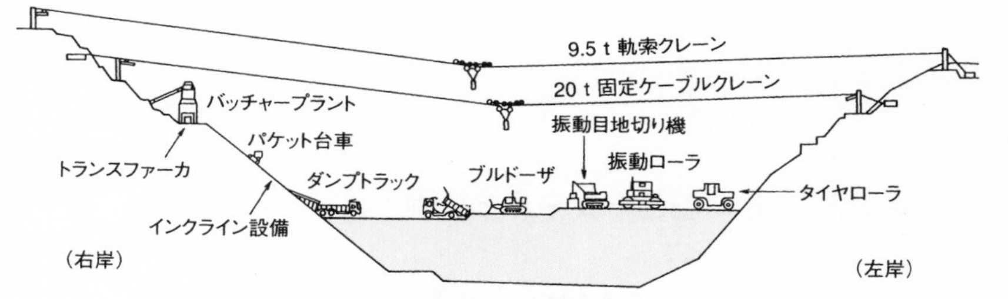

図2・17 RCD工法による施工システム

解答 (3)

関連問題 コンクリートダムの施工に関して，**適当でないもの**はどれか。

(1) ダムの堤体工のコンクリート打込み後の養生は，RCD工法の場合パイプクーリングにより実施する。
(2) ダムの堤体工には，コンクリートの打込み方法により，ブロック割りして施工するブロック工法とダムの堤体全面に水平に連続して打ち込むRCD工法がある。
(3) RCD工法における横継目は，ダム軸に対して直角方向に設け，コンクリートの敷均し後に振動目地切り機などを使って設置する。
(4) ダムの基礎掘削は，基礎岩盤に損傷を与えることが少なく大量掘削に対応できるベンチカット工法が一般的である。

解説 コンクリートダム

(1) RCD工法では，貧配合のコンクリート（セメント材料1.2～1.3 kgN/m³）のためパイプクーリングは行わず，横継目は振動目地切り機によりコンクリート打込み後造成する。

解答 (1)

重要問題29　山岳トンネル工事

トンネル掘削方式のうち，**側壁導坑先進工法を示した図**はどれか。

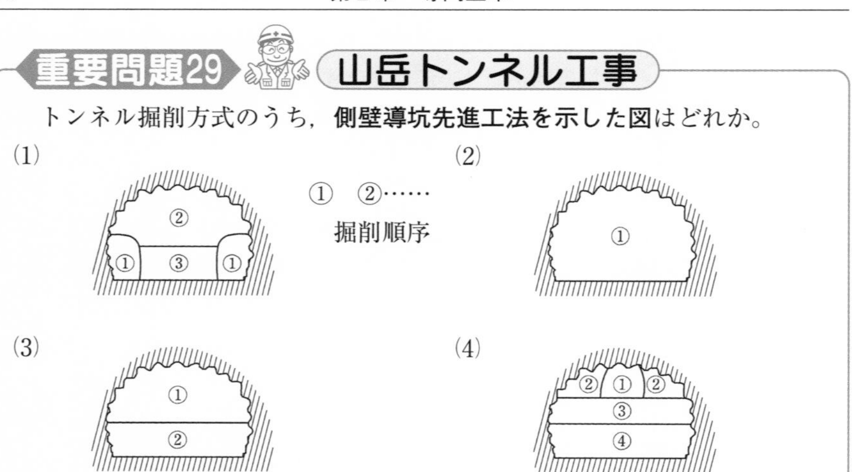

解答と解説　山岳トンネルの掘削方式

(1)　**側壁導坑先進工法**は，地盤が軟弱な場合，トンネル側壁部に導坑を配置し先進させる工法である。側壁コンクリートを打設した後，上部半断面を掘削する本巻工法（下から上へ覆工する）である。

(2)　**全断面工法**は，小断面のトンネルや地質が良好な場合に全断面を一度に掘削する工法で，コンクリート覆工は本巻きである。

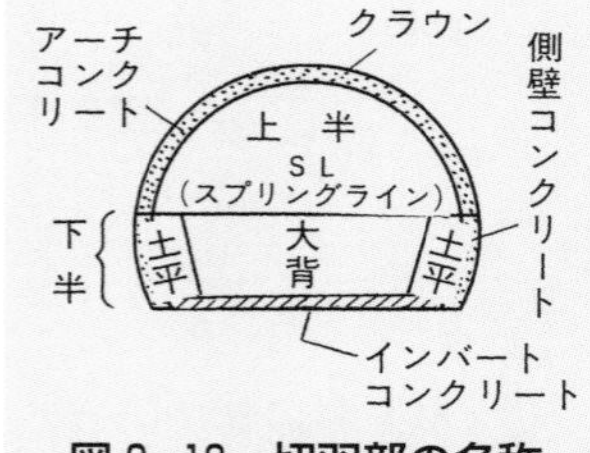

図2・18　切羽部の名称

(3)　**ベンチカット工法**は，上部半断面，下部半断面に2分割して掘進する工法で，地山条件の変化に応じてベンチ長を調節する（逆巻工法）。

(4)　**頂設導坑先進工法**は，トンネル断面の頂部に導坑を配置し先進させる工法で，導坑で地質の確認，水抜き効果を調査する（逆巻工法）。

解答　(1)

関連問題　トンネル掘削のナトム工法（NATM）において鋼製支保工を用いる場合の一般的な施工順序として，**適当なもの**はどれか。

(1)　一次吹付けコンクリート→ロックボルト→鋼製支保工→二次吹付けコンクリート
(2)　一次吹付けコンクリート→鋼製支保工→二次吹付けコンクリート→ロックボルト
(3)　鋼製支保工→一次吹付けコンクリート→ロックボルト→二次吹付けコンクリート
(4)　鋼製支保工→一次吹付けコンクリート→二次吹付けコンクリート→ロックボルト

解説　ナトム工法

トンネルの掘削にともない地山を安定させるため，速やかに支保工を施工する。支保工には，吹付けコンクリート，ロックボルト，鋼製支保工がある。

NATM（ナトム）工法は，吹付けコンクリート・ロックボルト等で早期に地山を安定させた後に覆工する工法で，水密性が高く防水性に優れた覆工ができる。**吹付けコンクリート**は，鋼製支保工と一体となるように吹き付ける。**ロックボルト**は，トンネル掘削面に直角に設ける。堀削は**ベンチカット工法**による。土質条件によりロングベンチ 100 m 以上のものから，ショートベンチ（30 m 程度），ミニベンチ（数 m 程度）のものがある。

(2)　地山条件が良好な場合は，吹付けコンクリート→ロックブロックの順。地山条件が悪い場合は，一次吹付けコンクリート→鋼製支保工→二次吹付けコンクリート→ロックボルトの順である。

解答　(2)

関連問題　山岳トンネルの施工に関して，**適当なもの**はどれか。

(1)　掘削工法は，悪い地山条件から良い地山条件に対応するものの順にならべると，全断面工法，ベンチカット工法，導坑先進工法となる。
(2)　トンネルの覆工に用いる型枠方式は，移動式が一般的であり，組立式型枠は，急曲線部，拡幅部，坑口部等の特殊な部分に限定される。
(3)　トンネルの支保工は，矢板工法が一般的であり，ナトム工法（NATM）は大きな出水の生じるトンネル等特殊な場合に限定される。
(4)　機械掘削は，発破掘削に比べ，騒音・振動の環境問題が生じやすいため，環境上の配慮が必要な区間には採用できない。

解説　山岳トンネルの施工

(1)　地山条件の悪いものから良い方へならべると，導坑先進工法，ベンチカット工法，全断面工法となる。
(3)　**矢板工法**は，鋼製支保工と矢板を主たる支保部材とする工法で，高圧多量の湧水を伴い，かつ排水工の効果に問題があり，吹付けコンクリート（ナトム工法）の施工ができない場合に用いられる。ナトム工法は，高圧多量の湧水がある場合には施工できない。
(4)　掘削方式のうち，機械掘削は，発破掘削に比べ地山を緩めることが少なく，騒音・振動が比較的少ないので，環境保全上，発破掘削を採用できない都市部のトンネルで多く採用される。

解答　(2)

重要問題30  海岸堤防

下図は傾斜型海岸堤防の構造を表したものである。図の(イ)〜(ハ)に示す構造名称の組合せとして，**適当なもの**はどれか。

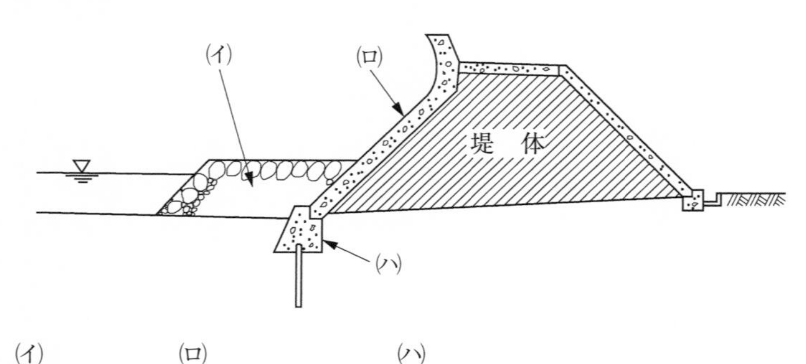

	(イ)	(ロ)	(ハ)
(1)	根固工………	裏法被覆工………	基礎工
(2)	基礎工………	裏法被覆工………	根固工
(3)	根固工………	表法被覆工………	基礎工
(4)	基礎工………	表法被覆工………	根固工

解答と解説　傾斜型海岸堤防の構造

海岸堤防は，高潮，津波による海水の浸入を防ぎ，波浪による越浪を減少させ，浸食による土砂の流出を防止する。構造形式により，直立堤，傾斜堤，混成堤がある。

(イ)　**根固工**は，表法被覆工の洗先又は基礎工の前面に設け，波浪による前面の洗掘を防止して被覆工又は基礎工を保護する。

(ロ)　**表法被覆工**は，波による堤体土砂の流出を防ぎ，堤体を保護する。表法被覆工を延長して天端（てんば）上に突き出す**波返し工**を設ける。

(ハ)　**基礎工**は，堤体や被覆工を支え，沈下・滑動及び波による洗掘に対して安全な構造とする。基礎コンクリートや基礎捨石などの根固工で保護する。

解答　(3)

関連問題　傾斜型海岸堤防の施工に関して，**適当なもの**はどれか。

(1)　堤体の材料は，一般に土砂を使用し，締固めの点から多少粘土を含む砂質又は砂礫質のものを用いるので，海岸の砂は使用してはならない。

(2)　波返し工は，表法被覆工をはい上がってくる波浪などの高波を沖へ戻

すために設けるものであり，表法被覆工と完全に連続して一体とする。

(3) 堤内地への越波，しぶきなどを排出するための排水工は，原則として，天端肩や裏法の途中に設ける。

(4) 根固工は，基礎工の前面に接続して設けるものであり，単独に沈下・屈とうしないよう基礎工と一体構造として施工する。

解説 傾斜型海岸堤防の施工

(1) 海岸の砂を利用する場合には，水締めを行い十分に締め固める。

(3) 排水工は，堤防の裏法尻に設ける。

(4) 根固工は，被覆工や基礎工と絶縁する。

解答 (2)

関連問題 離岸堤の施工に関して，**適当なもの**はどれか。

(1) 汀線が後退しつつある場合に，護岸と離岸堤を新設しようとするときは，離岸堤を設置する前に護岸を施工する。

(2) 侵食区域の離岸堤の施工は，上手側（漂砂供給源に近い側）から着手し，順次下手側に施工するのを原則とする。

(3) 開口部あるいは堤端部は，波浪によって洗掘されることがあるので計画の１基分はなるべくまとめて施工する。

(4) 比較的浅い水深に離岸堤を設置する場合は，前面の洗掘が大きくなるので，基礎工にはマットやシート類は使用せず必ず捨石工を使用する。

解説 離岸堤の施工

離岸堤は，汀線から離れた沖側に，汀線に平行に設置され，消波又は波高減衰を目的とする。背後に砂を貯え侵食防止や海浜の造成をする。

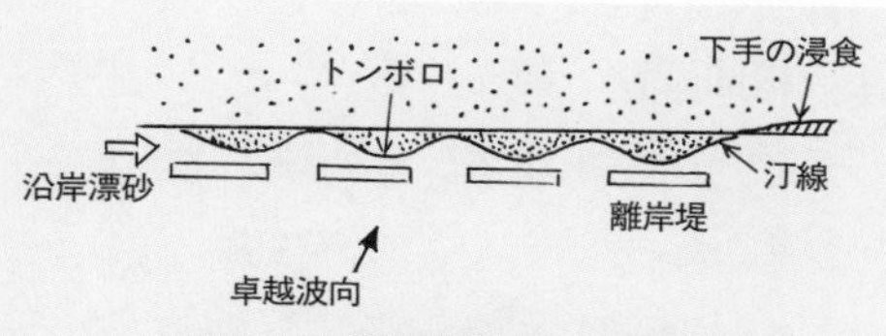

図２・19 離岸堤とトンボロ

(1) 侵食を防ぐための**護岸**を施工する前に離岸堤を設置する。

(2) 下手側の侵食を防止するため，離岸堤は下手側から着手し順次上手側に施工するのを原則とする。

(4) 比較的浅い水深の場合には，前面の洗掘は比較的に小さく，捨石工でなくてもマットやシート類で効果が期待できる。

解答 (3)

重要問題31  防波堤，浚渫船

防波堤の施工に関して，**適当なもの**はどれか。

(1) 直立堤は，軟弱な地盤に用いられ，傾斜堤に比べ使用する材料の量は多く，波の反射は大きい。
(2) 傾斜堤は，水深の深い場所に用いられ，海底地盤の凹凸に関係なく施工できる。
(3) ケーソンの構造は，えい航，浮上，沈設を行うため，ケーソン内の水位を調節しやすいように，それぞれの隔壁に通水孔を設ける。
(4) 根固工には，通常根固めブロックが使われ，ガット船による据付けが一般的である。

解答と解説 防波堤の施工

防波堤は，港湾内の静穏と一定の水深を維持し，港湾背後地などを津波，波浪，高潮から守る。

(1) 海岸堤防は，構造形式により直立型，傾斜型，混成型に分けられる。**直立堤**は，地盤が硬く洗掘のおそれがない場所で採用する。傾斜堤に比べ使用材料は少ない。
(2) **傾斜堤**は，波があまり大きくなく，比較的水深の浅い場所の小規模な防波堤に用いられる。
(3) 直立堤や混成堤の**ケーソン**（コンクリート製の箱状の構造物）は，ドライドックで製作され，据付け場所にえい航し，据え付ける。ケーソン内水位の調整を容易にするため，それぞれの隔壁に通水孔を設ける。
(4) **根固工**は，基礎天端のケーソン基部の洗掘防止のために行う。根固めブロックは，起重機船により据え付ける。

解答 (3)

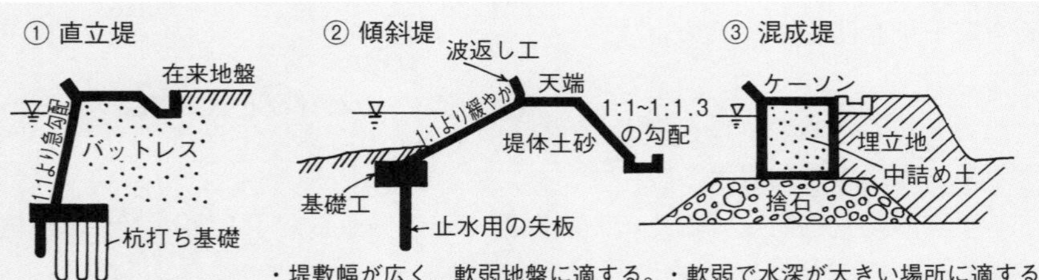

・良好な地盤に適する。
・越波や摩耗に強い。

・堤敷幅が広く，軟弱地盤に適する。
・根固工を設けるが施工は容易。
・堤体土砂の量が多い。

・軟弱で水深が大きい場所に適する。
・施工が捨石工とケーソン工の２段階となり，複雑となる。

図2・20 海岸堤防の種類と特徴

関連問題　自ら推進力をもたない非航式グラブ浚渫船の施工に関して，**適当なもの**はどれか。

(1)　狭い場所や浚渫深さの変化が多い場所での浚渫作業には使用できない。
(2)　浚渫後の掘り跡の平坦仕上げ精度は，一般にポンプ浚渫船に比べ劣る。
(3)　標準的な船団は，グラブ浚渫船と土運船との２隻で構成される。
(4)　浚渫後の出来形確認測量には，原則として音響測深機は使用できない。

解説　非航式グラブ浚渫船

(1)　グラブ船は，浚渫深度や土質などの制限が少なく，岸壁などの構造物前面や狭い場所の浚渫が可能である。
(3)　グラブ船の船団構成は，グラブ船，揚錨船，曳船，土運船の組合せである。
(4)　測深は，音響測深機による。

解答　(2)

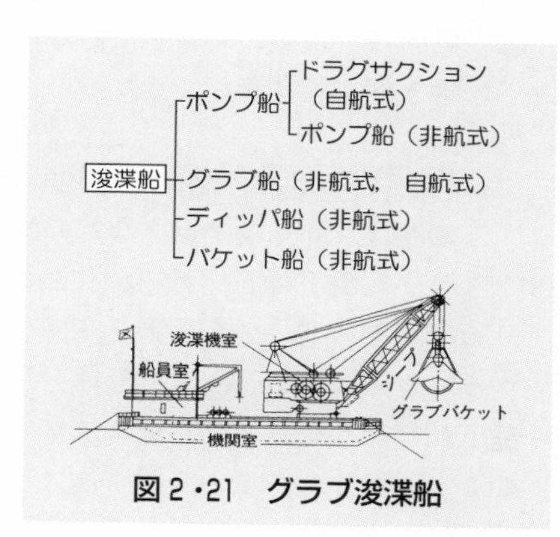

図 2・21　グラブ浚渫船

関連問題　海岸堤防の消波工の施工に関して，**適当でないもの**はどれか。

(1)　異形コンクリートブロックを層積みで施工する場合は，据付け作業がしやすく，海岸線の曲線部も容易に施工できる。
(2)　消波工に一般に用いられる異形コンクリートブロックは，ブロックとブロックの間を波が通過することにより，波のエネルギーを減少させる。
(3)　異形コンクリートブロックは，海岸堤防の消波工のほかに，海岸の侵食対策として多く用いられる。
(4)　消波工は，波の打上げ高さを小さくすることや，波による圧力を減らすために堤防の前面に設けられる。

解説　消波工の施工

(1)　**消波工**は，テトラポット・六脚ブロック等で，波のエネルギーを分散・消滅し，波圧や打上げ高さを減ずる。層積み（規則正しく配列する積み方⇔乱積み）は，据付け作業や曲線部の施工が難しくなる。

解答　(1)

重要問題32 鉄道線路の構造

鉄道の道床，路盤，路床に関して，**適当でないもの**はどれか。

(1) 線路は，レールや道床などの軌道とこれを支える路盤から成る。
(2) 路盤は，使用する材料により良質土を用いた土路盤，粒度調整砕石を用いたスラグ路盤がある。
(3) バラスト道床の砕石は，強固で耐摩耗性に優れ，せん断抵抗角の大きいものを選定する。
(4) 路床は，路盤の荷重が伝わる部分であり，切取地盤の路床では路盤下に排水層を設ける。

解答と解説 線路の構造

線路は，レール・道床などの軌道とこれを支える路盤から成る。

(2) スラグ路盤→砕石路盤（強化路盤）。路盤の種類には，使用する材料により道床バラスト，まくら木を支持する有道床軌道として，良質な自然土又はクラッシャーラン（ふるい分けをしていない砕石）等の単一層から成る**土路盤**と粒度調整砕石又は高炉スラグ砕石の2層合成の**砕石路盤**及び粒度調整高炉スラグと砕石を単一層とする**スラグ路盤**などの**強化路盤**がある。

表2・5 路盤の種類 （ ）旧名称

軌道の種類	路盤の種類		説明
省力化軌道	コンクリート路盤		スラブ軌道を支持
	アスファルト路盤		短い軌道，まくら木直接支持
有道床軌道	アスファルト路盤（強化路盤）	砕石路盤	重要度の高い線区に使用
		スラグ路盤	
	砕石路盤（土路盤）		一般的な線区に使用

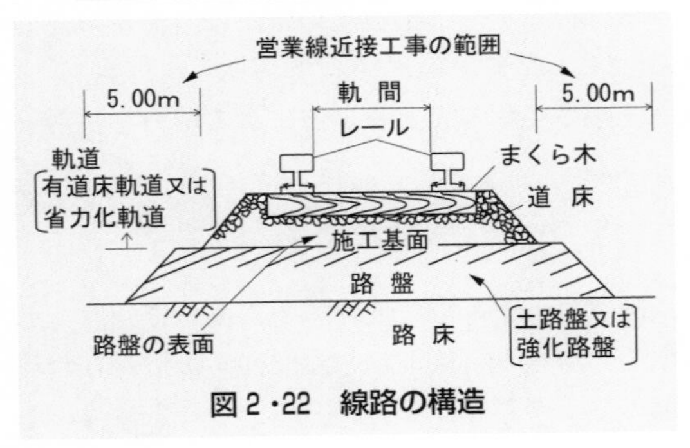

図2・22 線路の構造

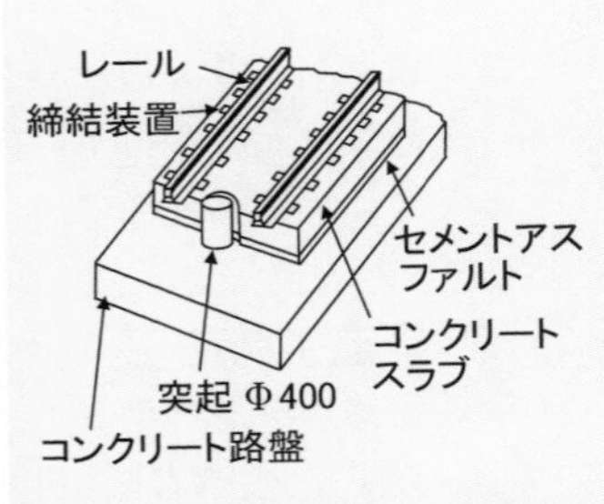

図2・23 スラブ軌道（省力化軌道）

解答 (2)

関連問題 鉄道の軌道に関して，**適当でないもの**はどれか。

(1) カントは，車両が曲線部を通過するときに，車両が外側に転倒するのを防ぎ乗り心地をよくするために内側よりも外側のレールを高くする。
(2) 軌道は，列車通過の繰返しにより変位が生じやすいため，日常の点検と保守作業が不可欠である。
(3) マクラギは，レールを強固に締結し，十分な強度を有するものがよい。
(4) 道床バラストは，列車荷重の衝撃力を分散させるため，単一な粒径の材料を用いる。

解説 **鉄道の軌道**

軌道とは，レールや道床（路盤とまくら木の間の層）をいう。軌道は車両の走行によって摩耗し腐食するため，軌道保守作業が必要となる。

(4) 道床バラストは，まくら木から伝達された列車荷重を路盤に分散させる。道床バラストは，材質が強固で粘りがあり，摩損や風化に強く，適当な粒径と粒度をもち，突き固め作業が容易であること。

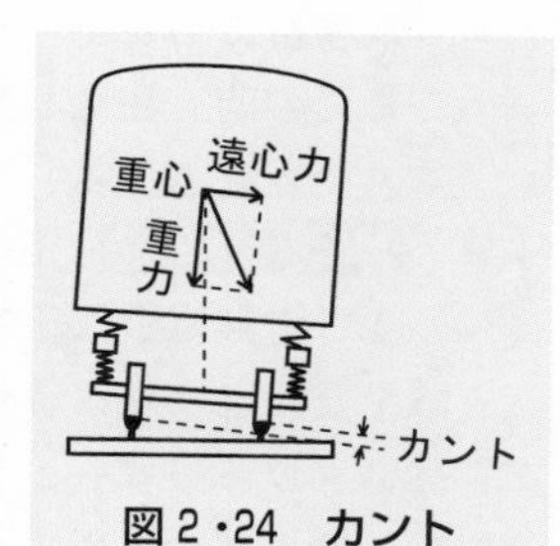

図 2・24 カント

解答 (4)

関連問題 軌道の用語の説明として，**適当でないもの**はどれか。

〔軌道の用語〕　〔説　明〕
(1) スラック…………曲線部において列車通過を円滑にするため軌道を拡大すること
(2) バラスト軌道……プレキャストのコンクリート版を用いた軌道
(3) 緩和曲線…………鉄道車両の走行を円滑にするため直線と円曲線，又は二つの曲線間に設けられた特殊な線形
(4) カント……………車両が曲線を通過するときに遠心力により外方への転倒を防止するために外側のレールを高くすること

解説 **鉄道の軌道用語**

(2) **バラスト軌道**とは，道床にバラストを用いた軌道をいう。なお，軌道曲線部は，レールと車軸フランジとのきしみを防ぐため軌道を拡大する**スラック**及び遠心力によって車両が外側へ飛び出すのを防ぐための**カント**（片勾配）を設ける。

解答 (2)

重要問題33  営業線近接工事

鉄道（在来線）の営業線内又はこれに近接して工事を施工する場合の保安対策に関して，**適当でないもの**はどれか。

(1) 作業員の線路内の移動については，駅構内の歩行通路が指定されている場合，列車見張員を省略できる。
(2) 施工者は，施工に先立ち，工事現場全般についての具体的な事故防止対策を定め，監督員に提出する。
(3) 作業表示標は，運転者が見やすいように原則として列車進行方向左側に設置する。
(4) 乗務員に不安を与えるおそれのある工事は，列車の接近時から通過するまでの間，注意して作業を行う。

解答と解説 営業線近接工事（列車通過中の作業中止等）

(4) **営業線近接工事**は，営業線及びこれに近接する工事で，列車運転に支障を及ぼさないよう保安対策をとる。

高いタワー，ブーム等を使用する作業，列車の振動・風圧等によって不安定，危険な状態になるおそれのある工事又は乗務員に不安を与えるおそれのある工事は，列車の接近時から通過までの間，一時施工を中止する。

解答 (4)

関連問題 営業線内工事における工事保安体制に関して，**適当でないものはどれか。**

(1) 工事管理者は，工事現場ごとに専任の者を常時配置しなければならない。
(2) 軌道作業責任者は，作業集団ごとに専任の者を常時配置しなければならない。
(3) 列車見張員及び特殊列車見張員は，工事現場ごとに専任の者を配置しなければならない。
(4) 停電責任者は，工事現場ごとに専任の者を配置しなければならない。

解説 工事保安体制

(1) **工事管理者**は，工事施工の指揮，施工管理，列車等の運転保安及び旅客公

衆等への事故防止等の任務にあたる。現場ごとに専任の者を常時配置する。

(2) **軌道作業責任者**は，工事施工の指揮及び事故防止等の任務にあたる。作業集団ごとに専任の者を常時配置する。

(3) **列車見張員**は，指定された位置で列車の進来・通過を監視し，工事管理者及び作業員に列車接近の合図を行う。工事現場ごとに専任の者を配置する。

(4) **停電責任者**は，き電停止工事（列車に電力の供給を停止）施工時のき電停止工事の責任者。監督員の承諾を得て兼務ができる。

解答 (4)

関連問題 営業線近接工事保安対策に関して，**適当でないもの**はどれか。

(1) 自動信号区間におけるレール付近では，スチールテープ等の電導体の接触により，軌道回路の短絡事故を発生させてはならない。

(2) 工事管理者は，工事現場ごとに専任の者を常時配置し，工事内容及び施工方法などにより必要に応じて複数配置する。

(3) 施工者は，施工に先立ち，工事現場全般についての具体的な事故防止対策を定め，軌道工事管理者に提出しなければならない。

(4) 1名の列車見張員では見通し距離を確保できない場合は，見通し距離を確保できる位置に中継列車見張員を増員する。

解説 請負者の施工・保安体制

(3) **工事管理者**（駅長との打合せを行う軌道工事管理者との兼務可）は，施工に先立ち，工事現場全般についての安全設備，工事用通路，工事専用踏切及び要注意箇所の施工法，保安要員の配置等，具体的な事故防止対策を定めた**保安確認書**及び**保安打合せ票**を作成し，監督員（施主側）に提出しなければならない。

解答 (3)

表2・6 請負者の事故防止体制（土木・建築工事）

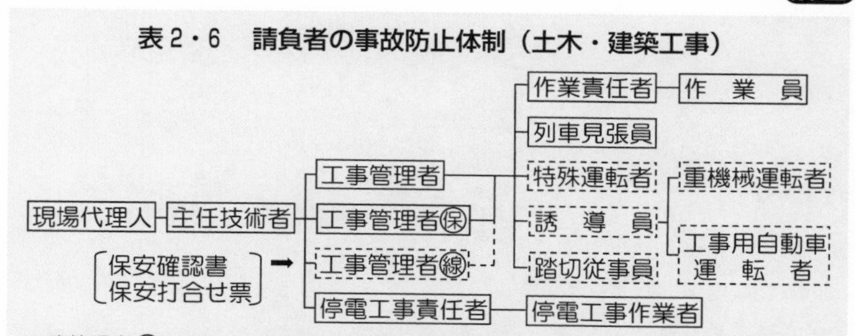

工事管理者㊜(軌道工事の場合，軌道工事管理者㊜)は，事故防止等保安業務(列車待避の位置，合図方法の徹底と事故防止計画の作成)に専念。

重要問題34 シールド工事

シールド工法に関して，**適当でないもの**はどれか。

(1)　土圧式シールド工法は，切羽の土圧と掘削した土砂が平衡を保ちながら掘進する工法である。
(2)　泥水式シールド工法は，大径の礫の搬出に適している工法である。
(3)　泥土圧式シールド工法は，掘削した土砂に添加剤を注入し，泥土圧を切羽全体に作用させて平衡を保つ工法である。
(4)　泥水式シールド工法は，泥水を循環させ切羽の安定を保つと同時に，カッターで切削された土砂を泥水とともに坑外まで流体輸送する工法である。

解答と解説　シールド工法

シールド工法は，シールド前面の構造によって密閉型（土圧式，泥水式等）と開放型（手掘り式，機械掘り式）に分類される。

表2・7　シールドの形式

シールド工法	密閉型（機械掘り式）	土圧式	土圧式シールド
			泥土圧式シールド
		泥水加圧式シールド	
	開放型	部分開放型	ブラインド式シールド
		全面開放型	手掘り式シールド
			半機械掘り式シールド
			機械掘り式シールド

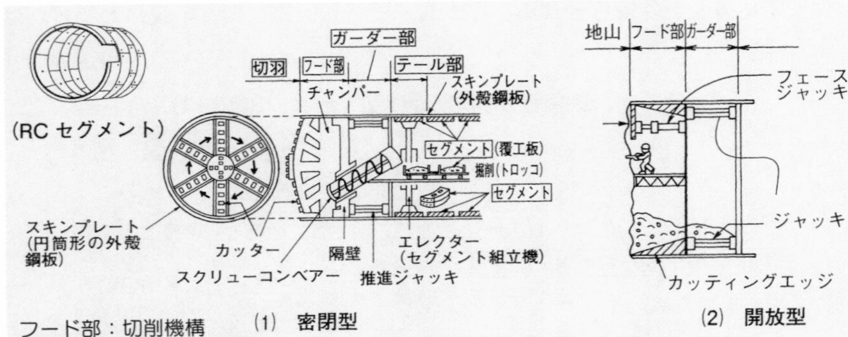

図2・25　シールド工法の分類

(2) **泥水式シールド工法**は，シールド前端のフード部とガーダー部の間に隔壁を設け，チャンバー（切羽と隔壁の間）内に汚水を充満させて切羽の安定を図り，土砂の掘削を行う。大径の礫の搬出はできない。ガーダー部で荷重を受けもち，シールド後部のテール部において推進した分だけセグメントを覆工する。

解答 (2)

関連問題 シールド工法の施工に関して，**適当でないもの**はどれか。

(1) セグメントの外径は，シールドの掘削外径より小さくなる。
(2) 覆工用セグメントの種類は，コンクリート製や鋼製のものがある。
(3) シールドのテール部は，トンネル掘削する切削機械を備えている。
(4) 土圧式シールド工法は，一般に，粘性土地盤に適している。

解説 シールド工法

(3) シールドのテール部は，覆工作業（セグメント組立作業）を行う空間である。切削機械を備えているのはフード部である。

解答 (3)

関連問題 シールド工の推進に関して，**適当でないもの**はどれか。

(1) 推進にあたって，所定の計画線上を正確に進むために最も重要なことは，シールドジャッキの適正な使用である。
(2) セグメント等を損傷するおそれのあるような推力を必要とするときは，セグメントを補強する。
(3) 推進のための推力は，１本当たりのジャッキ推力を大きくし，なるべく少ないジャッキを使用して所要の推力を得る。
(4) 密閉型シールドがローリングした場合には，カッターの回転方向を変えることによってシールドに逆の回転モーメントを与え，修正する。

解説 シールド工の推進

(3) シールド工法の工程は，掘削→推進→覆工→裏込め工の繰返しである。シールド推進にあたっては，セグメントなどの後方構造物を損傷しないよう，ジャッキ推力を分散する。なるべく多くのジャッキを使用して，１本当たりのジャッキ推力を小さくする。なお，(4)シールド掘進中の上下，左右，前後の蛇行をピッチング，ヨーイング，ローディングという。

解答 (3)

重要問題35 水道管の布設工事

上水道管の施工に関して，**適当なもの**はどれか。

(1) 配水管は，他の地下埋設物との間隔を 10 cm 以上保つよう布設する。
(2) 配水管は，維持管理の容易性に配慮し，原則として公道に布設する。
(3) 軟弱地盤など不等沈下の箇所は，たわみ性の小さい伸縮継手を設ける。
(4) 橋梁添架管には，橋梁の固定端の位置に合わせて伸縮継手を設ける。

解答と解説 上水道管（配水管）の施工

(1) **配水管**は，配水池，配水塔あるいは配水ポンプを起点として，給水区域に浄水を配水するために布設する管をいう。配水管は，原則として公道に布設されるが，他の地下埋設物との間隔は，維持補修を考慮して最小間隔を 30 cm とする。

(3) 軟弱地盤などの不等沈下のおそれのある箇所には，たわみ性の大きい伸縮継手を設ける。

(4) 橋梁添加管には，温度変化による橋桁の伸縮に対応するため，橋梁の可動端の位置に合わせて伸縮継手を設ける。

解答 (2)

関連問題 上水道に用いる排水管の特徴に関して，**適当なもの**はどれか。

(1) 鋼管は，溶接継手により一体化できるが，温度変化による伸縮継手等が必要である。
(2) ダクタイル鋳鉄管は，継手の種類によって異形管防護を必要とし，管の加工がしやすい。
(3) 硬質塩化ビニル管は，高温度時に耐衝撃性が低く，接着した継手の強度や水密性に注意する。
(4) ポリエチレン管は，重量が軽く，雨天時や湧水地盤では融着継手の施工が容易である。

解説 配水管の特徴

導水管及び配水管には，強度が大で，衝撃に強いダクタイル鋳鉄管や鋼管及び耐食性・耐震性に優れる硬質塩化ビニル管，ステンレス鋼管，ポリエチレン管等が用いられ，その特徴は表のとおり。土かぶりは 1.2 m とする。

(1) **鋼管**は，温度変化による管の伸縮が大きいため，伸縮継手が必要。

(2) **ダクタイル鋳鉄管**は，管が重く硬いため加工が難しい。
(3) **硬質塩化ビニル管**は，低温時に耐衝撃性が低下する。
(4) **ポリエチレン管**は，加熱による融着継手では，雨天時や湧水地盤での施工は困難である。

解答 (1)

表2・8　管きょの特徴

材料別	長所	短所
ダクタイル鋳鉄管（内面モルタルライニング）	① 耐食性。強度が大。施工性良。 ② 強じん。衝撃に強い。 ③ メカニカル継手は可とう。伸縮性がある。	① 重量が比較的重い。 ② 継手の脱出に対し，異形管防護等を必要とする。 ③ 外面防護。継手防護が必要。
鋼管（塗覆装鋼管）	① 強度大。強じん。衝撃に強い。 ② 溶接継手により，一体化ができ，継手脱出対策が不要。 ③ 重量が比較的軽い。 ④ 加工性が良い。	① 温度伸縮継手。 ② 電食に対する配慮が必要。 ③ 継手の溶接・塗装に時間がかかり，わき水地盤で施工が困難。 ④ たわみが大きい。
硬質塩化ビニル管	① 耐食性，耐電食性に優れる。 ② 重量が軽く，施工性が良い。 ③ 接着が可能，価格が安い。 ④ 内面粗度が変化しない。	① 低温時において耐衝撃性が低下する。 ② 有機溶剤，熱，紫外線に弱い。 ③ 温度伸縮。可とう継手が必要。
ポリエチレン管	① 耐食性に優れる。 ② 重量が軽く施工性が良い。	① 熱，紫外線に弱い。 ② 融着継手では雨天時や湧水地盤での施工が困難。
ステンレス鋼管	① 強度が大であり，耐久性がある。 ② 耐食性に優れている。 ③ 強じん性に富み，衝撃に強い。 ④ ライニング，塗装の必要がない。	① 溶接継手に時間がかかる。 ② 異種金属との絶縁処理を必要とする。

関連問題 上水道管の布設に関して，**適当でないもの**はどれか。

(1) 配水管は，維持管理を容易にするため，原則として公道に布設する。
(2) 配水管を公道以外に布設する場合，当該敷地管理者の使用承認を得る。
(3) 配水管を伏越しする場合は，伏越し管前後の取付管を急勾配にする。
(4) 軟弱地盤に布設する場合は，地盤状態や管路沈下量を十分に検討し，それに適した施工法，管種，継手を用いる。

解説 上水道管（配水管）の布設

(3) 伏越し管（河川や地下構造物を横切る管渠。地下構造物より低くし，上下流管の水位差により流下させる）前後の取付管は，できるだけ緩勾配にする。

解答 (3)

重要問題36  下水道管渠の布設工事

下水道管渠の基礎に関して，**適当でないもの**はどれか。

(1)　はしご胴木基礎は，砂質地盤で地質が均質な場所に採用し，はしご状の構造により支持する。
(2)　鳥居基礎は，極軟弱地盤で，ほとんど地耐力を期待できない場合に採用し，はしご胴木の下部を杭で支持する。
(3)　砕石基礎は，地盤が比較的良好な場所で採用し，細かい砕石を管渠下部にまんべんなく密着するように締固めて管渠を支持する。
(4)　コンクリート基礎は，地盤が軟弱な場所や管渠に働く外圧が大きい場合に採用し，管渠の底部をコンクリートで巻き立てて支持する。

解答と解説　下水道管渠の基礎

(1)　**はしご胴木基礎**は，地盤が極軟弱土の場合，土質や上載荷重が不均等な場合に剛性管の不同沈下を防止するために用いる。まくら木と縦木ではしご状にして管渠を支持する。　**解答**　(1)

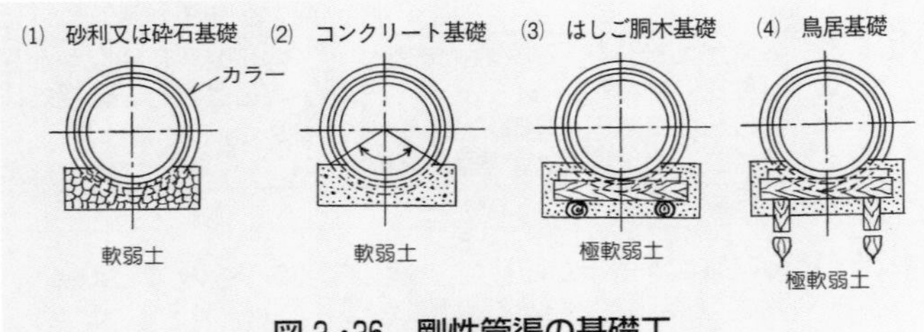

図2・26　剛性管渠の基礎工

関連問題　下水道管渠の各接合方法の特徴として，**適当なもの**はどれか。

(1)　管頂接合は，流水は円滑となり水理学的には安全な方法であるが，管渠の埋設深さが他の接合方法に比べ大きい。
(2)　管底接合は，水面接合と管頂接合との中間的な方法で，計画下水量に対応する水位の算出を必要としない。
(3)　管中心接合は，水理学的に概ね計画水位を一致させて接合する方法である。
(4)　水面接合は，他の方法と比べ掘削深さを減じて工費が軽減でき，特にポンプ排水の場合有利である。

解説 下水道管渠の接合方法

(1) **管頂接合**は，上下流側の管渠の内面管頂高を一致させるように管を据え付けるもので，流水は円滑となるが，下流側管渠の埋設深さが大きくなる。

(2) **管底接合**は，上下流側の管渠の内面底部の高さを一致させるもので，上流側管渠にバックウォーターの影響が及ぶなど水理条件の悪化をきたす。なお，水面接合と管頂接合との中間的な方法は，管中心接合である。

(3) **管中心接合**は，水面接合と管頂接合との中間的な方法で，上下流管の中心線を一致させる。計画下水量に対応する水位の算出を必要としない。

(4) **水面接合**は，水理学的に概ね計画水位を一致させて接合するものである。なお，設問の記述は，管底接合のことである。

解答 (1)

関連問題 下水道管渠の更生工法に関する(イ)，(ロ)の説明とその工法名の次の組合せのうち，**適当なもの**はどれか。

(イ) 既設管渠内に表面部材となる硬質塩化ビニル材などをかん合して製管し，製管させた樹脂パイプと既設管渠との間隙にモルタル等の充填剤を注入することで管を構築する。

(ロ) 既設管渠より小さな管径の工場製作された二次製品の管渠を牽引・挿入し，間隙にモルタル等の充填剤を注入することで管を構築する。

	(イ)	(ロ)
(1)	形成工法	さや管工法
(2)	製管工法	形成工法
(3)	形成工法	製管工法
(4)	製管工法	さや管工法

解説 下水道管渠の更生工法

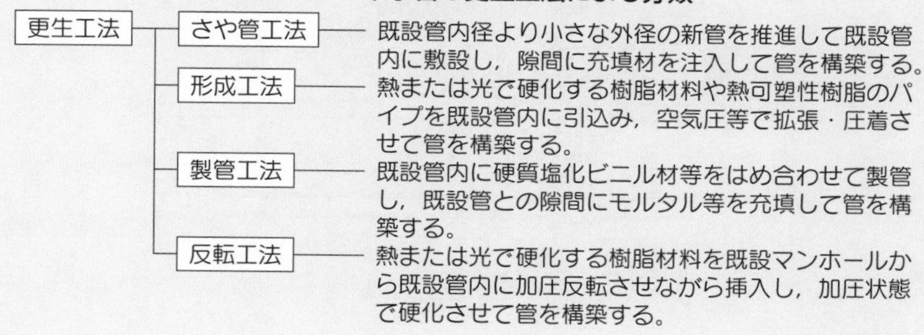

表2・9 下水管の更生工法による分類

更生工法		
	さや管工法	既設管内径より小さな外径の新管を推進して既設管内に敷設し，隙間に充填材を注入して管を構築する。
	形成工法	熱または光で硬化する樹脂材料や熱可塑性樹脂のパイプを既設管内に引込み，空気圧等で拡張・圧着させて管を構築する。
	製管工法	既設管内に硬質塩化ビニル材等をはめ合わせて製管し，既設管との隙間にモルタル等を充填して管を構築する。
	反転工法	熱または光で硬化する樹脂材料を既設マンホールから既設管内に加圧反転させながら挿入し，加圧状態で硬化させて管を構築する。

解答 (4)

(1) さや管工法

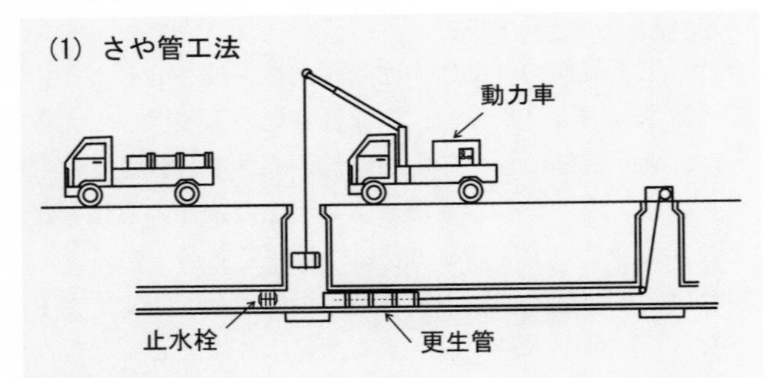

(2) 形成工法

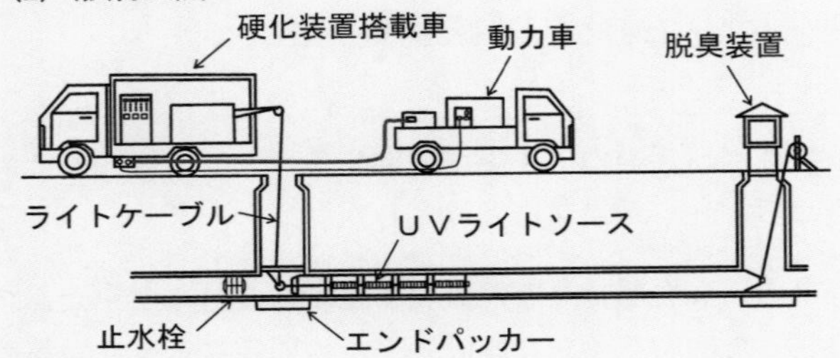

(3) 製管工法

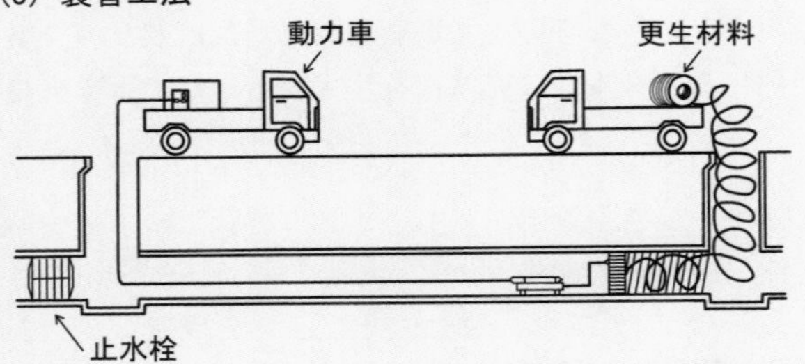

(4) 反転工法

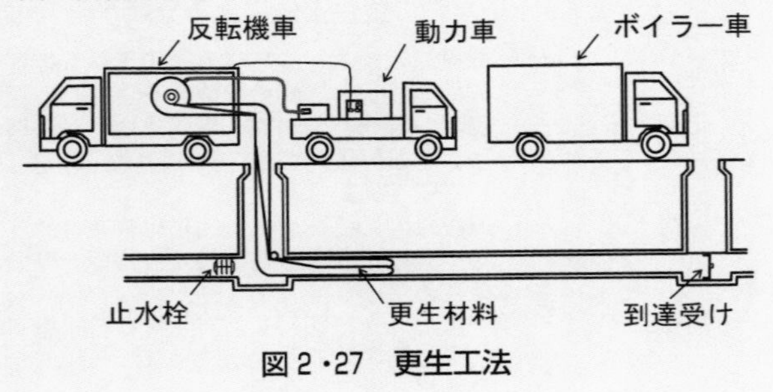

図２・27　更生工法

法　規

第3章

法　規

［第1次検定］

内容

1．労働基準法
2．労働安全衛生法
3．建設業法
4．道路関係法
5．河川法
6．建築基準法
7．火薬類取締法
8．騒音・振動規制法
9．港則法

対策

1．建設工事の施工に必要な法令に関する知識が問われます。（参考：11問出題，うち6問題選択・解答）
2．施工管理に関する法規は，広範囲にわたるので日頃から，注意して一つひとつ整理しておくこと。
3．労働安全衛生法は第5章の安全管理と，騒音・振動規制法は第5章の環境保全というように相互に関連します。合わせて学習して下さい。

重要問題37 労働契約，賃金，労働時間

労働基準法に関して，**誤っているもの**はどれか。

(1) 労働契約の締結時に明示された労働条件が，事実と相違する場合，労働者は，即時に労働契約を解除できる。
(2) 使用者は，休憩時間を自由に利用させなければならない。
(3) 使用者は，前貸金と賃金を相殺することができる。
(4) 使用者は，労働者を解雇しようとする場合は，原則として少なくとも30日前に予告しなければならない。

解答と解説 前借金相殺の禁止

使用者は，前借金その他労働することを条件とする前貸の債務と賃金を相殺してはならない（**前借金相殺の禁止**）。

なお，(1)**労働条件の明示**，(2)**休憩**，(4)**解雇の予告**の規定。

解答 (3)

関連問題 賃金の支払いに関して，**誤っているもの**はどれか。

(1) 平均賃金とは，これを算定すべき事由の発生した日以前3箇月間にその労働者に対し支払われた賃金の総額を，その期間の総日数で除した金額をいう。
(2) 使用者は，労働者が出産，疾病，災害などの場合の費用に充てるために請求する場合においては，支払期日前であっても，既往の労働に対する賃金を支払わなければならない。
(3) 使用者は，未成年者の賃金を親権者又は後見人に支払わなければならない。
(4) 出来高払制その他の請負制で使用する労働者については，使用者は，労働時間に応じ一定額の賃金の保障をしなければならない。

解説 賃金，未成年者の労働契約

(3) 親権者又は後見人は，未成年者（18歳未満）に代って労働契約を締結してはならない。また，賃金を受け取ってはならない（**未成年者の労働契約**）。

なお，(1)**平均賃金**，(2)**非常時払い**，(4)**出来高払の保障給**の規定。

解答 (3)

関連問題 労働基準法に関して，**誤っているもの**はどれか。

(1) 使用者は，労働者が重大な過失によって業務上負傷し，かつ使用者がその過失について行政官庁の認定を受けた場合においては，休業補償を行わなくてもよい。

(2) 賃金は，賃金，給料，手当など使用者が労働者に支払うものをいい，賞与はこれに含まれない。

(3) 賃金は，原則として通貨で，直接労働者に，その全額を支払う。

(4) 使用者は，最低賃金の適用を受ける労働者に対し，その最低賃金額以上の賃金を支払わなければならない。

解説 **賃金の定義**

(2) **賃金**とは，賃金，給与，手当，賞与その他名称の如何を問わず，労働の対償として使用者が労働者に支払うすべてのものをいう（定義）。

なお，(1)**休業補償及び障害補償の例外**，(4)**最低賃金**の規定。

解答 (2)

関連問題 労働時間に関して，労働基準法上，**誤っているもの**はどれか。

(1) 使用者は，原則として労働者に対して，毎週少なくとも1回の休日を与えなければならない。

(2) 使用者は，原則として労働者に，休憩時間を除き1週間について48時間を超えて，労働させてはならない。

(3) 使用者は，原則として労働時間が6時間を超える場合においては，少なくとも45分間の休憩時間を労働時間の途中に与えなければならない。

(4) 使用者は，原則として1週間の各日については，労働者に，休憩時間を除き1日について8時間を超えて，労働させてはならない。

解説 **労働時間，休憩時間**

(2) 使用者は，労働者に休憩時間を除き1日8時間，1週間に40時間を超えて労働させてはならない（**労働時間**）。

なお，(3)使用者は，労働時間が6時間を超える場合は少なくとも45分，8時間を超える場合は少なくとも1時間の休憩時間を労働時間の途中に与えなければならない。労働者は，休憩時間を自由に使用することができる（**休憩**）。(1)**休日**，(4)**労働時間**の規定。

解答 (2)

重要問題38  年少者の労働基準

労働基準法に定める就業制限に関して，**正しいもの**はどれか。

(1) 親権者又は後見人は，未成年者に代って労働契約を締結する。
(2) 使用者は，満18歳の男性を午後10時から午前5時までの間において労働させてはならない。
(3) 使用者は，満20歳の女性にダンプトラックやブルドーザの運転をさせてはならない。
(4) 使用者は，満18歳に満たない者を坑内で労働させてはならない。

解答と解説 年少者・女性の労働基準（就業制限）

労働基準法では，成人，未成年者，年少者，児童それぞれの年齢によって保護規定が異なる。**年少者**（18歳未満）は，労働時間，時間外，休日労働等の18歳以上の成人労働者に許されている例外規定は適用できない。

(1) 18歳未満の**未成年者**（法改正により18歳以上成人）の労働契約の違反。
(2) 使用者は，満18歳に満たない者を午後10時から午前5時までの間において使用してはならない。交替制による場合は，満16歳以上の男性は可。
(3) 満18歳に満たない者に，乗合自動車又は最大積載量2t以上の貨物自動車の運転業務，動力により駆動される土木建築用機械の運転業務等の危険な業務に就かせてはならない。
(4) 年少者の坑内労働の禁止及び満18歳以上の女性を坑内の有害な業務に就かせてはならない。

解答 (4)

関連問題 労働基準法の定めとして，重量物を継続して取り扱う業務に満16歳以上満18歳未満の男子を**就かせてはならない重量**はどれか。

(1) 10 kg以上 (2) 15 kg以上 (3) 20 kg以上 (4) 25 kg以上

解説 年少者の労働基準

(3) **年少者**とは，満18歳未満の者をいう。年齢・性の区分に応じて，取り扱う重量物の上限が定められている（年少者労働基準法第7条）。

解答 (3)

表3・1 重量物を取り扱う業務

年齢及び性		重量（単位kg）	
		断続作業の場合	継続作業の場合
満16歳未満	女	12	8
	男	15	10
満16歳以上満18歳未満	女	25	15
	男	30	20

関連問題 年少者の就業に関して，**誤っているもの**はどれか。

(1) 使用者は，児童が満 16 歳に達する日までに，この者を使用してはならない。

(2) 使用者は，交代制によって使用する満 16 歳以上の男性を除き，満 18 歳に満たない者を午後 10 時から午前 5 時までの間において使用してはならない。

(3) 未成年者は，独立して賃金を請求することができる。親権者又は後見人は，未成年者の賃金を代って受け取ってはならない。

(4) 使用者は，満 18 歳に満たない者について，その年齢を証明する戸籍証明書を事業場に備え付けなければならない。

解説 **最低年齢**

(1) 使用者は，児童が満 15 歳に達した日以降の最初の 3 月 31 日が終了するまで，これを使用してはならない（**最低年齢**）。

なお，(2)**深夜業の禁止**，(3)**未成年者の労働契約**，(4)**年少者の証明書**の規定。

解答 (1)

関連問題 労働基準法に定める労働者が業務上負傷し，又は疾病にかかった場合の災害補償に関して，**誤っているもの**はどれか。

(1) 使用者は，労働者の療養期間中，平均賃金の 60% の休業補償を行わなければならない。

(2) 使用者は，使用者の費用で労働者に必要な療養をさせ，又は必要な療養の費用を負担しなければならない。

(3) 使用者が，労働者の重大な過失について，行政官庁の認定を受けた場合においては，障害補償を行わなくてもよい。

(4) 労働者が補償を受ける権利は，労働者の退職によって消滅する。

解説 **災害補償（休業補償，療養補償）**

(4) 労働者が業務上負傷又は疾病した場合，使用者は休業期間中，平均賃金の 60% の**休業補償**をしなければならない（**休業補償**）。**補償を受ける権利**は，労働者の退職によって変更されることはない。

なお，(1)**休業補償**，(2)**療養補償**，(3)**休業補償及び障害補償の例外**，(4)**補償を受ける権利** の規定である。

解答 (4)

重要問題39　作業主任者，計画の届出

労働安全衛生法上，作業主任者の選任を**必要としない作業**はどれか。

(1)　高さが2m以上の構造の足場の組立て，解体又は変更の作業
(2)　土止め支保工の切りばり又は腹起しの取付け又は取り外しの作業
(3)　型枠支保工の組立て又は解体の作業
(4)　掘削面の高さが2m以上となる地山の掘削作業

解答と解説　作業主任者

事業者は，労働災害を防止するための管理を必要とする作業については，都道府県労働局長の**免許所有者**又は同局長が実施する**技能講習修了者**から作業区分に応じて**作業主任者**を選任し，その者に当該作業に従事する労働者の指揮等を行わせなければならない。

(1)　高さが5m以上が該当する。　**解答**　(1)

表3・2　作業主任者の選任を必要とする作業（令第6条）

作業主任者	作業の内容	資　格
高圧室内作業主任者	圧気工法で行われる潜函工法，その他の高圧室内の作業	免許者
ガス溶接作業主任者	アセチレン又はガス集合装置を用いて行う溶接等の作業	免許者
地山の掘削作業主任者	地山の掘削の作業（掘削面の高さが2m以上）	講習修了者
土止め支保工作業主任者	切ばり・腹起しの取付け又は取外しの作業	講習修了者
ずい道等の掘削作業主任者	掘削の作業，ずり積み，ずい道支保工組立，ロックボルト取付け，コンクリート等吹付けの作業	講習修了者
ずい道等の覆工作業主任者	ずい道型枠支保工の組立・移動・解体，コンクリート打設の作業	講習修了者
型枠支保工の組立て等作業主任者	型枠支保工の組立・解体の作業	講習修了者
足場の組立て等作業主任者	ゴンドラを除くつり足場，張出し足場又は高さが5m以上の構造の足場の組立・解体・変更の作業	講習修了者
鋼橋架設等作業主任者	金属製の橋梁の上部構造の架設・解体・変更の作業(高さが5m以上又は支間が30m以上)	講習修了者
コンクリート造工作物の破壊等作業主任者	高さが5m以上のコンクリート造の工作物の解体・破壊の作業	講習修了者
コンクリート橋架設等作業主任者	コンクリート造の橋梁の上部構造の架設・変更の作業（高さが5m以上又は支間が30m以上）	講習修了者

関連問題 労働安全衛生法上，統括安全衛生責任者との連絡のために，**下請負人が選任しなければならない者**はどれか。

(1) 作業主任者
(2) 元方安全衛生管理者
(3) 店社安全衛生管理者
(4) 安全衛生責任者

解説 **統括安全衛生責任者，安全衛生責任者**

元請業者は，同一場所で元請・下請を合わせて，常時 50 人以上の労働者が混在して作業を行う場合，労働災害を防止するため**統括安全衛生責任者**を選任して，**元方安全衛生管理者**のもと「特定元方事業者の講ずべき措置」の事項を統括管理する（P 142，**安全衛生管理体制**参照）。

(4) 統括安全衛生責任者を選任すべき事業者以外の請負人で，当該仕事を自ら行うものは，**安全衛生責任者**を選任し，その者に統括安全衛生責任者との連絡その他厚生労働省令で定める事項を行わせなければならない。

解答 (4)

関連問題 労働安全衛生法の定めとして，事業者がその計画を当該工事の仕事の開始の 14 日前までに労働基準監督署長に届け出る**必要のあるもの**はどれか。

(1) 最大支間が 50 m の橋梁の建設の仕事
(2) 高さが 25 m の鉄塔の建設の仕事
(3) 掘削の高さが 5 m の土石の採取のための掘削の作業を行う仕事
(4) 最大支間が 25 m の橋梁の上部構造の建設の仕事

解説 **労働基準監督署長への計画の届出**

表 3・3 の工事（厚生労働大臣への届出対象を除く）については，14 日前までに労働基準監督署長へ計画を届け出なければならない。

解答 (1)

表 3・3　労働基準監督署長への計画の届出を必要とする工事

法令条項	工　事	規　模　等
法第 88 条第 4 項（工事の開始の日の 14 日前までに，所定の様式，書類を添付し労働基準監督署長に届け出る。）	建築工事等	高さが 31 m を超える建築物又は工作物
	橋梁工事	最大支間 50 m 以上，最大支間 30～50 m の橋梁の上部構造
	トンネル工事	内部に労働者が入らないものを除く
	掘削工事	掘削の高さ又は深さ 10 m 以上
	潜函，シールド工事等	圧気工法による作業
	土石採取工事	掘削の高さ又は深さ10m 以上

3・2 労働安全衛生法

重要問題40  主任技術者・監理技術者

建設業法に関して，**誤っているもの**はどれか。

⑴ 建設業者は，施工技術の確保に努めなければならない。
⑵ 下請負人となる建設業者は，請負った建設工事を施工するときは，主任技術者を置かなければならない。
⑶ 主任技術者は，建設工事の施工計画の作成，工程管理，品質管理その他の技術上の管理を誠実に行わなければならない。
⑷ 特定建設業者が作成する施工体制台帳及び施工体系図には一次下請負人のみ記入する。

解答と解説 主任技術者・監理技術者の設置

元請・下請を問わず建設業者は，その請け負った建設工事を施工するときは，施工の技術上の管理を司る**主任技術者**を置かなければならない。**特定建設業**にあって4,000万円以上の下請契約を締結して施工する場合は，主任技術者に代えて**監理技術者**を置かなければならない。

⑷ 発注者から直接建設工事を請け負った特定建設業者は，総額4,000万円以上の下請契約を締結した場合には，**施工体制台帳**を作成し，工事期間中，工事現場ごとに備え付けなければならない。また，当該建設工事に係るすべての建設業者名，技術者名等を記載し，工事現場における施工の分担関係を明示した**施工体系図**を作成し，これを当該工事現場の見易い場所に掲げる（P 130，**施工体制台帳及び施工体系図の作成等**）。

解答 ⑷

関連問題 主任技術者又は監理技術者に関して，**正しいもの**はどれか。

⑴ 主任技術者の職務内容としては，工事現場における技術上の管理及び下請負人との契約事務が定められている。
⑵ 3,500万円以上の公共施設の建設工事において，専任の監理技術者補佐を置く場合，監理技術者は他の工事現場と兼任することができる。
⑶ 下請負人となる建設業者は，主任技術者を置く必要はない。
⑷ 工事現場に置くべき主任技術者は，1級又は2級の土木施工管理技士の資格を有するものでなければならない。

解説　主任技術者・監理技術者

(1)　**主任技術者**及び**監理技術者**は，工事現場における建設工事を適切に実施するため，施工計画の作成，工程管理，品質管理その他の技術上の管理及び当該建設工事の施工に従事する者の技術上の指導監督の職務を誠実に行わなければならない。下請負人との契約事務については，**現場代理人**の職務である。

(2)　公共性のある 3,500 万円以上の建設工事では，主任技術者又は監理技術者は，現場ごとに専任の者でなければならない。但し，専任の**監理技術者補佐**（１級技士補）を置く場合の特例監理技術者は，この限りではない（P３）。

(3)　元請負人の主任技術者が，下請負人の主任技術者の職務を併せて行う場合以外は，主任技術者の配置が必要である（P３参照）。

(4)　主任技術者の資格は，指定学科卒業者で大卒３年，高卒５年，その他 10 年以上の実務経験及び１・２級土木施工管理技士等である。

資料５⇒P 214 参照　**解答**　(2)

関連問題　建設業法に関して，**正しいもの**はどれか。

(1)　施工の技術上の管理を司る主任技術者と請負人の任務を代行する現場代理人とは，その職務が異なることから兼務することはできない。

(2)　主任技術者は，建設工事の施工計画の作成，工程管理，品質管理その他の技術上の管理及び建設工事の施工に従事する者の指導監督の職務を誠実に行わなければならない。

(3)　建設業者が主任技術者を置かなければならないのは，その請け負った建設工事の請負代金の額が 4,000 万円以上の場合である。

(4)　主任技術者を置くべき建設工事において主任技術者を置かなかった場合であっても，事故が起きなければ，監督処分の対象とならない。

解説　主任技術者の職務

(1)　現場代理人，主任技術者（監理技術者）及び専門技術者は，これを兼ねることができる。**現場代理人**は，契約の履行に関し，工事現場に常駐し，その運営，取締りを行うほか，約款に基づく請負者の権限を行使する者をいう。

(3)　許可を受けた建設業者は，請負金額の大小にかかわらず，主任技術者（下請契約が 4,000 万円以上となる場合は，監理技術者）を置かなければならない。但し，特定専門工事（3,500 万円未満の鉄筋工事・型枠工事）を除く。

(4)　主任技術者設置義務違反は，100 万円以下の罰金が課せられる。

解答　(2)

重要問題41　道路管理者，車両制限令

道路法に関して，**誤っているもの**はどれか。

(1)　道路法上の道路は，高速自動車国道，一般国道，都道府県道及び市町村道の4種類に区分される。
(2)　車両乗り入れのための歩道切り下げ工事は，道路管理者の承認を得れば個人でも行うことができる。
(3)　上下水道管，ガス管等の道路の占用物は，道路管理者の占用許可が必要である。
(4)　道路管理者とは，信号機又は道路標識を設置し交通の規制を行っている都道府県の公安委員会をいう。

解答と解説　道路法

道路管理者とは，道路法の規定で道路の安全かつ円滑な交通の確保を図るため，道路の管理権限を行う者（国道－国土交通大臣。都道府県道－都道府県知事，市町村道－市町村長）をいう。道路に工作物等の施設を継続して使用する場合は，道路管理者の**占用許可**を受けなければならない（道路法）。土木工事では，看板・標識・工事用板囲・足場・詰所等の工事用施設が該当する。また，道路上で工事若しくは作業をする者は，警察署長の道路の**使用許可**を受けなければならない（道路交通法）。

(4)　道路上の規制標識は，規制内容に応じて道路管理者又は都道府県公安委員会が設置する。信号機又は道路標識の設置等の交通規制は，道路交通法（第4条，公安委員会の交通規制）に規定する**都道府県公安委員会**の仕事である。

解答　(4)

関連問題　道路法令上，道路占用者が道路を掘削する場合に**用いてはならない方法**は，次のうちどれか。

(1)　えぐり掘（ほり）　　(2)　溝掘
(3)　つぼ掘　　(4)　推進工法

解説　工事実施の方法

①　占用物件に支障を及ぼさないために必要な措置を講ずること。
②　道路を掘削する場合，溝掘，つぼ掘又は推進工法等の方法によるものとし，

えぐり掘の方法によらないこと。

③　路面の排水を妨げない措置を講ずること。

④　原則として，道路の一方の側は，常に通行できること。

⑤　工事現場においては，さく又は覆いの設置，夜間は赤色灯又は黄色灯の点灯等，交通の危険防止の必要な措置を講ずること。

解答　(1)

関連問題　車両制限令に関して，**正しいもの**はどれか。

(1)　車両の幅の最高限度は，2.4 m である。

(2)　車両の輪荷重の最高限度は，10 t である。

(3)　車両の最小回転半径の最高限度は，車両の最外側のわだちについて 12 m である。

(4)　カタピラを有する自動車が舗装道路を通行できるのは，その自動車が道路の除雪のために使用される場合に限られる。

解説　車両の幅等の最高限度（車両制限令）

道路法の規定にもとづき，道路の構造を保全し，又は交通の危険を防止するため，車両の幅，重量，高さ，長さ及び最小回転半径の最高限度は，**車両制限令**で規定されている。

①　**幅**　：2.5 m

②　**重量**：(イ)　高速自動車国道等で 25 t
　　　　　その他の道路で 20 t
　　　(ロ)　軸　重 10 t
　　　(ハ)　輪荷重 5 t

③　**高さ**：道路管理者が指定した道路 4.1 m
　　　　その他の道路 3.8 m

④　**長さ**：12 m

⑤　**最小回転半径**：車両の最外側のわだちについて 12 m

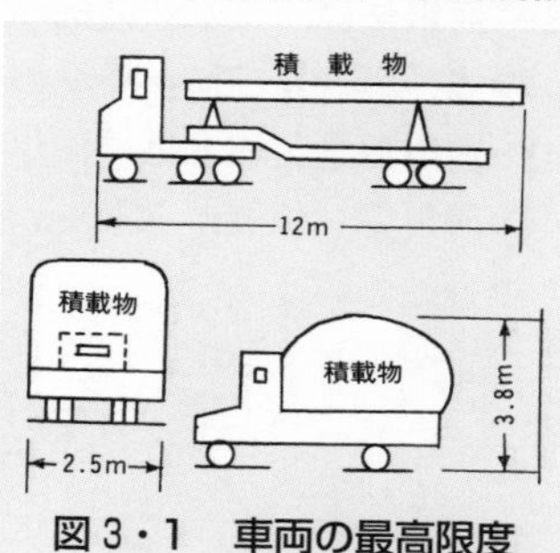

図 3・1　車両の最高限度

(4)　カタピラを有する自動車は，舗装道を通行してはならない。ただし，その自動車のカタピラの構造が路面を損傷する恐れのない場合，カタピラが路面を損傷しないように当該道路について必要な措置が採られている場合，その自動車が当該道路の除雪に使用される場合については，この限りではない。

解答　(3)

重要問題42  河川の使用及び規制

河川法に関して，**正しいもの**はどれか。

⑴　河川の地下を横断して水道管や電線を設置する場合には，河川管理者の許可が必要である。
⑵　１級河川の管理は都道府県が行い，２級河川の管理は市町村が行う。
⑶　河川法の目的は洪水防御と水利用の２つであり，河川環境の整備と保全はその目的に含まれていない。
⑷　河岸又は河川管理施設を保全するために河川管理者によって指定される河川保全区域は，両岸の堤防に挟まれた区域である。

解答と解説　工作物の新築等の許可

⑴　河川区域内において工作物を新築し，改築し又は除去しようとする者は，河川管理者の許可を受けなければならない。水道管や電線等の上空や地下に設ける工作物もこの**工作物の新築等の許可**が適用される。
⑵　**１級河川**の管理は，国土交通大臣が行う。**２級河川**の管理は，当該河川の存する都道府県を統轄する都道府県知事が行う。
⑶　河川法は，洪水・高潮等の災害発生防止，河川の適正利用・流水の正常な機能の維持及び河川環境の整備と保全を総合的に管理することを目的とする。
⑷　**河川保全区域**とは，河岸又は堤防等を保全する区域で，原則として堤防等の河川管理施設から50 m以内の区域をいう。両岸の堤防に挟まれた区域は，堤外地という。

解答　⑴

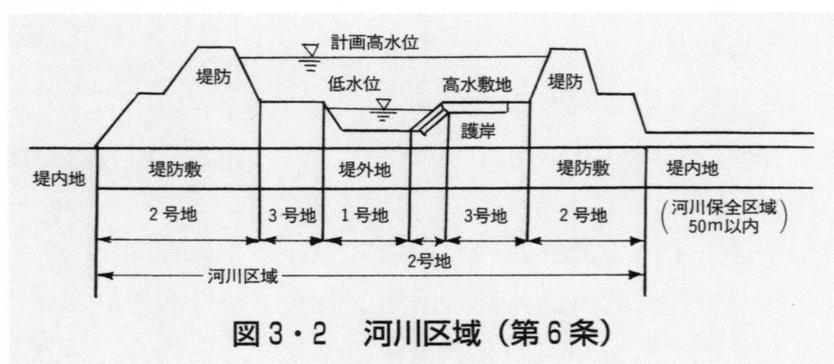

図３・２　河川区域（第６条）

関連問題　河川区域内において，河川管理者の許可を**必要としないもの**はどれか。

⑴　工事現場の板囲いの設置

(2) 工事用の仮設の現場事務所の設置
(3) 工事用の電線の設置
(4) 道路橋の架設工事に伴う河川区域内の資材置き場の設置

解説 工作物の新築等の許可

○ **河川工事**とは，河川の流水によって生じる公利を増進し又は水害を除却・軽減するため河川管理者が行う工事をいう。橋梁工事のように河川管理者以外が行う工事（その他工事）では，河川の使用及び規制を受け，河川管理者の許可が必要となる。

(1) **工作物の新築等の許可**は，次のとおり。なお，工作物の新築は，一般に土地の形状の変更を伴うので，あらためて**土地の掘削等の許可**は要しない。
① 官有地，民有地を問わず，河川区域内の一切の土地が対象となる。
② 地表面だけでなく，上空や地下に設ける工作物も対象になる。
③ 新築だけでなく改築や除去，また一時的な仮設工作物にも適用される。
④ 特例として，河川工事をするための資機材運搬施設，河川区域内に設けざるを得ない足場，板がこい，標識等の工作物は，河川工事と一体をなすものとして，工作物の新築等の許可規定は適用されない。しかし，必ずしも河川区域内に設ける必要のない現場事務所，資材倉庫などの仮設工作物，現場事務所は，河川工事であっても許可を受ける必要がある。 **解答** (1)

3・5 河川法

表3・4 河川法上の許可事項

		許可が必要なもの	許可が不必要なもの
河川区域における行為	土地の占用（法第24条）	国有地の占用 ①公園や広場，鉄塔，橋台，電柱や工事用道路などを設置する場合 ②土地の上空に高圧線，電線，橋梁や吊り橋などを架設する場合 ③地下にサイホン，下水処理施設や光ケーブルなどを埋設する場合	民有地の占用
		（上空や地下の利用も対象）	
	土石等の採取（法第25条）	国有地における土石，砂，竹木，あし，かや等を採取する場合	民有地における採取
			砂鉄などその他の産出物の採取
		掘削が伴う土石の採取 ①工事で発生した土石等を他の工事に使用，又は他に搬出する場合	河川工事のため現場付近で行う採取，又は同一河川内の河川工事に使用
	工作物の新築等（法第26条）	工作物の新築，改築，除去をする場合	河川工事のため資機材運搬施設や河川区域に設けざるを得ない足場，板がこい，標識等
		（上空や地下の工作物も対象 仮設工作物，現場事務所も対象）	
	土地の掘削等（法第27条）	土地の掘削，盛土，切土，その他土地の形状を変更する行為	法第26条の許可を得た工作物の新築等を行うための掘削等
		竹木の栽植・伐採	耕うん

重要問題43  仮設建築物

建築基準法に関して，**誤っているもの**はどれか。

(1)　工事を施工するために現場に設ける事務所は，建築基準法の適用を一切受けない。
(2)　都市計画区域等の建築物の敷地は，原則として道路に2m以上接しなければならない。
(3)　都市計画区域等の道路とは，原則として幅員4m以上のものをいう。
(4)　敷地造成のための擁壁は，原則として道路内に，又は道路に突き出して築造してはならない。

解答と解説　単体規定・集団規定，仮設建築物

建築基準法は，個々の建築物の安全性，衛生及び防火性能等に関して，全国の建築物に適用される**単体規定**と，都市全体の環境及び機能を望ましい水準に維持するために，都市計画区域内に適用される**集団規定**がある。

(1)　工事を施工するために現場に設ける事務所，下小屋，材料置場等これらに類する**仮設建築物**については，建築基準法の一部が緩和される（表3・5）。

解答　(1)

関連問題　建築基準法に関して，**正しいもの**はどれか。

(1)　建ぺい率は，建築物の延べ面積の敷地面積に対する割合をいう。
(2)　高架の工作物内に設ける事務所，倉庫その他これらに類する施設は，法に定められている建築物に該当しない。
(3)　建築物の主要構造物とは，壁，柱，床，梁，屋根又は階段をいう。
(4)　建築基準法は，建築物の敷地，構造，設備及び用途に関する最高限度を示す基準を定めたものである。

解説　集団規定（建ぺい率，容積率）

(1)　都市計画区域内の用途地域ごとに，建築面積の敷地面積に対する割合（**建ぺい率**）及び建築物の延べ面積の敷地面積に対する割合（**容積率**）が制限される。
(2)　**建築物**とは，土地に定着する工作物で屋根及び柱若しくは壁を有するもの，これらに附属する門・塀，地下・高架の工作物に設けられる事務所・店舗等，建築物内に設ける建築設備をいう。

(3) **主要構造物**とは，壁，柱，床，梁，屋根又は階段をいい，構造上重要でない間仕切壁，最下階の床等を除く。

(4) 建築基準法は，建築物の敷地，構造，設備及び用途に関する最低の基準を定めて，公共の福祉の増進に資することを目的としている。

解答 (3)

関連問題 工事を施工するために現場に設ける事務所等の仮設建築物に関して，建築基準法上，**誤っているもの**はどれか。

(1) 建築物の建築面積の敷地面積に対する割合（建ぺい率）の制限の規定は，適用される。

(2) 仮設事務所は，自重，積載荷重，積雪，風圧，地震等に対して安全な構造のものとして，定められている基準に適合するものとする。

(3) 延べ面積 50 m² を超える仮設建築物を防火地域内に建築する場合，屋根が耐火構造又は準耐火構造でないものは，屋根の構造方法は不燃材料で造るか，又はふかなければならない。

(4) 仮設事務所を建築する場合，建築主事への確認の申請書は，提出しなくてよい。

解説 仮設建築物（建築基準法の緩和内容）

(1) 建ぺい率は適用されない。なお，防火地域内及び準防火地域内に 50 m² を超える仮設建築物を設置する場合は，**屋根**（第 62 条，屋根の構造：不燃材でふく，耐火・準耐火構造物）の規定が適用される。 **解答** (1)

表 3・5 建築基準法不適用一覧

区分	条文	内容
法が適用されない主な規定	第 6 条	建築確認申請手続き
	第 7 条	建築工事の完了検査
	第 15 条	建築物を新築又は除却する場合の届出
	第 19 条	建築物の敷地の衛生及び安全に関する規定
	第 43 条	建築物の敷地は道路に 2 m 以上接すること
	第 48 条	用途地域ごとの制限
	第 52 条	延べ面積の敷地面積に対する割合（容積率）
	第 53 条	建築面積の敷地面積に対する割合（建ぺい率）
	第 55 条	第 1 種低層住居専用地域等の建築物の高さ
	第 61 条	防火地域及び準防火地域内の建築物
	第 62 条	防火地域又は準防火地域内の屋根の構造（50 m² 以内）
	［第 3 章］	〔集団規定（第 41 条～第 68 条）：都市計画区域，準都市計画区域等における建築物の敷地，構造，建築設備に関する規定〕

重要問題44 火薬類の取扱い

火薬類取締法に定める火薬類の取扱いに関して，**正しいもの**はどれか。

(1) 火薬類取扱所の建物の入口の扉は，なんきん錠を使用した盗難防止の措置を講じなければならない。
(2) 原則として18歳の男性に，火薬類の取扱いをさせてはならない。
(3) 消費場所において火薬類を取り扱う場合に，火薬類を収納する容器は木で作った丈夫な構造のものとし，内面には鉄類を表さないこと。
(4) 火薬類を廃棄しようとする者は，特定の場合を除き経済産業省で定めるところにより，都道府県公安委員会の許可を受けなければならない。

解答と解説 火薬類の取扱い

(1) **火薬類取扱所**（消費場所における火薬類の管理及び準備）の建物の入口の扉は，火薬類を存置するときは見張人を常時配置する場合を除き，その外面に厚さ2mm以上の鉄板を張ったものとし，かつ錠（なんきん錠及びえび錠を除く）を使用する等の盗難防止の措置を講ずる。

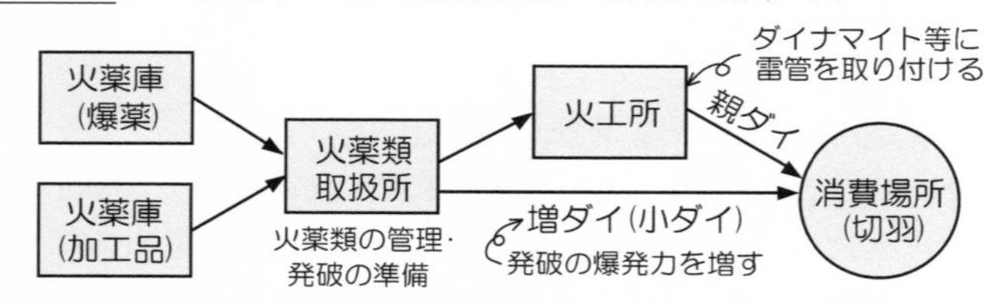

(2) 18歳未満の者又は心身に障害のある者には，火薬類の取扱いに伴う危険を予防するため，火薬類の取扱いをさせてはならない（取扱者の制限）。
(4) 火薬類を廃棄しようとする者は，都道府県知事の許可を受ける。

解答 (3)

関連問題 火薬類の取扱いに関して，**正しいもの**はどれか。

(1) 火薬類を収納する容器は，内面を鉄板で防護した丈夫なものを用いる。
(2) 火薬装てん具のこめ棒は，木製，竹製その他これらに類するものを使用する。
(3) 固化したダイナマイトは，もみほぐしてはならない。
(4) 電気雷管で，装てんされた火薬類が爆発しないときは，点火後3分経過した後でなければ，火薬類の装てん箇所に接近してはならない。

解説　消費場所における火薬類の取扱い

○　消費場所に携行する火薬類の数量は，当該作業に使用する消費見込量を超えないこと。装てんが終了し，残った場合は直ちに火薬類取扱所又は火工所に返送すること。

(1)　火薬類を収納する容器は，木その他電気不良導体で作った丈夫な構造のものとし，内面には鉄類を表わさないこと。火薬，爆薬，導火線又は火工品は，別々の容器に入れる。**火工所**（薬包に工業雷管，電気雷管の取付け作業をする場所）で火工した親ダイと増ダイは，別々の容器に入れる。

(3)　ダイナマイトについては，凍結したものは50℃ 以下の温湯を外槽にした融解器で融解すること，固化したものはもみほぐすことと規定されている。

(4)　不発の処理は，電気雷管の場合，発破母線を点火器から取り外し，その端を短絡させておき，かつ，再点火ができないように措置を講じた後5分以上経過した後でなければ火薬類装てん箇所に接近してはならない。電気雷管以外の場合は，15分以上経過した後とする。

解答　(2)

関連問題　ダイナマイトに関して，**誤っているもの**はどれか。

(1)　ダイナマイトは，火薬類のうちの爆薬の一種であり，岩の発破掘削の際，最も一般的に用いられている。

(2)　ダイナマイトを収納する容器は，木のような電気不良導体で作られた丈夫な構造のものとする。

(3)　発破作業は，前回の発破孔を利用して削岩し，又はダイナマイトを装てんしたりしてはならない。

(4)　ダイナマイトと電気雷管は，管理を一元化するため，原則として，同一の容器に収容しなければならない。

解説　ダイナマイトの取扱い

火薬類は，火薬，爆薬及び火工品をいう。

①　**火薬**（緩性火薬類で，無煙火薬，黒色火薬など）

②　**爆薬**（猛性火薬類で，ダイナマイト，硝安爆薬など）

③　**火工品**（導火線，電気雷管など）

(4)　火薬類を存置し，又は運搬するときは，火薬，ダイナマイト等の爆薬，導爆線又は制御発破用コードと電気雷管等の火工品（導爆線，制御発破用コードを除く）とは，それぞれ異なった容器に収納すること。

解答　(4)

重要問題45 騒音の規制基準

騒音規制法上，市町村長に**届出が必要な特定建設作業**はどれか。
ただし，当該作業がその作業を開始した日に終わるものを除く。

(1) 圧入式杭打ち機を使用した鋼矢板の打込み作業
(2) 吹付け用モルタルを製造するためにコンクリートプラントを設けて行う作業
(3) 油圧ブレーカーを使用してコンクリートを撤去する作業
(4) 定格出力が 40 kW のバックホウを使用した掘削作業

解答と解説 特定建設作業（騒音規制法）

表3・6 特定建設作業の騒音の規制基準

<table>
<tr><th colspan="2">規制の内容
特定建設作業</th><th>騒音の大きさ</th><th>夜間又は深夜作業の禁止</th><th>1日の作業時間の制限</th><th>作業期間の制限</th><th>日曜日その他休日の作業禁止</th></tr>
<tr><td>①
杭打ち機，杭抜き機，杭打ち杭抜き機を使用する作業</td><td>もんけん（人力によるもの），圧入式杭打ち杭抜き機及び杭打ち機をアースオーガーと併用する作業を除く。</td><td rowspan="3">85 dB</td><td rowspan="3">1号区域
午後7時から翌日午前7時まで

2号区域
午後10時から翌日午前6時まで</td><td rowspan="3">1号区域
1日につき10時間

2号区域
1日につき14時間</td><td>同一場所において連続6日間</td><td>日曜日，その他の休日</td></tr>
<tr><td>②
鋲打ち機を使用する作業</td><td></td><td colspan="2" rowspan="2">災害等の緊急の場合は，騒音の大きさ（85 dB）以外の規定は適用しない！</td></tr>
<tr><td>③
削岩機を使用する作業</td><td>作業地点が連続的に移動する作業にあっては1日の当該作業における2地点間の最大距離が 50 m を超えない作業。</td></tr>
<tr><td>④
空気圧縮機を使用する作業</td><td>電動機以外の原動機を用いるものであって，定格出力が 15 kW 以上のもの。（削岩機の動力として使用する作業を除く。）</td><td colspan="5" rowspan="3">（備考）
1．騒音の大きさは，特定建設作業の場所の敷地の境界線において測定する。
2．第1号区域
イ）良好な住居の環境を保全するため，特に静穏の保持を必要とする区域。
ロ）住居の用に供されているため，静穏の保持を必要とする区域。
ハ）住居の用に併せて商業，工業等の用に供されている区域であって，相当数の住居が集合しているため，騒音の発生を防止する必要がある区域。
ニ）学校，保育所，病院，診療所，図書館並びに特別養護老人ホームの敷地の周囲概ね 80 m の区域内。
第2号区域，上記以外の区域
3．騒音の大きさが基準を超えた場合，10時間，14時間から4時間までの範囲で作業時間を変更させることができる。</td></tr>
<tr><td>⑤
コンクリートプラント又はアスファルトプラントを設けて行う作業</td><td>混練機の混練量がコンクリートプラントは 0.45 m³ 以上，アスファルトプラントは 200 kg 以上のもの。（モルタル製造のためにコンクリートプラントを設けて行う作業を除く。）</td></tr>
<tr><td>⑥ バックホウ，
⑦ トラクターショベル，
⑧ ブルドーザ
を使用する作業</td><td>バックホウ（原動機の定格出力 80 kW 以上）トラクターショベル（原動機の定格出力 70 kW 以上）ブルドーザ（原動機の定格出力 40 kW 以上）</td></tr>
</table>

(3)　油圧ブレーカーは，削岩機に相当し，特定建設作業である。

解答　(3)

関連問題　騒音規制法に定める特定建設作業に**該当するもの**はどれか。
ただし，当該作業がその作業を開始した日に終わるものを除く。

(1)　電動機を原動機として用いる空気圧縮機を使用する作業
(2)　圧入式杭抜き機の作業
(3)　もんけんを用いる杭打ち機の作業
(4)　作業地点が移動しない場所で削岩機を使用する作業

解説　特定建設作業

騒音規制法で定められている**特定建設作業**とは，建設工事のうち，表3・6に示す著しい騒音を発生する作業をいう。但し，当該作業がその作業を開始した日に終わるものを除く。都道府県知事は，住居が集合している地域，病院又は学校の周辺の地域その他生活環境を保全する必要があると認める地域を，特定建設作業に伴って発生する騒音について制限する地域（1号区域，2号区域）として指定しなければならない（**地域の指定**）。

指定地域で特定建設作業を伴う建設工事を施工する者（元請負人）は，**作業開始7日前までに**市町村長に届け出なければならない。

(4)　削岩機を使用する作業であって，1日における当該作業に係る2地点間の最大移動距離が50 mを超えないものは，特定建設作業に該当する。

なお，電動機を用いる空気圧縮機，圧入式杭抜き機，もんけんでの杭打ち機等は，特定建設作業に該当しない（表3・6参照）。

解答　(4)

関連問題　騒音規制法に定める**特定建設作業で超えてはならない騒音の規制値**はどれか。

(1)　特定建設作業の場所の敷地の境界線において75 dB
(2)　特定建設作業の場所の敷地の境界線において85 dB
(3)　特定建設作業の施工箇所において75 dB
(4)　特定建設作業の施工箇所において85 dB

解説　騒音の規制値

(2)　敷地の境界線において，85 dB（デシベル）を超えないこと。

解答　(2)

重要問題46  振動の規制基準

振動規制法に定める**特定建設作業に該当する作業**はどれか。
ただし，当該作業がその作業を開始した日に終わるものを除く。

(1)　手持式ブレーカーを使用する作業
(2)　鋼球を使用して建築物その他の工作物を破壊する作業
(3)　空気圧縮機を使用する作業
(4)　圧入式杭打ち機を使用する作業

解答と解説　特定建設作業（振動規制法）

振動規制法で定められている**特定建設作業**とは，建設工事のうち，表3・7に示す著しい振動を発生する作業をいう。ただし，当該作業がその作業を開始した日に終わるものを除く。

表3・7　特定建設作業の振動の規制基準

特定建設作業 ＼ 規制の内容		振動の大きさ	夜間又は深夜作業の禁止	1日の作業時間の制限	作業期間の制限	日曜日その他休日の作業禁止
① 杭打ち機，杭抜き機又は杭打ち杭抜き機	もんけん（人力によるもの）及び圧入式杭打ち機，油圧式杭抜き機，圧入式杭打ち杭抜き機を除く。	75 dB	1号区域 午後7時から翌日午前7時までの間 2号区域 午後10時から翌日午前6時まで	1号区域 1日につき10時間 2号区域 1日につき14時間	連続して6日間	日曜日その他休日
② 鋼球を使用する破壊作業						
③ 舗装版破砕機を使用する作業	作業地点が連続的に移動する作業にあっては，1日における当該作業に係る2地点間の最大距離が50 mを超えない作業。					
④ ブレーカー（手持式のものを除く。）を使用する作業	作業地点が連続的に移動する作業にあっては，1日における当該作業に係る2地点間の最大距離が50 mを超えない作業。					

災害等の非常の場合は，振動の大きさ（75 dB）以外の規定は適用しない！

（備考）
1．振動の大きさは，特定建設作業の場所の敷地の境界線において測定する。
2．第1号区域，2号区域
　騒音規制法と同様（表3・4参照）
3．振動の大きさが基準を超えた場合，10時間，14時間から4時間までの範囲で作業時間を変更させることができる。

解答　(2)

関連問題　振動規制法上，学校や病院の敷地に近接した区域で特定建設作業を行う場合の，「規制項目」と「規制内容」との組合せとして，**正しいもの**はどれか。

［規制項目］	［規制内容］
(1)　連続作業の制限	………同一場所において連続 6 日間まで
(2)　夜間・深夜作業の禁止時間帯	………午後 8 時から翌日の午前 8 時まで
(3)　1 日の作業時間の制限	………1 日につき 12 時間まで
(4)　振動の大きさ	………敷地の境界線において，80 dB を超えてはならない

解説　**振動の規制基準**

良好な住居環境を保全する必要のある **1 号区域**については，その他の区域である **2 号区域**に比べて，夜間・深夜作業の禁止時間が午後 7 時から翌日の午前 7 時まで，1 日の作業時間の制限が 1 日 10 時間を超えないこと等，厳しく規制される（P 202，重要問題 89 参照）。

なお，作業期間の制限（連続して 6 日間を超えて発生させないこと）及び日曜日・その他休日の作業禁止及び振動の大きさ（敷地境界線において 75 dB（デシベル）を超えないこと）等は，1 号区域，2 号区域とも同じである。

解答　(1)

関連問題　振動規制法に定める特定建設作業の規制基準に関する「測定位置」と「振動の大きさ」との組合せとして，**正しいもの**はどれか。

［測定位置］	［振動の大きさ］
(1)　特定建設作業の場所の中心部	…………75 dB を超えないこと
(2)　特定建設作業の場所の敷地の境界線	…………75 dB を超えないこと
(3)　特定建設作業の場所の敷地の境界線	…………85 dB を超えないこと
(4)　特定建設作業の場所の中心部	…………85 dB を超えないこと

解説　**振動の規制値**

(2)　特定建設作業の振動が，特定建設作業の場所の敷地の境界線において，75 dB（デシベル）を超えないこと。なお，騒音規制法は特定建設作業 8 種類，規制基準 85 dB，振動規制法は特定建設作業 4 種類，規制基準 75 dB である。

解答　(2)

船舶の航法

港則法の定めに関して，**誤っているもの**はどれか。

(1) 特定港内又は特定港の境界付近で工事をしようとする者は，港長の許可を受けなければならない。
(2) 船舶は，航路内においては，いかなる場合においても，投びょうし，又はえい航している船舶を放してはならない。
(3) 船舶は，特定港において危険物の荷おろしをするには，港長の許可を受けなければならない。
(4) 港内又は港の境界付近において，船舶の交通の妨げとなるおそれのある強力な燈火は，みだりに使用してはならない。

解答と解説　投びょうの制限

港則法は，港内の船舶交通の安全，港内整頓を目的とする。

(2) 特定港とは，きっ水の深い船舶が出入する港をいう。船舶は，航路内において，次の場合以外は投びょうし，又はえい航している船舶を放してはならない。
① 海難を避けようとするとき。
② 運転の自由を失ったとき。
③ 人命又は急迫した危険のある船舶の救助に従事するとき。
④ 港長の許可を受けて工事又は作業に従事するとき。

解答 (2)

関連問題 港則法上，**禁止されていない行為**はどれか。

(1) 船舶が航路内において並列して航行すること。
(2) 船舶が航路内において対向船とすれ違う場合には，原則として左側を航行すること。
(3) 船舶が航路内において人命救助のために投びょうすること。
(4) 船舶が航路内において他の船舶を追い越すこと。

解説　船舶の航法

1．船舶（汽艇等を除く）は，特定港に出入又は通過するときは，命令の定める航路によらなければならない。但し，海難を避けるとき，その他やむを得ない場合は，この限りでない。

① 船舶は，航路内においては並列して航行してはならない。

② 船舶は，航路内において他の船舶と行き会うときは，右側を航行しなければならない（右側通行の原則）。

③ 船舶は，航路内においては他の船舶を追い越してはならない。

④ 汽船が港の防波堤の入口又は入口付近で他の汽船と出会う恐れのあるとき，入航する汽船は防波堤の外で出航する汽船の進路を避けなければならない。

⑤ 船舶は，港内及び港の境界付近においては，他の船舶に危険を及ぼさないような速度で航行しなければならない。

⑥ 船舶は，港内においては防波堤，ふとうその他の工作物の突端又は停泊船舶を右げんに見て航行するときは，できるだけこれに近寄り，左げんに見て航行するときはできるだけ遠ざかって航行しなければならない。

⑦ 汽艇等（総トン数20t未満の汽船，はしけ又は端船等）は，港内において汽艇等以外の船舶の進路を避けなければならない。

解答 (3)

表3・8 港長の許可・届出・指定又は指揮を受ける事項

許可等の区分	場所及び対象となる行為等
許可を受ける	特定港内において，危険物の積込，積替又は荷卸するとき
	特定港内・特定港の境界付近において，危険物を運搬しようとするとき
	特定港内において，使用する私設信号を定めようとする者
	特定港内・特定港の境界付近において，工事又は作業をしようとする者
	特定港内において，竹木材を船舶から水上に卸そうとする者
	特定港内において，いかだをけい留，又は運航しようとする者
届け出る	特定港に入港又は出港しようとするとき
	特定港内において，船舶（汽艇等以外）を修繕又はけい船しようとする者
指定を受ける	特定港内において，けい留私設以外にけい留して停泊するときのびょう泊すべき場所
	特定港内において，修繕中又はけい船中の船舶は，指定する場所に停泊しなければならない＝停泊すべき場所の指定
	特定港において，危険物を積載した船舶は，指定した場所に停泊又は停留しなければならない＝停泊又は停留すべき場所の指定
指揮を受ける	爆発物その他の危険物を積載した船舶が入港しようとするときは，特定港の境界外で指揮を受ける

施工管理

第4章

共通工学

[第1次検定]

内容

1．測　量
2．設計図書・契約
3．機　械

対策

1．施工管理のうち，共通工学では，施工の管理を適確に行うために必要な測量，設計図書・契約，機械の基礎的な知識が問われます。
（参考：4問題出題，すべて必須・解答）
2．設計図書・契約の分野は第5章の施工計画と，機械の分野は建設機械というように相互に関連します。合わせて学習して下さい。

重要問題48  セオドライト測量

測量現場において，1回の視準で**水平角，鉛直角及び斜距離の測定が可能なもの**はどれか。

(1) セオドライト　(2) トータルステーション
(3) GNSS　(4) 光波測距儀

解答と解説　最新の測量機器

(1) **セオドライト**とは，高精度のトランシットをいい，水平角及び鉛直角を測定する機器である。斜距離は測定できない。

(2) **トータルステーション**とは，セオドライトと光波測距儀が一体となった器械で，現場における水平角，鉛直角及び斜距離の測定から座標計算，作図までの一連の作業を短時間で自動的にできるメリットがある。

(3) **GNSS（汎地球測位システム）**とは，人工衛星からの信号を用いて既知点と未知点との基線ベクトルを求め位置を決定する衛星測位システムをいう。

(4) **光波測距儀**は，変調周波数をもつ光波を発射し，反射波との位相差から2点間の距離を求める。距離測量に用いられ，水平角，鉛直角は測定できない。

解答 (2)

関連問題 セオドライトの器械的誤差(測定角誤差)のうち，望遠鏡の正位・反位の測定値を平均することによっても**消去できないもの**はどれか。

(1) 鉛直軸の誤差　(2) 視準線の誤差
(3) 水平軸の誤差　(4) 鉛直目盛盤の指標誤差

解説　器械誤差の原因と消去法

1．セオドライト（トータルステーション）は，次の条件を満たしていること。

① 上盤気泡管軸は，鉛直軸に直交する。(L⊥V)

② 視準線（軸）は，水平軸に直交する。(C⊥H)

③ 水平軸は，鉛直軸に直交する。(H⊥V)

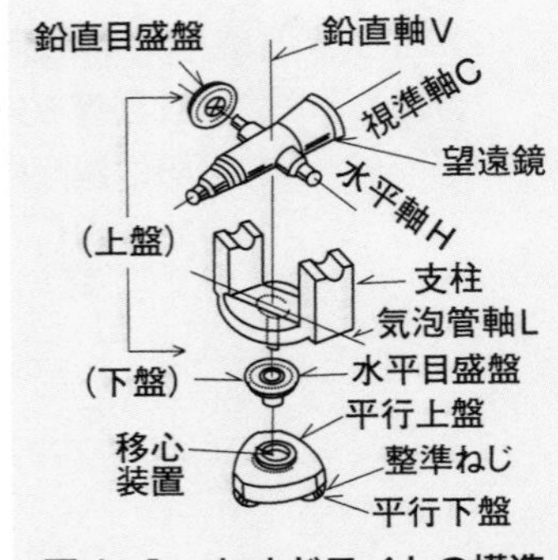

図4・1　セオドライトの構造

2．望遠鏡正・反の観測で消去できる誤差は，次のとおり。

① **視準軸誤差**：視準線が水平軸に直交していないために生じる誤差。

② **水平軸誤差**：水平軸と鉛直軸が直交していないために生じる誤差。

③ **鉛直目盛盤の指標誤差**：望遠鏡が水平なとき，鉛直目盛が0°でない誤差。

(1) **鉛直軸誤差**は，鉛直軸Vが傾いているために水平角読定に影響する誤差（構造上の欠陥）で，観測方法によって消去できない。

表4・1　器械誤差の原因とその消去法

誤差の種類	誤差の原因	消去法
視準軸誤差	視準軸が水平軸に直交していない。	望遠鏡正・反観測の平均をとる。
水平軸誤差	水平軸が鉛直軸に直交していない。	望遠鏡正・反観測の平均をとる。
鉛直軸誤差	上盤気泡管が鉛直軸に直交していない。	なし（誤差の影響を少なくするには各視準方向ごとに整準する）
目盛盤の偏心誤差	セオドライトの鉛直軸の中心と目盛盤の中心が一致していない。器械製作不良。	A・Bバーニヤの読みを平均する。望遠鏡正・反の平均をとる。
視準軸の偏心誤差（外心誤差）	望遠鏡の視準線が，回転軸の中心と一致していない（鉛直軸と交わっていない）。器械製作不良。	望遠鏡正・反観測の平均をとる。
目盛誤差	目盛盤の刻みが正確でない。器械製作不良。	なし（方向観測法等で全周の目盛盤を使うことにより影響を少なくする）。

解答 (1)

関連問題　セオドライトによる水平角観測において，**不定誤差に該当するもの**はどれか。

(1) 鉛直軸が正しく鉛直でないために生じる誤差
(2) 視準線が鉛直軸と交わっていないために生じる誤差
(3) 水平軸が鉛直軸に正しく直交していないために生じる誤差
(4) 空気密度の不均一による目標像のゆらぎのために生じる誤差

解説　定誤差，不定誤差

定誤差は，条件が同じであれば，いつも同じ大きさで同じ方向に起こる誤差をいう。定誤差は，発生の原因がはっきりしているので，外業でその原因を除き，又は内業で観測値を補正することができる。

不定誤差は，目標像のゆらぎのように，誤差の起こっている原因が不明，又は原因が分かっていてもその影響が除去できないものが複雑に重なって生じる誤差で，起こる方向も一定でないものをいう。

解答 (4)

重要問題49  水準測量

水準測量の誤差の原因のうち，器械的誤差に**該当しないもの**はどれか。

(1) 視準軸が水平でないために生じる誤差
(2) 地球の曲率により生じる誤差
(3) 標尺の底面が零目盛と一致していないために生じる誤差
(4) 標尺の目盛が不完全なために生じる誤差

解答と解説　水準測量の誤差の原因

(2) 地球の曲率による誤差（**球差**）は，自然現象による誤差（定誤差）である。なお，(1)視準線の水平性の確保は，上盤水準器によって行う。視準軸と水準器軸が平行でない誤差を**視準軸誤差**という。

表4・2　水準測量の誤差とその消去法

区分	誤差の原因	誤差の種類	消去法
レベルに関するもの	①視差による誤差	不定誤差	○接眼レンズで十字線をはっきり映し出し，次に対物レンズで像を十字線上に結ぶ。
	②望遠鏡の視準軸と気ほう管軸が平行でないための誤差（視準軸誤差）	定誤差	○前視・後視の視準距離を等しくする。
	③レベルの三脚の沈下による誤差	定誤差	○堅固な地盤に据える。
	④読取り誤差	不定誤差	
標尺に関するもの	①目盛の不正による誤差（目盛誤差）	定誤差	○基準尺と比較し，尺定数を求めて補正する。
	②標尺の零点誤差	定誤差	○出発点に立てた標尺を到着点に立てる。
	③標尺の傾きによる誤差	定誤差	○標尺を常に鉛直に立てる。
	④標尺の沈下による誤差	定誤差	○堅固な地盤に据える。又は標尺台を用いる。
自然現象に関するもの	①球差・気差による誤差	定誤差	○前視・後視の視準距離を等しくする。
	②かげろうによる誤差	不定誤差	○地上・水面から視準線を離す。

解答 (2)

関連問題　水準測量に関して，**適当なもの**はどれか。

(1) 前視と後視の標尺距離はできる限り等しくすること。
(2) 往と復の観測は，気象条件が同じようなときに測定すること。
(3) レベルを移動させるときは，衝撃を受けたときに可動部が動かないように締付けねじを固く締めてから運ぶこと。
(4) 片道の観測の測点数は，必ず奇数回にすること。

解説 水準測量

(2) 視準誤差を防止する上から，往と復の観測は午前と午後に行い平均をとる。

(3) 移動するときは，機器の締付けねじは軽く締める。

(4) **零点誤差**を消去するため，出発点に立てた標尺を到着点に立てる。又は2本の標尺を使用する水準測量では，据付け回数（測点数）を偶数回とする。

解答 (1)

関連問題 測点No.1から測点No.5間の水準測量を行い，下表の結果を得た。No.5の**地盤高さ**はどれか。

測点No.	距離(m)	後視(m)	前視(m)	高低差(m) 昇(+)	高低差(m) 降(−)	地盤高さ(m)
1	50	0.805				10.000
2	45	1.200	2.000			
3	50	1.600	1.705			
4	50	1.625	1.425			
5			1.380			

(1) 8.720 m　(2) 9.680 m　(3) 10.320 m　(4) 11.280 m

解説 水準測量の野帳（昇降式野帳）

高低差 h＝ΣBS－ΣFS。正(＋)のとき，その値を昇の欄に記入する。

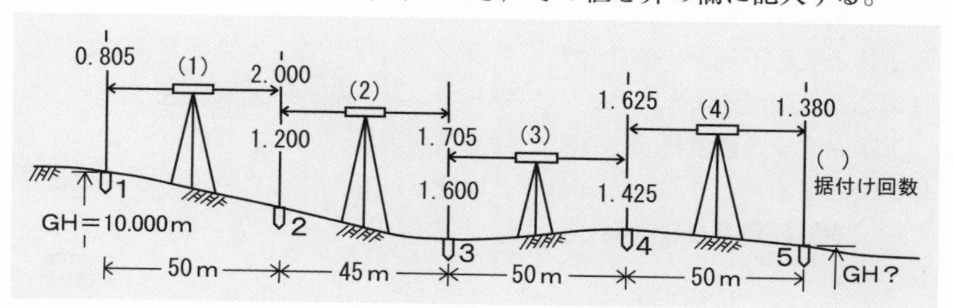

測点No.	距離(m)	後視 BS(m)	前視 FS(m)	高低差(m) 昇(+)	高低差(m) 降(−)	地盤高さ GH(m)
1	50	0.805				10.000
2	45	1.200	2.000		1.195	8.805
3	50	1.600	1.705		0.505	8.300
4	50	1.625	1.425	0.175		8.475
5			1.380	0.245		8.720
合計	195	5.230	6.51	0.420	1.700	

高低差＝BS－FSの値が＋のとき昇，－のとき降の欄に記入し，後視した地盤高に昇・降の値を加え，前視の地盤高とする。

解答 (1)

重要問題50 公共工事標準請負契約約款

公共工事標準請負契約約款に関して，**正しいもの**はどれか。

(1) 発注者は，仮設，施工方法その他工事目的物を完成するために必要な一切の手段を契約書に記載しなければならない。
(2) 受注者は，工事目的物の契約不適合（旧かし）が発注者の指図により生じた場合でも，その担保の責を負わなければならない。
(3) 受注者は，原則として，その請け負った建設工事を一括して他人に請け負わせてはならない。
(4) 工事完成等によって不用となった支給材料は，返還する必要はなく受注者が処分しなければならない。

解答と解説 総則，契約不適合責任，支給材料等

公共工事標準請負契約約款は，請負契約の片務性の是正と契約関係の明確化，適正化のため，請負契約の当事者間の権利義務関係を律したもの。

(1) 仮設，施工方法その他工事目的物が完成するために必要な一切の手段については，約款及び設計図書に特別の定めがある場合を除き，発注者ではなく受注者がその責任において定める（総則）。
(2) 工事目的物に**契約不適合**（旧かし）があるときは，発注者は受注者に対して契約不適合の修補又は損害の賠償を請求することができる。ただし，工事目的物の契約不適合が支給材料の性質又は発注者若しくは監督員の指示により生じたものであるときは，この限りでない（**契約不適合責任**）。
(4) 工事の完成，**設計図書**（図面，仕様書，現場説明書，質問回答書）の変更等によって不用となった支給材料又は貸与品を発注者に返還しなければならない（**支給材料及び貸与品**）。

解答 (3)

関連問題 公共工事の一般的な請負契約に関して，**正しいもの**はどれか。

(1) 特別の理由がある場合には，受注者は工期の延長変更を請求することができるが，発注者は工期の短縮変更を請求することはできない。
(2) 受注者は，工事現場内に搬入し，事前に検査を受けた工事材料を工事現場外へ搬出するときは，監督員の承諾を必要としない。
(3) 設計図書に誤りやもれがある場合は，すべて受注者がその内容を判断

して独自に工事を行うことができる。

(4) 発注者は，必要があると認められたときは，その理由を受注者に通知して，工事目的物を最小限度破壊して検査することができる。

解説 **工期の延長・短縮，条件変更等**

(1) 受注者は，天候の不良等その責に帰することができない理由により工期内に工事を完成することができないときは，発注者に工期の延長を求めることができる。発注者は，特別の理由により工期を短縮する必要があるときは，工期の短縮変更を受注者に請求することができる。

(受注者の請求による工期の延長，発注者の請求による工期の短縮等)

(2) 受注者は，工事現場内に搬入した工事材料を監督職員の承諾を受けないで工事現場外に搬出してはならない（**工事材料の品質及び検査等**）。

(3) 受注者は，工事の施工にあたり，次に該当する事実を発見したときは，直ちに書面をもって監督員に通知し確認を求めること（**条件変更等**）。

① 設計図書と工事現場の状態が一致しないこと。
② 設計図書の表示が明確でないこと。
③ 工事現場の地質，湧水等が設計図書と相違すること。
④ 予期することのできない特別の状態が生じたこと。

解答 (4)

関連問題 工事の施工に当たり，受注者が監督員に通知し，その確認を請求しなければならない次の記述のうち，**該当しないもの**はどれか。

(1) 設計図書に示された施工材料の入手方法を決めるとき。
(2) 設計図書の表示が明確でないとき。
(3) 工事現場の形状，地質が設計図書に示された施工条件と実際とが一致しないとき。
(4) 設計図書に誤謬又は脱漏があるとき。

解説 **総則及び条件変更等**

(1) 契約及び設計図書に特別の定めがある場合を除き，仮設，工法等工事目的物を完成するための一切の手段については，受注者が定める。

なお，(2)，(3)，(4)は，**条件変更等**，「受注は，工事施工にあたり，次の事項を発見したときは，直ちに書面をもって監督員に通知し確認を求めること」の規定。

解答 (1)

重要問題51　土木製図

下図の道路横断面図に関して，**適当でないもの**はどれか。

(1)　切土面積は 9.3 m² である。
(2)　盛土面積は 22.5 m² である。
(3)　盛土高は 100.130 m である。
(4)　計画高は 101.232 m である。

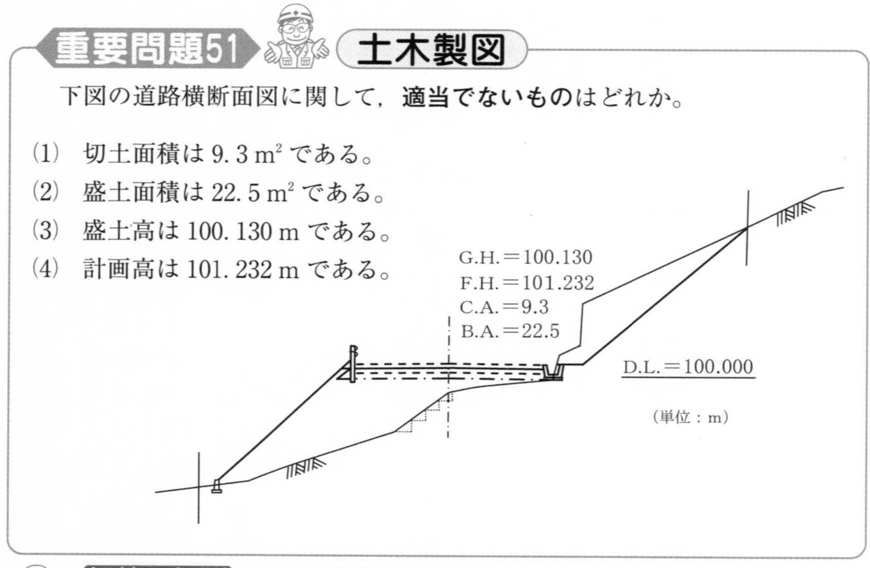

解答と解説　道路横断図

道路横断面には，次の事項を記込する。

①測点番号（STA，又は No.），②地盤高（G.H），③計画高（F.H 又は P.H），④切土面積（C.A），⑤盛土面積（B.A），⑥基準面（D.L），⑦中心杭の位置。

(3)　100.130 m は，盛土高でなく，地盤高（G.H）である。

解答　(3)

関連問題　図の溶接部の表示記号(イ)及び(ロ)の意味の組合せとして，**適当なもの**はどれか。

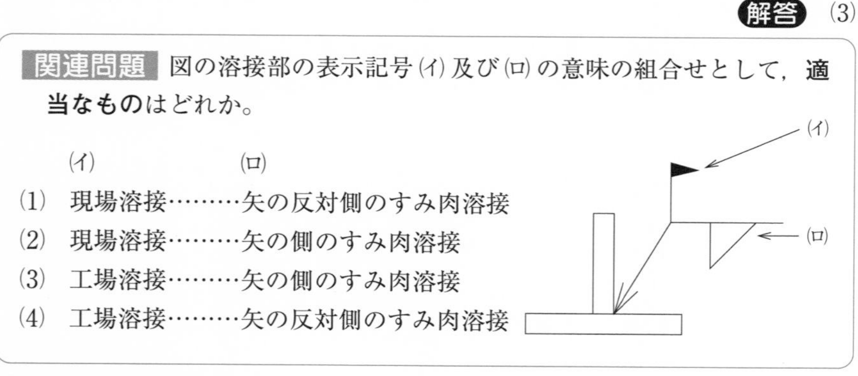

	(イ)	(ロ)
(1)	現場溶接………	矢の反対側のすみ肉溶接
(2)	現場溶接………	矢の側のすみ肉溶接
(3)	工場溶接………	矢の側のすみ肉溶接
(4)	工場溶接………	矢の反対側のすみ肉溶接

解説　溶接記号

溶接には，母材の交わった表面間に溶着金属と母材の一部を溶かして接合する**すみ肉溶接**と，接合する母材間に溝（開先，グルーブ）を設けて接合する溶接する**開先溶接（グルーブ溶接）**がある。

解答　(2)

表 4・3　溶接記号と溶接位置（すみ肉溶接）

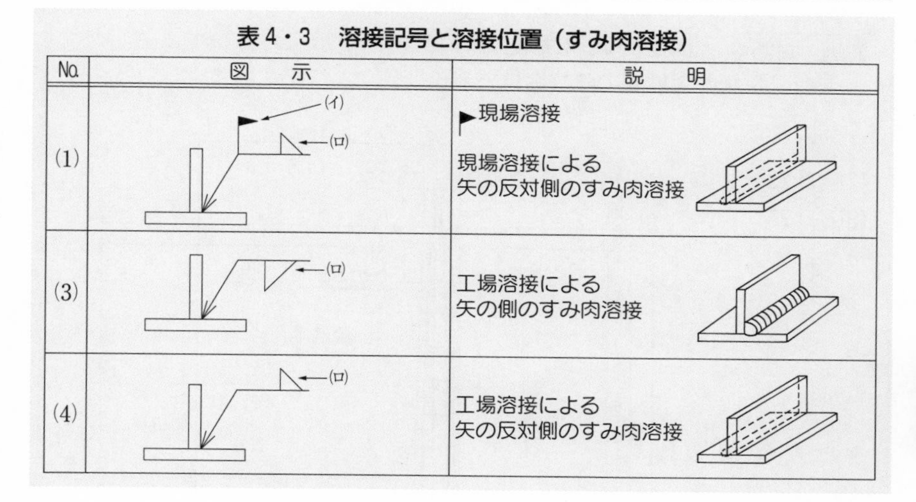

No.	図示	説明
(1)	(イ)　(ロ)	現場溶接 現場溶接による 矢の反対側のすみ肉溶接
(3)	(ロ)	工場溶接による 矢の側のすみ肉溶接
(4)	(ロ)	工場溶接による 矢の反対側のすみ肉溶接

擁壁の配筋図

1．鉄筋には，曲げモーメントによって生じる引張力を受けもつ**主鉄筋**，主鉄筋に直角に配置し外力を主鉄筋に伝達する**配力鉄筋**，せん断力に抵抗・補強する**折り曲げ鉄筋**，**スターラップ**及び用心鉄筋，組立て鉄筋等がある。

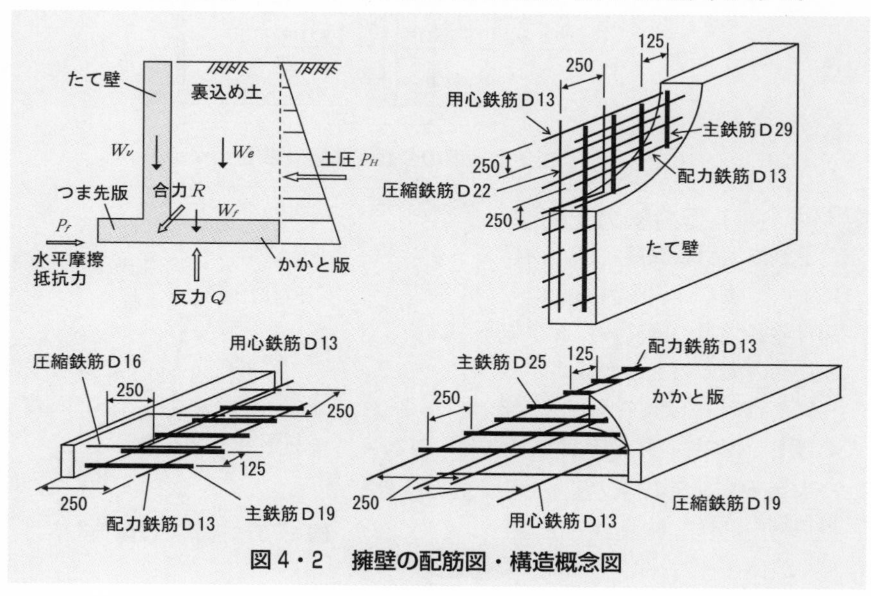

図 4・2　擁壁の配筋図・構造概念図

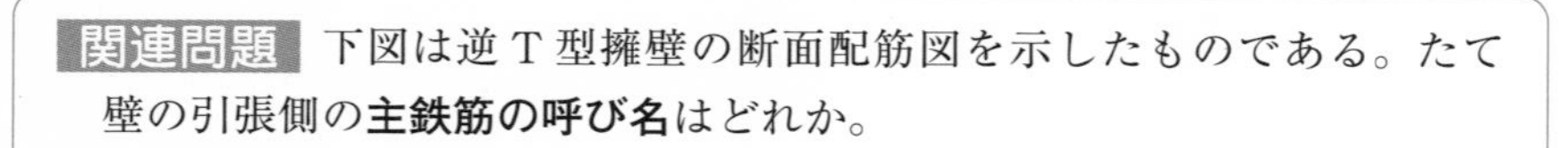

関連問題 下図は逆T型擁壁の断面配筋図を示したものである。たて壁の引張側の**主鉄筋の呼び名**はどれか。

(1)　D 19
(2)　D 22
(3)　D 25
(4)　D 29

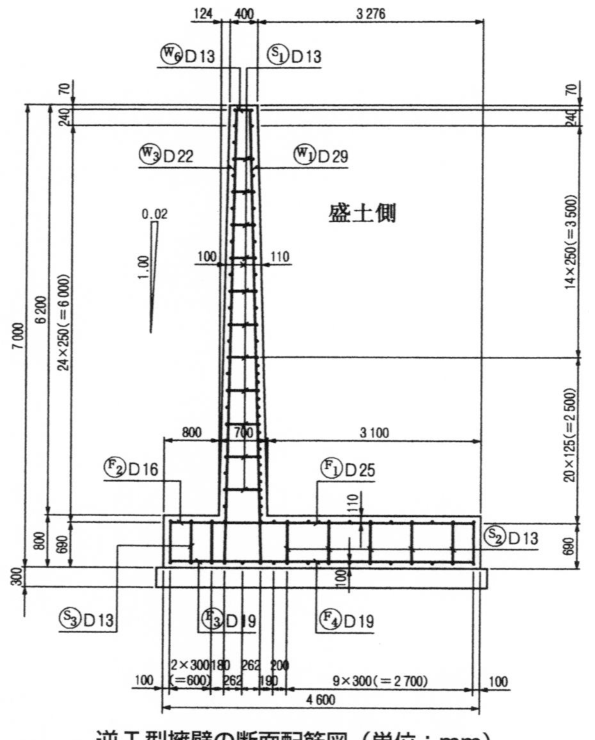

逆T型擁壁の断面配筋図（単位：mm）

解説　逆T型擁壁の配筋図

(4)　**主鉄筋（引張鉄筋）**は，曲げモーメントによって生じる引張力を受けもつ鉄筋で，部材の引張力の働く側に配置する。図中，鉄筋径の大きいものが該当する。

鉄筋部材には，スラブS，梁B，柱C，基礎F，壁Wの符号を付けて明確にする。たて壁の引張側の主鉄筋Ⓦ1の呼び名（異形棒鋼の直径）はD 29である。

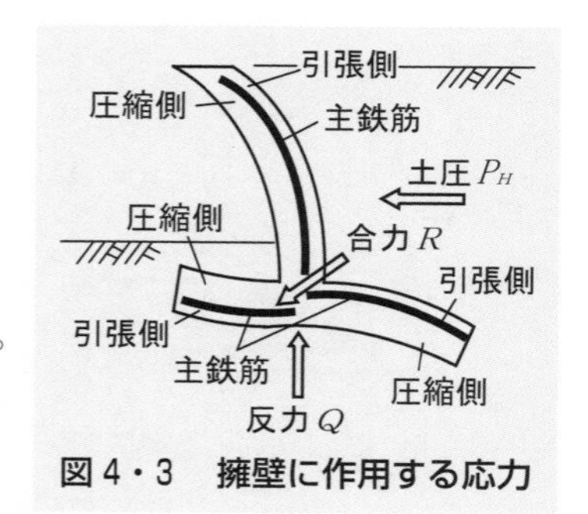

図4・3　擁壁に作用する応力

解答　(4)

重要問題52 建設機械

近年の建設機械の動向に関して，**適当でないもの**はどれか。

(1) 油圧ショベルの軽量化を図るため，近年，カウンターウェイトの重量を減らし，後方への張出しを大きくした機種が増えている。
(2) バックホウ，移動式クレーン等の操作方法はメーカーごとに異なっていたが，安全性や作業能率の向上を図るため，統一された標準操作方式の普及促進が図られている。
(3) 排出ガスによる大気汚染について，自動車全体に対する建設機械の排出寄与率が高まり，建設機械の排出ガスの規制がかかるようになった。
(4) 近年，建設機械分野では，危険な施工現場での遠隔操作による無人化施工，GPS を用いた盛土の締固め管理等，建設施工の自動化・ロボット化が進んでいる。

解答と解説 近年の建設機械の動向

(1) 油圧ショベルの小型化・軽量化を図るため，座席後部のウェイトを大きくし，後方への張出しを小さくして，後方をあまり心配せず作業ができる後方小旋回油圧ショベル（後方・側方の狭い現場でも半旋回可能，後端旋回半径がクローラ全幅の 120% 以内）が増えている。

なお，(4) 建設機械の自動化技術，情報技術（ICT）の活用等，建設現場の生産性向上（i−Construction）が図られている。

解答 (1)

関連問題 建設機械に関して，**適当なもの**はどれか。

(1) 建設機械に用いられるエンジンは，負荷に対する即応性，燃料消費率，耐久性等から一般にガソリンエンジンが用いられている。
(2) 振動ローラは，締固め能力を向上させるために，振動機能のない機械と比べてその質量を大きくしているものが多い。
(3) クローラ式の油圧ショベルは，ホイール式に比べ接地圧が低く，不整地や軟弱地での作業に適している。
(4) ブルドーザは，掘削，運搬，敷均しの作業に適し，締固め作業には用いられない。

解説　建設機械

(1)　建設機械のエンジンは，負荷に対する既応性，燃料消費率，耐久性及びメンテナンス性などに優れるディーゼルエンジンが主に用いられる。

(2)　振動ローラは，振動による動的荷重により比較的小型でも高い締固め効果がある。

(4)　トラフィカビリティーが不良で，他の締固め機械が使用できない場合に，ブルドーザを用いて締め固めを行う。

解答　(3)

関連問題　工事用建設機械の「機械名」とその「性能の表示」との組合せとして，**適当でないもの**はどれか。

［機械名］　　　　　　　　　［性能の表示］

(1)　タイヤローラ……………………………質量［t］

(2)　アスファルトフィニッシャ………施工幅［m］

(3)　ブルドーザ　…………………………ブレード幅［m］

(4)　バックホウ　…………………………バケット容量［m^3］

解説　建設機械の規格

表4・4　建設機械の規格

区分	機械名		規格	範囲
土工	ブルドーザ（スクレープドーザを包む）		全装備質量（t）	2～47 t
土工	トラクタショベル ショベル系掘削機		山積バケット容量（m^3） 平積バケット容量（m^3）	0.3～1.8 m^3 0.3～4.6 m^3
土工	モータグレーダ		ブレードの長さ（m）	2.2～3.7 m
土工	スクレーパ		ボール容量（m^3）	6～17 m^3
土工	締固め機	ロードローラ	質量（t，kg）	5～15 t
土工	締固め機	タイヤローラ	質量（t，kg）	5～28 t
土工	締固め機	タンピングローラ	質量（t，kg）	1.5～10 t
土工	締固め機	振動ローラ	質量（t，kg）	4.5～7.5 t
土工	締固め機	振動コンパクタ	質量（t，kg）	0.6～5.3 t
コンクリート工	コンクリートポンプ		時間当たりの圧送量（m^3/h）	12～30 m^3/h
コンクリート工	コンクリートフィニッシャ		施工幅（m）	3～7.5 m
コンクリート工	アスファルトプラント		時間当たりの混合能力（t/h）	3～7.5 t/h
コンクリート工	アスファルトフィニッシャ		施工幅（m）	3～7.5 m
基礎工	ディーゼルパイルハンマ		ラム質量（t）	1.5～5 t
基礎工	振動パイルドライバ		電気容量（kW）	11～150 kW
基礎工	ベノト機		径	1.2～2.0 m
基礎工	アースドリル		径	0.5～2.0 m

解答　(3)

施工管理法

第5章

施工管理法

［第1次検定］

内容

1．施工計画（建設機械含む）
2．工程管理
3．安全管理
4．品質管理
5．環境保全・建設副産物

1．施工管理・施工管理法では，施工管理を適確に行うために必要な基礎的な知識及び能力が求められます。（参考：15問題出題，すべて必須・解答）
2．第1章土木一般，第2章専門土木の分野では，それぞれの専門的な技術・知識について学習してきましたが，それらは土木構造物の品質を確保するためです。品質管理の視点で，もう一度見直して下さい。

施工計画の立案

施工計画の立案に関する留意点として，**適当なもの**はどれか。

(1)　組合せ機械の検討は，従作業の施工能力を主作業の施工能力と同等か，あるいは幾分高めに計画を立てる。
(2)　発注者から示された工程を，最適工程として施工計画を立案する。
(3)　新工法を採用するよりも従来の経験や実績によって施工計画を立てる。
(4)　施工機械の最大能力で施工計画を立案する。

解答と解説　施工計画の立案

施工計画は，受注者が工事契約に基づき，設計図どおりの構造物を品質の良いものを工期内にかつ経済的につくるため，施工の段階ごとに最善の方法を生み出す計画（施工方針）をいう。施工計画立案にあたり，①契約条件・現場条件（**事前調査**），②施工手順・工期，施工機械の選定，仮設計画（**施工技術計画**），③下請・機械調達等（**調達計画**），④現場管理組織・運営手続（**管理計画**）を検討する。

(2)　契約工期が社内的な状況によっては，必ずしも経済的な最適工期とは限らないので，この範囲内でさらに経済的な工期を検討する。
(3)　施工計画の決定にあたっては，過去の経験を十分に生かすと共に常に改良を試み，新工法・新技術の検討を行う。
(4)　施工計画に用いる建設機械の施工速度は，故障・手待ち・天候条件等予期しない偶発損失時間を考えた**平均施工速度**を用いる。

解答　(1)

関連問題　事前調査事項の契約条件に**該当しないもの**はどれか。

(1)　工事材料の品質及び検査に関する事項
(2)　不可抗力による損害に関する事項
(3)　条件変更，設計図書の変更に関する事項
(4)　機械，資材，労務の調達に関する事項

解説　施工事前調査（契約条件）

(4)　**契約条件**の事前調査には，契約内容の確認，設計図書・仕様書等の確認，その他監督職員の指示・承認・協議事項の確認がある。機械・資材・労務の

調達事項は，現場条件の事前調査項目である。

解答 (4)

関連問題 事前調査の現場条件に**該当しないもの**はどれか。

(1) 地形・地質・土質・地下水
(2) 関連工事，隣接工事
(3) 鉄道・道路・文化財の状況
(4) 資材・労務費などの変動に基づく契約変更の取扱い

解説 施工事前調査（現場条件）

(4) **現場条件**の事前調査には，現場の自然条件（地形・地質・地下水の状況，天候・気象・水分の状況等），経済条件（動力源・給水源の確保，材料の供給条件・輸送条件，労働者の確保等），環境条件（騒音・振動，水質汚濁，粉じん等の影響及び規制調査等）の確認がある。資材・労務費などの変動に基づく契約変更の取扱いは，契約条件の事前調査項目である。

解答 (4)

関連問題 施工計画の作成に関して［　　］に当てはまる語句の組合せとして，**適当なもの**はどれか。

・事前調査は，契約条件・設計図書の検討，［(イ)］が主な内容であり，また調達計画は，労務計画，機械計画，［(ロ)］が主な内容である。
・管理計画は，品質管理計画，環境保全計画，［(ハ)］が主な内容であり，また施工技術計画は，作業計画，［(ニ)］が主な内容である。

	(イ)	(ロ)	(ハ)	(ニ)
(1)	工程計画	安全衛生計画	資材計画	仮設備計画
(2)	現地調査	安全衛生計画	資材計画	工程計画
(3)	工程計画	資材計画	安全衛生計画	仮設備計画
(4)	現地調査	資材計画	安全衛生計画	工程計画

解説 施工計画の作成

施工計画の作成は，契約・設計図書等の契約条件と現場条件を検討する**施工事前調査**，施工順序や工程計画を検討する**施工技術計画**，下請や労務や機械・資材等の**調達計画**，現場管理組織や原価管理・安全管理等の**管理計画**である。

解答 (4)

重要問題54　施工体制台帳，仮設備計画等

建設業法に定める施工体制台帳に関して，**適当でないもの**はどれか。

(1)　施工体制台帳から施工体系図を作成し，工事現場の見やすい場所に掲げなければならない。

(2)　発注者から直接建設工事を請け負った特定建設業者は，総額 4,000 万円以上の下請契約を締結する場合は，施工体制台帳を作成する。

(3)　下請負人は，再下請負通知書に記載されている事項に変更が生じた場合は，遅滞なく，変更年月日を付記して元請に通知する。

(4)　施工体系図には，一次下請けの建設業者名，技術者名の記載があれば，二次下請け以降の記載は省略できる。

解答と解説　施工体制台帳

監理技術者は，下請負人に対する指導監督を行うために建設工事の施工体制を的確に把握しておく必要がある。

(4)　発注者から直接建設工事を請け負った特定建設業は，4,000 万円以上の下請負契約によって施工する場合には，**施工体制台帳**を作成し，工事期間中，工事現場ごとに備え付けなければならない。施工体制台帳を作成する特定建設業者は，当該建設工事に係るすべての建設業者名，技術者名等を記載し工事現場における施工の分担関係を明示した**施工体系図**を作成し，これを当該工事現場の見やすい場所に掲げる（P 203 参照）。

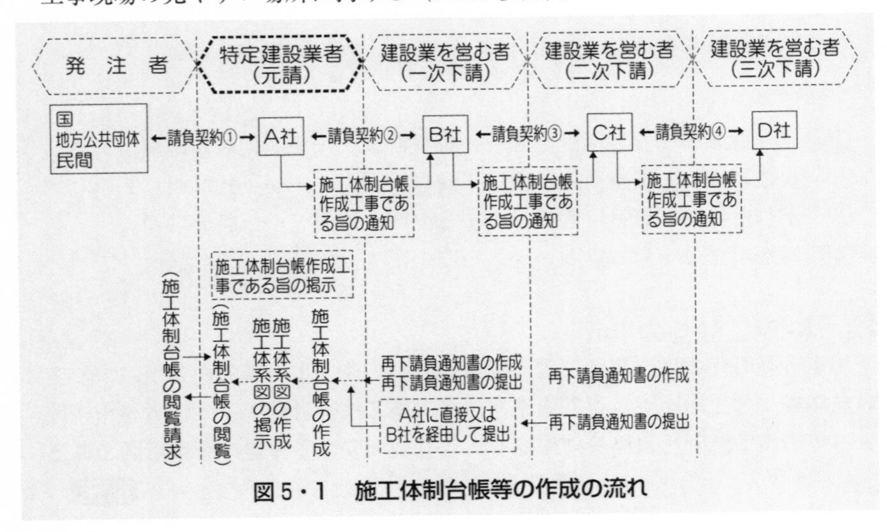

図5・1　施工体制台帳等の作成の流れ

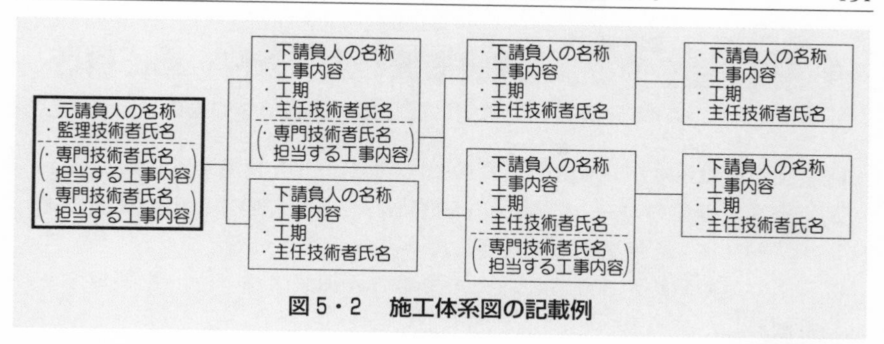

図５・２　施工体系図の記載例

解答　(4)

関連問題　仮設備に関して，**適当でないもの**はどれか。

(1)　指定仮設は，直接工事と同様の取扱いとなり，構造や仕様の変更が必要な場合は，発注者の承認をとらなければならない。
(2)　任意仮設は，発注者からの規制はなく，請負者独自の考えで計画し施工できる。
(3)　仮設材料は，一般の市販品を使用し，可能な限り規格を統一する。
(4)　仮設構造物の安全率は，その使用期間や重要度にかかわらず，本体構造物と同じ値を採用しなければならない。

解説　**仮設備計画**

仮設備には，施工業者の自主性にゆだねられる**任意仮設備**と重要なものとして本工事と同様に取り扱われる**指定仮設備**がある。

(4)　仮設構造物の安全率は，その使用目的，使用期間等に応じて，作業中の衝撃，振動を考慮した設計荷重を用いて強度計算を行う。本体構造物と同じ値を採用することは合理的でない。

解答　(4)

関連問題　仮設備工事には直接仮設工事と間接仮設工事があるが，間接仮設工事に**該当するもの**は，次のうちどれか。

(1)　足場工　(2)　現場事務所　(3)　土留め工　(4)　型枠支保工

解説　**直接仮設工事，間接仮設工事**

・**直接仮設工事**：土留め工，足場工，型枠工や支保工等の作業上必要な施設。
・**間接仮設工事**：現場事務所，倉庫・宿舎等の管理・保管用建物。　**解答**　(2)

重要問題55　建設機械と土質条件・適応機械

施工計画における建設機械の選定に関して，**適当でないもの**はどれか。

(1)　土の運搬距離が 200 m だったので，ブルドーザを使用する計画とした。
(2)　現場の地盤のコーン指数が 1,500 kN/m² あったので，土の運搬にダンプトラックを使用する計画とした。
(3)　土の運搬距離が 300 m だったので被けん引式スクレーパを使用する計画とした。
(4)　現場の地盤のコーン指数が 350 kN/m² あったので，敷均し作業に湿地ブルドーザを使用する計画とした。

解答と解説　建設機械の選定

(1)　ブルドーザの適応運搬距離は60 m 以下である。なお，表5・2に運搬距離からみた適応建設機械を，表5・2に建設機械の走行（**トラフィカビリティー**）に必要なコーン指数を示す。　**解答**　(1)

表5・1　運搬距離からみた適応建設機械

距離（m）	建設機械の種類
60 m 以下	ブルドーザ
40 m～250 m	スクレープドーザ
60 m～400 m	被けん引式スクレーパ
200 m～1,200 m	自走式スクレーパ
100 m 以上	ショベル系掘削機 トラクタショベル } +ダンプトラック

表5・2　建設機械の走行に必要なコーン指数（kN/m²）

建設機械の種類	コーン指数 q_c	建設機械の接地圧 q_u
超湿地ブルドーザ	200 以上	15～23
湿地ブルドーザ	300 以上	22～43
普通ブルドーザ（15 t 級程度）	500 以上	50～60
普通ブルドーザ（21 t 級程度）	700 以上	60～100
スクレープドーザ	600 以上	41～56
被けん引式スクレーパ(小型)	700 以上	130～140
自走式スクレーパ(小型)	1,000 以上	400～450
ダンプトラック（6～7.5 t）	1,200 以上	350～550

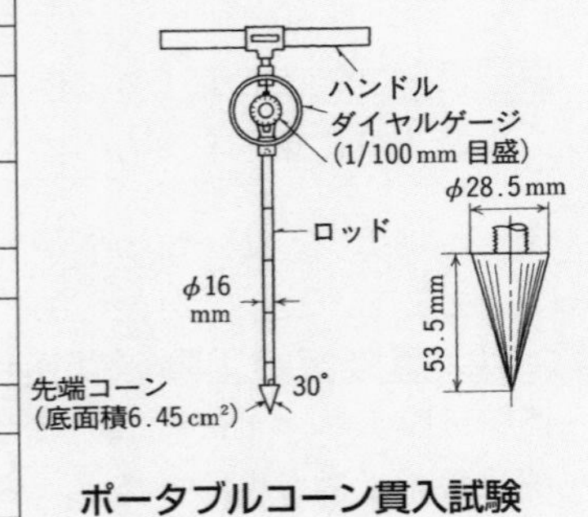

ポータブルコーン貫入試験

関連問題 建設機械の選定に関して，**適当でないもの**はどれか。

(1) 伐開・除根作業には，ブルドーザ，レーキドーザが用いられる。

(2) 組合せ機械の一連の作業能力は，組み合わせた機械の中で最大の作業能力の建設機械によって決定される。

(3) 建設機械が軟弱な土の上を走行する場合は，土の種類や含水比などによって作業効率が大きく変わる。

(4) 運搬機械が適応できる運搬路の勾配の限界は，自走式スクレーパやダンプトラックでは 10% 以下，坂路が短い部分でも 15% 以下である。

解説 建設機械の選定

(2) 組合せ機械の一連の作業能力は，組合せ機械の中で最小の作業能力の機械によって決定される。なお，(4)勾配の限界はブルドーザで 25% 以下，スクレーパ・ダンプトラックで 10% 以下である。

解答 (2)

表 5・3 土工作業と建設機械の組合せ

作業の種類	組合せ建設機械
伐開・除根・積込み・運搬	ブルドーザ＋トラクタショベル(バックホウ)＋ダンプトラック
掘削・積込み・運搬	集積（補助）ブルドーザ＋積込み機械＋ダンプトラック
敷均し・締固め	敷均し機械＋締固め機械
掘削積込み・運搬・散土	スクレーパ＋プッシュドーザ（後押し用ドーザ）

表 5・4 土工作業 種別と適応機械

作業の種別	建設機械の種類
伐開・除根	ブルドーザ，レーキドーザ，バックホウ
掘削	ショベル系掘削機（バックホウ，ドラグライン，クラムシェル），トラクタショベル，ブルドーザ，リッパ，ブレーカ
積込み	ショベル系掘削機，トラクタショベル
掘削，積込み	ショベル系掘削機，トラクタショベル
掘削，運搬	ブルドーザ，スクレープドーザ，スクレーパ
運搬	ブルドーザ，ダンプトラック，ベルトコンベア
敷均し，整地	ブルドーザ，モータグレーダ，タイヤドーザ
含水量調節	プラウ，ハロウ，モータグレーダ，散水車
締固め	タイヤローラ，タンピングローラ，振動ローラ，ロードローラ，振動コンパクタ，タンパ，ブルドーザ
砂利道補修	モータグレーダ
溝掘り	トレンチャ，バックホウ
法面仕上げ	バックホウ，モータグレーダ
削岩	レッグドリル，ドリフタ，ブレーカ，クローラドリル

重要問題56　建設機械の作業性（効率）

ショベル系掘削機に関して，**適当なもの**はどれか。

(1)　バックホウは，バケットが上向きに取り付けられたもので，機械の位置よりも高い場所の掘削に適する。

(2)　ドラグラインは，機械の位置より高い場所の掘削に適し，硬い地盤の掘削に適する。

(3)　ローディングショベルは，機械の位置よりも低い場所の掘削に適し，軟らかい地盤の基礎掘削や溝掘りなどに用いられる。

(4)　クラムシェルは，シールドの立坑やオープンケーソンの掘削，水中掘削，狭い場所での深い掘削のほか，砂や砂利の荷役作業にも用いられる。

解答と解説　ショベル系掘削機

1．**ショベル系掘削機**は，走行装置の台車上に旋回体を設け，ブーム先端にアタッチメントを取り付けた掘削機械をいう。アタッチメントを交換することによって，掘削場所や各種土質に適応させることができ，その能力は，一般にバケット容量で表される。

2．ショベル系掘削機の**バケット容量**は，山積容量（m^3）で，クラムシェルは平積容量で表示する。なお，**バックホウ**は，バケットを車体に引き寄せて掘削する方式で，機械の設置位置より低い所の掘削に適す。**パワーショベル**は，爪付きのバケットを上下に動かして掘削する方式で，機械の設置位置より高い所を削り取るのに適す。

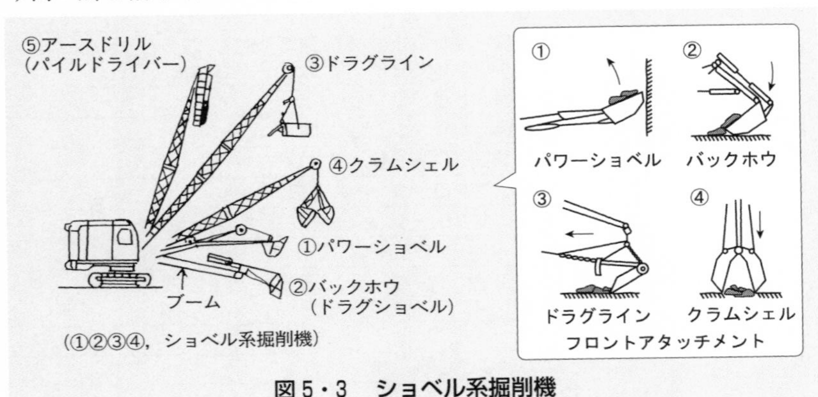

図5・3　ショベル系掘削機

表 5・5　ショベル系掘削機

名　称	規格・能力	用　途	特　徴
①パワーショベル	0.8〜4 m³（バケット容量）	掘削，積込み	地盤より高い掘削，360°旋回可能，履帯式とタイヤ式
②バックホウ	0.3〜4.6 m³（〃）	基礎掘削，溝堀り	地盤より低い掘削，あらゆる土質に向く，正確な施工可能
③ドラグライン	0.3〜2.0 m³（〃）	基礎掘削，水中掘削	掘削範囲が広い
④クラムシェル	0.3〜2.0 m³（〃）	基礎掘削，水中掘削	正確な掘削可能

なお，⑶ローディング（パワー）ショベルは，バケットを前向きに付けたもので機械位置より高い掘削に適す。

ローディングショベル

解答　⑷

関連問題　0.4 m³ 級のバックホウを用いて地山を掘削する場合に，時間当たり作業量（地山土量）として，**正しいもの**はどれか。

ただし，土質は，粘性土（土量変化率：$L=1.20$，$C=0.90$）とし，時間当たり作業量 Q は次式で求めるものとする。

$$Q=\frac{q_0\cdot K\cdot f\cdot E\cdot 3,600}{C_m}\ \text{〔m}^3\text{/h〕}$$

q_0：バケットの平積み容量　0.4 m³
K：バケット係数　0.60，f：土量換算係数
E：作業効率　0.5，　C_m：サイクルタイム 30 sec

⑴　12 m³/h　⑵　14 m³/h　⑶　16 m³/h　⑷　17 m³/h

解説　バックホウの作業能力

バケット容量 q_0 はほぐした土量（平積み容量）であり，求める土量 Q は地山土量であるから，土量変化率は $f=1/L=1/1.20$ となる（P 21）。

$$Q=\frac{q_0\cdot K\cdot f\cdot E\cdot 3,600}{C_m}=\frac{0.4\times0.6\times(1/1.20)\times0.5\times3,600}{30}$$

$=\underline{12.0\ \text{〔m}^3\text{/h〕}}$

解答　⑴

重要問題57  工程管理

各種工程図表に関して，**適当でないもの**はどれか。

(1)　バーチャートは，縦軸に部分工事をとり，横軸に各工事の出来高比率を棒線で記入し，各作業の進捗状況が，一目で分かる図表である。

(2)　グラフ式工程表は，出来高又は工事作業量比率を縦軸に，日数を横軸にとって，工種ごとの工程を斜線で表した図表である。

(3)　出来高累計曲線は，縦軸に出来高比率，横軸に工期をとって，工事全体の出来高比率の累計を曲線で表した図表である。

(4)　ネットワーク式工程表は，ネットワーク表示により，工事内容を系統だてて明確にし，作業相互の関連や順序，重点管理を必要とする作業などを的確に判断できるようにした図表である。

解答と解説　各種工程図表の特徴

工程表は，各作業用（作業の手順と相互関係，各作業の完成率）と全体出来高用（全体の進み具合の把握）に分類される。

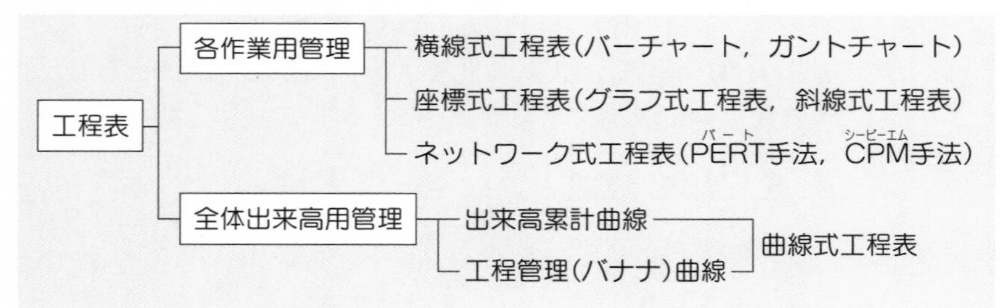

表５・６　工程表の種類

工　程　表	利　　点	欠　　点	用　途
横線式工程表（バーチャート，ガントチャート）	作成が容易，見やすく分かりやすい。又修正が容易である。	作業間の関連及び工期に影響する作業が不明確で合理性に欠ける。	簡単な工程 マスタープラン 概略工程表等
ネットワーク工程表（PERT，CPM）	全体の把握及び作業間の関係が明確で，最も合理的な工程表。	作成が難しく，修正が困難，熟練を要する。	複雑な工事 大形工事
曲線式工程表（出来高累計曲線　工程管理曲線）	全体的な把握ができ，原価管理，工事の進捗状況が分かりやすい。	細部が不明で，作業間の調整ができない。	原価管理 傾向分析

(1) **バーチャート**は，縦軸に工事を構成する部分工事を，横軸にその工事に必要な日数を棒線で記入したものである。横軸を出来高比率とする図表は，**ガントチャート**である。なお，(2) グラフ式工程表は，工種ごとの工程を斜線で表したものである。

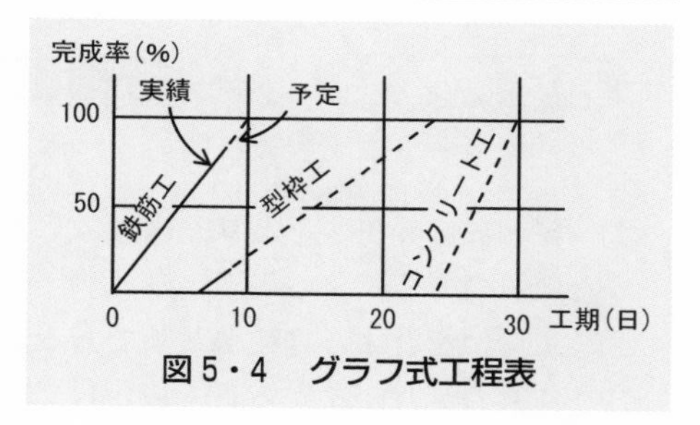

図 5・4 グラフ式工程表

表 5・7 各種工程図表の比較

事　項	ガントチャート	バーチャート	曲線式	ネットワーク
作業の手順	不　明	漠　然	不　明	判　明
作業に必要な日数	不　明	判　明	不　明	判　明
作業進行の度合い	判　明	漠　然	判　明	判　明
工期に影響する作業	不　明	不　明	不　明	判　明
図表の作成	容　易	容　易	やや難しい	複　雑
短期工事・単純工事	向	向	向	不　向

解答 (1)

関連問題 工程管理に関して，**適当でないもの**はどれか。

(1) 工事の進捗管理は，一般に施工計画の立案，施工の実施，改善の処置，計画と実績の評価の順に行う。
(2) 実施工程に遅れが生じた場合には，労務・機械・資材を含め総合的に検討する。
(3) 工程の進行状況を全作業員に周知徹底させる。
(4) 実施工程の進捗は，計画工程よりもやや上回るように管理する。

解説 工程管理（進捗管理）

(1) **工程計画**は，品質及び工期について契約の条件を満足しつつ，最も効率的にかつ経済的な施工を計画するものである。工事の**進捗管理**（日程管理又は進度管理）は，施工計画において決定された工程計画に基づく時間的進行面の検討を行うものであって，工期の確保と施工速度の向上を目的とする。

その手順は，①施工計画の立案，②施工の実施，③計画と実績の比較，④結果の評価（改善の処置）となる。なお，最終段階において遅延が回復しない場合には，再審査のうえ，その原因を正し，対策を立てる。 **解答** (1)

重要問題58  各種工程表の特徴

バーチャート式工程表に関して，**適当でないもの**はどれか。

⑴　縦軸に部分工事をとり，横軸にその工事に必要な日数を棒線で記入した図表である。

⑵　工期に影響する作業がどれであるか，分かりやすい図表である。

⑶　作業の流れが左から右へ移行しているので，作業間の関連が分かりやすい図表である。

⑷　作成が簡単で，各工事の工期が分かりやすい図表である。

解答と解説　バーチャート式工程表

⑵　**バーチャート**は，縦軸に工事を構成する部分工事を記入，横軸にはその工事に必要な日数をとったもので，各作業の所要日数が一目で分かる図表であるが，工期に影響する作業がどれであるか不明である。

橋梁床版工事工程表　実施15日現在　予定

日数
作業名
5　10　15　20　25　30
準備作業
支保組立
鉄筋加工
型枠制作
型枠組立
鉄筋組立
型枠ばらし
跡片付け

図5・5　バーチャート

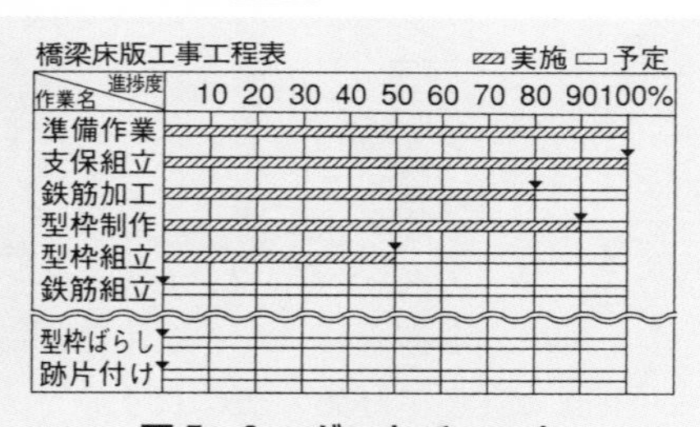

図5・6　ガントチャート

解答　⑵

関連問題　工程管理曲線に関して，**適当でないもの**はどれか。

⑴　工程管理曲線は，横軸に時間，縦軸に出来高をプロットして作成する。

⑵　工程管理曲線は，一般にS字型となる。

⑶　工程管理曲線では，作業手順や作業に必要な日数が分かる。

⑷　工程管理曲線に，上方限界と下方限界を設けて，工程管理することができる。

解説　工程管理曲線

⑶　**工程管理曲線**（曲線式工程表，グラフ式工程表）は，縦軸に工事出来高又

は施工量の累計をとり，横軸に工期の時間的経過，すなわち日数又は週数，月数などの目盛をとって，出来高の進捗状況をグラフ化したものである。

予定工程と実施工程との比較により工事の進捗状況を把握するものであるが，作業手順や作業に必要な日数は分からない。

なお，工程管理曲線では，上方許容限界と下方許容限界等の管理曲線を設けて，工程が許容限界からはずれないよう工程管理を行う。

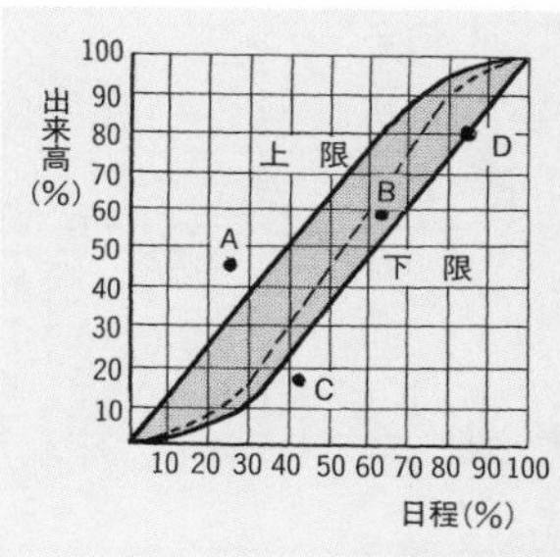

A点：予定より進んでいるが，許容限界外にあり不経済な施工をしているか，あるいは工事内容にミスがあると考えられる。
B点：予定に近いので，今の速度で工事を進めればよい。
C点：遅れているので工程を促進しなければならない。作業手順や人員・機械配分等を再検討する必要がある。
D点：許容限界上だが，工期が終わりに近いので工程を促進しなければならない。

図 5・7　工程管理曲線（バナナ曲線）

解答　(3)

関連問題　ネットワーク式工程表の用語に関して，**適当なもの**はどれか。

(1)　矢線(アロー)は，作業を表し，所要時間は矢線の上に書く。
(2)　結合点番号(イベント番号)は，同じ番号が2つあってもよい。
(3)　結合点(イベント)は，○で表し，作業の開始と終了の接点を表す。
(4)　疑似作業(ダミー)は，破線で表し，所要時間をもつ場合もある。

解説　ネットワーク式工程表の用語

(1)　**矢線（アロー）**は進行を表し，矢線の下に所要時間を書く。
(2)　**結合点番号（イベント番号）**は，同じ番号が2つ以上あってはならない。
(4)　**疑似作業（ダミー）**は，破線で表し，所要時間ゼロである。

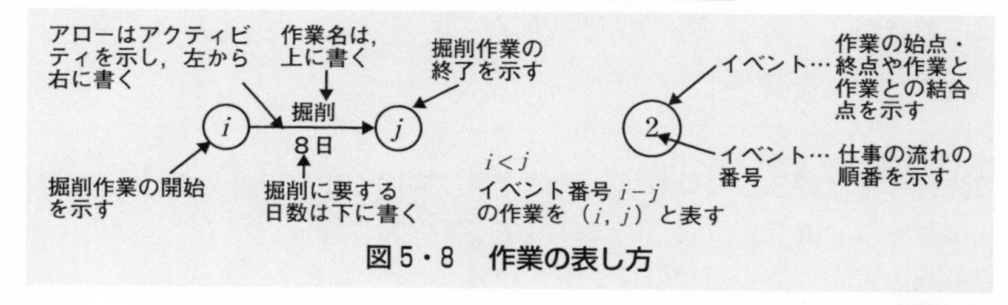

図 5・8　作業の表し方

解答　(3)

重要問題59  ネットワーク工程表の日程計算

次のネットワーク式工程表に示す工事に必要な日数（工期）として，**適当なもの**はどれか。但し，図中のイベント（結合点）間のA～Hは作業内容，日数は作業日数を示す。

(1)　19日
(2)　20日
(3)　21日
(4)　22日

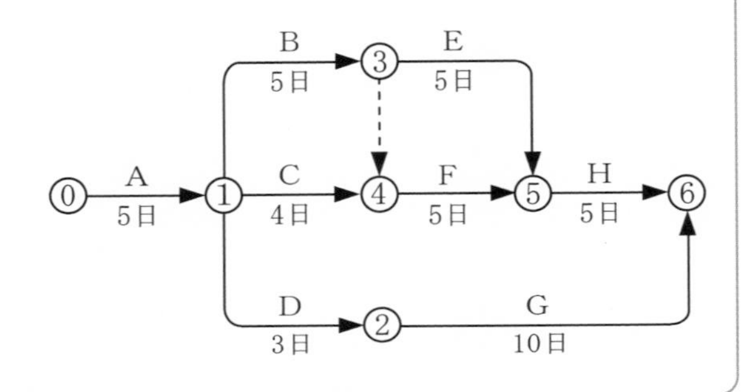

解答と解説　クリティカルパス（最長経路）

イベント⓪から⑥に至る各経路上の所要日数を求めると，

(ア)　⓪→①→②→⑥は，5＋3＋10＝18日
(イ)　⓪→①→③→⑤→⑥は，5＋5＋5＋5＝20日
(ウ)　⓪→①→④→⑤→⑥は，5＋4＋5＋5＝19日
(エ)　⓪→①→③⇢④→⑤→⑥は，5＋5＋0＋5＋5＝20日

クリティカルパスは，作業開始⓪から完了⑥にいたる様々な経路のうち，一番時間のかかる経路（**工期**）をいう。最長経路（クリティカルパス）は(イ)と(エ)の2本あり，工期は20日である。

③⇢④は，先行作業と後続作業を表す**ダミー（擬似作業）**である。

　(2)

（別解1）最早開始時刻と最早完了時刻及び工期

1．各作業（i, j）が最も早く開始する**最早開始時刻**を t_i^E とすれば，その作業（所要時間 T_{ij}）の完了時刻（**最早完了時刻**）t_j^E は，$t_j^E = t_i^E + T_{ij}$ となる。

$$t_i^E \qquad t_j^E = t_i^E + T_{ij}$$
ⓘ──→ⓙ
T_{ij}

2．**先行作業が終了しなければ，後続作業は開始できない。**2本以上の矢線が入ってくる合流点④，⑤，⑥では，すべての先行作業の完了を待って，結合点時刻の大きいものが次の最早開始時刻（—⊖→で表す）となる。

3．⑥に到着する日数が**工期**となる。最長経路は—⊖→で示す経路である。

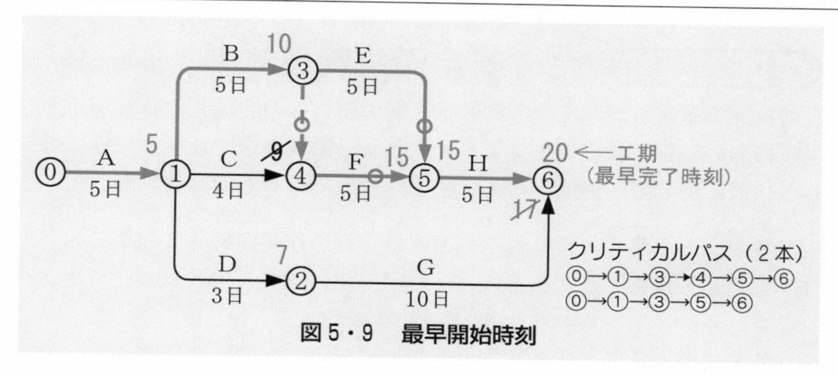

図５・９　最早開始時刻

（別解２）最遅完了時刻と最遅開始時刻及び余裕日数

1．所要の工期で作業を完了させるため，遅くとも各作業（i, j）が完了していなければならない時刻（**最遅完了時刻**）を t_j^L とすれば，少なくとも各作業を開始しなければならない時刻（**最遅開始時刻**）t_i^L は，$t_i^L = t_j^L - T_{ij}$ となる。

$$t_i^L = t_j^L - T_{ij} \qquad t_j^L$$
$$(i) \xrightarrow{T_{ij}} (j)$$

2．最早開始時刻 t_i^E 及び最早完了時刻 t_j^E を求めておく。計算は，最終結合点⑥から⓪に戻る。⑥の □ 内に工期を入れ，順次，各作業日数 T_{ij} を引く。

3．分岐点③，①では，後続の作業日数を確保するため，小さい数値が最遅完了時刻となる。

4．最遅完了時刻 t_j^L と最早完了時刻 t_j^E の等しい経路が最長経路となる。t_j^L と t_j^E の差が**余裕日数**となる。作業Cには１日の**自由余裕（フリーフロート）**，作業ＤとＧの経路には３日の**全余裕（トータルフロート）**がある（注）。

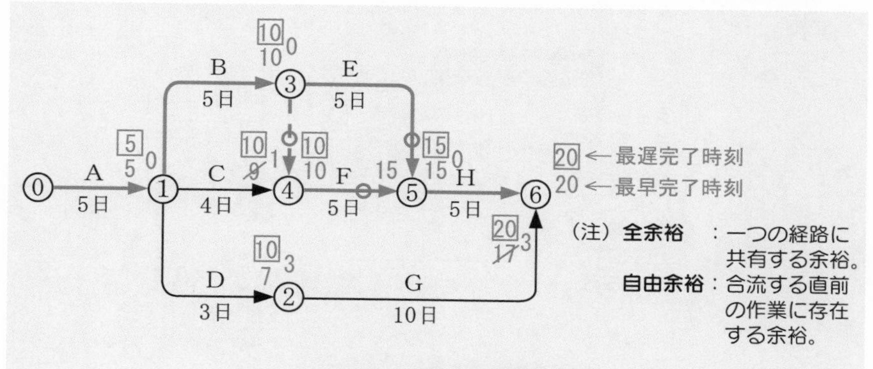

図５・10　最遅完了時刻

重要問題60　安全衛生管理体制

特定元方事業者が，その労働者及び関係請負人の労働者の作業が同一の場所において行われることによって生じる労働災害を防止するために講ずべき措置に関して，労働安全衛生法上，**誤っているもの**はどれか。

(1)　特定元方事業者の作業場所の巡視は，毎週作業開始日に行う。

(2)　特定元方事業者と関係請負人との間や関係請負人相互間の連絡及び調整を行う。

(3)　特定元方事業者と関係請負人が参加する協議組織を設置する。

(4)　特定元方事業者は，関係請負人が行う教育の場所や使用する資料を提供する。

解答と解説　特定元方事業者の講ずべき措置

1．**元請業者**（特定元方事業者）は，同一場所で元請・下請を合せて常時50人（ずい道工事では30人）以上の労働者が混在して作業を行う場合，労働災害を防止するため**統括安全衛生責任者**及び**元方安全衛生管理者**を選任し，「特定元方事業者の講ずべき措置」の事項を統括管理させなければなら

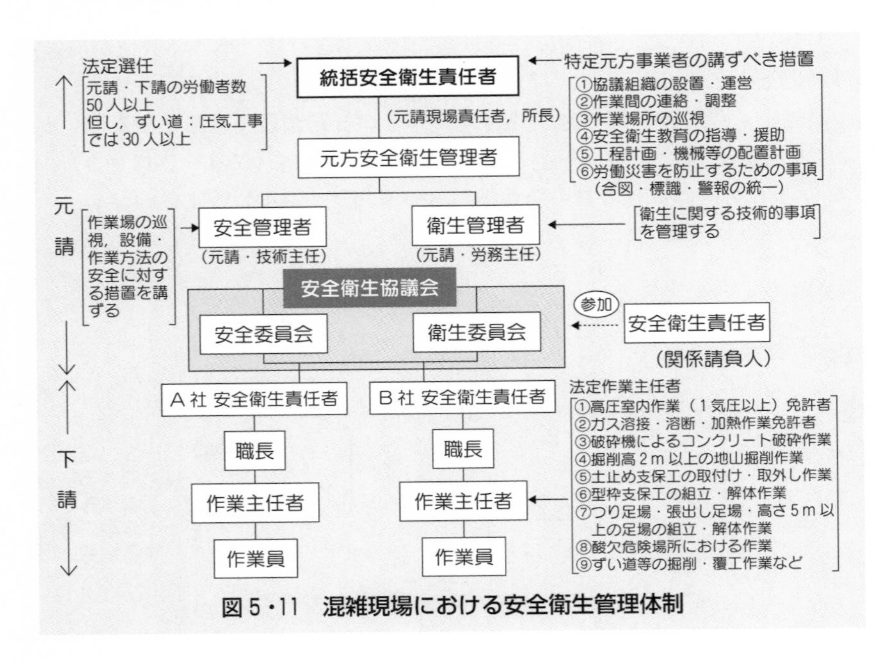

図5・11　混雑現場における安全衛生管理体制

ない。元方安全衛生管理者は，同第 30 条の事項（労災防止のための工程計画等を含む）のうち，技術的事項を管理する（労働安全衛生法第 15 条）。

2．**特定元方事業者の講ずべき措置**（同第 30 条）：特定元方事業者は，関係請負人の労働者の労働災害を防止するため，次の事項に関する必要な措置を講じなければならない。

① 協議組織の設置及び運営
② 作業間の連絡及び調整
③ 作業場所の巡視（毎作業日少なくとも 1 回）
④ 安全衛生教育の指導及び援助
⑤ 労働災害を防止するための事項

解答 (1)

関連問題 建設工事公衆災害防止対策要綱（土木工事編）の定めに関して，**正しいもの**はどれか。

(1) 保安灯は，高さ 1 m 程度のもので夜間 100 m 前方から視認できる光度を有するものを設置する。
(2) 交通量の特に多い道路上で工事を行う場合には，工事を予告する道路標識，標示板を工事箇所の前方 30 m 以内の間の視認しやすい箇所に設置する。
(3) 道路に移動さくを設置するときは，交通流の下流から上流に向けて順次行い，又，撤去するときは交通流の上流から下流に向けて順次行う。
(4) 施工者は，歩行者及び自転車が移動さくに沿って通行する部分の移動さくの設置にあたっては，すき間をつくらないようにする。

解説 建設工事公衆災害防止対策要綱

建設工事公衆災害防止対策要綱は，土木工事の施工にあたって，第三者（公衆）に対する生命，身体及び財産に関する危害並びに迷惑（公衆災害）を防止するのに必要な計画，設計及び施工の基準を示したもの。

(1) 保安灯は，高さ 1 m 程度のもので夜間 150 m 前方から視認できる光度を有するものを設置する。
(2) 道路標識，標示板は，工事箇所の前方 50 m から 500 m の間の視認しやすい箇所に設置する。
(3) 移動さくの設置は交通流の上流から下流に向けて，撤去は交通流の下流から上流に向けて行う。

解答 (4)

重要問題61 手掘り掘削の安全基準

明り掘削のうち手掘りによる作業を行う場合の地山の種類に対する掘削高さと掘削面の勾配を示した下図のうち，労働安全衛生規則に**違反するもの**はどれか。

(1) 砂礫からなる地山

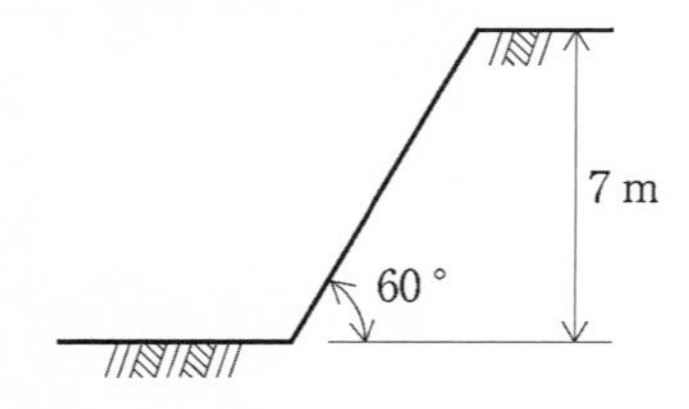

(2) 岩盤からなる地山

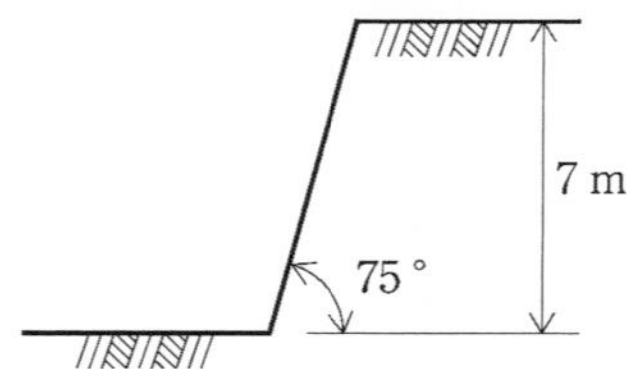

(3) 岩盤からなる地山

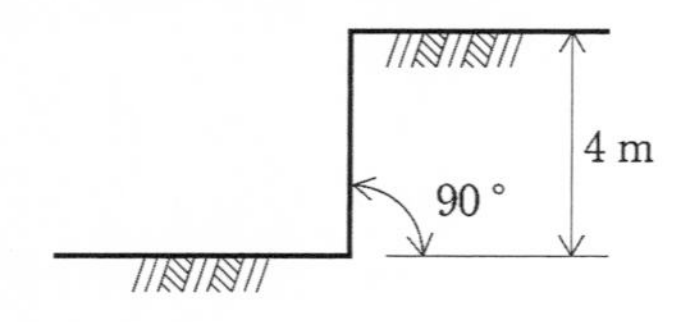

(4) 砂礫からなる地山

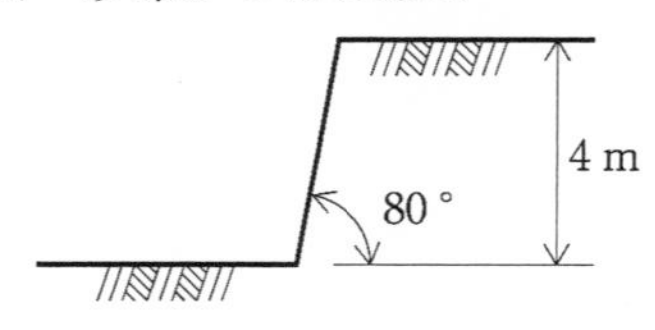

解答と解説 手掘りによる地山掘削の掘削面の勾配

掘削作業には，**手掘り掘削**と車両系建設機械による**機械掘削**がある。

(4) パワーショベル等の掘削機械を用いない手掘り掘削の掘削面の勾配の基準は，表5・8のとおり。砂礫（その他の地山）からなる地山は，掘削面の高さ2m以上5m未満の場合，掘削面の勾配は75°以下である。 **解答** (4)

表5・8 手掘り掘削の安全基準

地山の種類	掘削面の高さ（m）	掘削面の勾配（度）
①岩盤又は堅い粘土	5 未満 5 以上	90° 以下 75° 〃
②その他	2 未満 2 以上 5 未満 5 以上	90° 〃 75° 〃 60° 〃
③砂	掘削面の勾配 35° 以下 又は高さ 5 m 未満	
④発破等で崩壊しやすい状態になっている地山	掘削面の勾配 45° 以下 又は高さ 2 m 未満	

特に地質が悪い地山では，更に緩やかな勾配とする。

2m以上
掘削面の高さ
勾配

なお，人力掘削作業にあたっては，すかし掘りの禁止，2名以上で同時に作業を行うときは間隔を保ち，つるはしはてこに使わないこと。

関連問題 明り掘削作業における危険防止に関して，**適当でないもの**はどれか。

(1) 地山の崩壊により労働者に危険を及ぼすおそれがあるときは，作業箇所の地山について十分調査し，掘削の時期，順序を決定しなければならない。
(2) 運搬機械が労働者の作業箇所に後進して接近する場合には，後方確認できる機器を搭載していれば，誘導員の配置を省略することができる。
(3) 運搬機械，掘削機械，積込機械については，運行の経路，積おろし場所への出入りの方法を定め，労働者に周知させなければならない。
(4) 掘削機械がガス導管等の地下埋設物を損壊して労働者に危険を及ぼすおそれがあるときは，掘削機械を使用してはならない。

解説 **明り掘削作業の危険防止**

(2) 明り掘削の作業を行う場合，運搬機械等が労働者の作業箇所に後進して接近するとき，又は転落するおそれのあるときは，誘導員を配置し，その者にこれらの機械を誘導させなければならない（**誘導員の配置**）。
なお，(1)作業箇所の調査，(3)運搬機械等の運行の経路等，(4)掘削機械等の使用禁止の規定である。

解答 (2)

関連問題 労働安全衛生規則に定める手掘りによる地山の掘削の安全に関して，**誤っているもの**はどれか。

(1) 砂からなる地山の掘削にあたり，掘削面の勾配を 30 度で行った。
(2) 発破等により崩壊しやすい状態になっている地山の掘削にあたり，掘削面の勾配を 40 度で行った。
(3) 砂からなる地山の掘削にあたり，掘削面の高さを一段 6 m として行った。
(4) 発破等により崩壊しやすい状態になっている地山の掘削にあたり，掘削面の高さを一段 1.5 m として行った。

解説 **地山掘削の安全基準**

(3) 砂からなる地山の掘削は，一段の掘削面の高さを 5 m 未満とするか，又は掘削面の勾配を 35° 以下とする。

解答 (3)

重要問題62  足場の安全基準

労働安全衛生規則に定める鋼管（単管）足場の組立て等の安全に関して，**正しいもの**はどれか。

(1) 建地間の積載荷重は，500 kg を限度とする。
(2) 地上第一の布は，地上から 2 m 以下の位置に設ける。
(3) 足場に設ける墜落防止のための手すりの高さは，50 cm とする。
(4) 建地の間隔は，けた行方向を 2.5 m 以下とする。

解答と解説　鋼管（単管）足場の組立て等の安全

鋼管足場には，単管足場と枠組足場がある。

① 脚部には，ベース金具を使用し，敷板，敷角，根がらみ等を設ける。
② 地上第一の布は，地上から 2 m 以下の位置に設ける。
③ 壁つなぎは，垂直方向 5 m 以下，水平方向 5.5 m 以下とする。
④ 建地間隔は，けた方向 1.85 m 以下，はり方向 1.5 m 以下とする。
⑤ 墜落防止の手すりの高さは，85 cm 以上とする。
⑥ 建地間の積載重量は，400 kg を限度とする。

解答 (2)

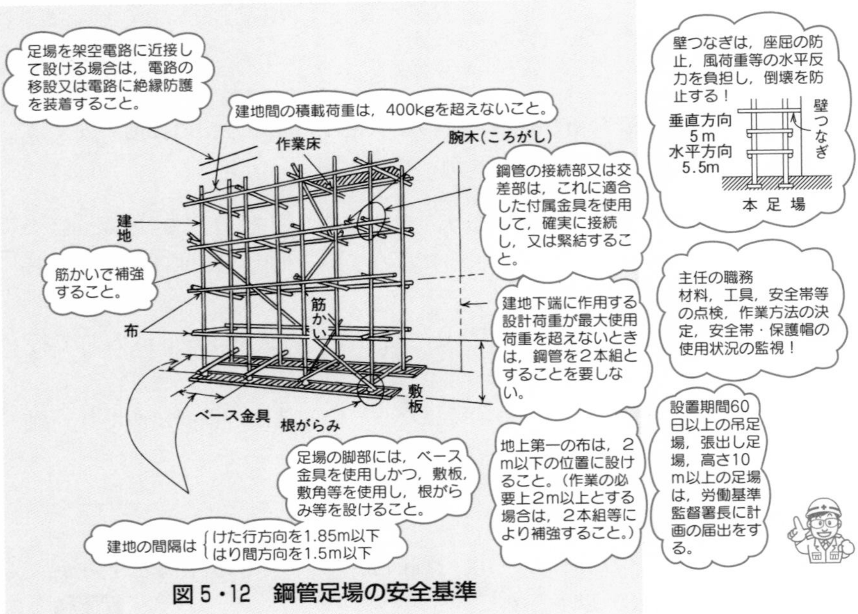

足場を架空電路に近接して設ける場合は，電路の移設又は電路に絶縁防護を装着すること。
建地間の積載荷重は，400kgを超えないこと。
作業床
腕木（ころがし）
鋼管の接続部又は交差部は，これに適合した付属金具を使用して，確実に接続し，又は緊結すること。
建地
筋かいで補強すること。
筋かい
布
建地下端に作用する設計荷重が最大使用荷重を超えないときは，鋼管を２本組とすることを要しない。
ベース金具
根がらみ
敷板
足場の脚部には，ベース金具を使用しかつ，敷板，敷角等を使用し，根がらみ等を設けること。
地上第一の布は，２m以下の位置に設けること。（作業の必要上２m以上とする場合は，２本組等により補強すること。）
建地の間隔は｛けた行方向を1.85m以下 はり間方向を1.5m以下
壁つなぎは，座屈の防止，風荷重等の水平反力を負担し，倒壊を防止する！
垂直方向 5m
水平方向 5.5m
壁つなぎ
本足場
主任の職務
材料，工具，安全帯等の点検，作業方法の決定，安全帯・保護帽の使用状況の監視！
設置期間60日以上の吊足場，張出し足場，高さ10m以上の足場は，労働基準監督署長に計画の届出をする。

図５・12　鋼管足場の安全基準

関連問題 単管足場の組立てに関して，**適当でないもの**はどれか。

(1) 壁つなぎは，壁面にできるだけ直角に取り付けるものとし，地上第一の壁つなぎは，地上より5m以下の位置に取り付ける。
(2) 筋交いは，足場の側面に角度45度程度で交差するように2方向に取り付ける。
(3) 建地の脚部には，滑動又は沈下防止のために，ベース金具を敷板の中央に配置し，更に根がらみを設けるなどの措置を講じる。
(4) 作業床の足場板が3点支持の場合には，腕木等に緊結材料で固定しなくてもよい。

解説 **単管足場の組立て**

(4) 足場における高さ2m以上の作業場所には，**作業床**（ゆか）（幅40cm以上，床材奥のすき間3cm以下，床材と建地のすき間12cm以下）を設けなければならない。床材は，転位又は脱落しないように2以上の支持物に取り付けること。3点支持の場合でも，腕木に原則として固定する。

解答 (4)

関連問題 足場の安全管理に関して［　　］に当てはまる語句の組合せとして，労働安全衛生法上，**適当なもの**はどれか。

・足場の作業床より物体の落下を防ぐ，［(イ)］を設置する。
・足場の作業床の［(ロ)］には，［(ハ)］を設置する。
・足場の作業床の［(ニ)］は，3cm以下とする。

	(イ)	(ロ)	(ハ)	(ニ)
(1)	幅木（はばき）	手すり	筋かい	すき間
(2)	幅木	手すり	中さん（なか）	すき間
(3)	中さん	筋かい	幅木	段差
(4)	中さん	筋かい	手すり	段差

解説 **足場の安全管理**

枠組足場では，交差筋かい及び高さ15cm以上40cm以下の位置に落下防止のため，下さん又は15cm以上の(イ)**幅木**を，枠組足場以外の足場では高さ85cm以上の(ロ)**手すり**及び(ハ)**中さん**を設ける。作業床は幅40cm以上，床材間の(ニ)**すき間**3cm以下とする。

解答 (2)

重要問題63　　型枠支保工の安全基準

型枠支保工の組立て等の措置に関して，**適当でないもの**はどれか。

⑴　型枠支保工は，支柱，はり，つなぎ，筋かい等，部材の配置及び寸法が明記された組立図をもとに施工しなければならない。
⑵　型枠支保工の支柱の継手は，突合せ継手又は差込み継手としなければならない。
⑶　コンクリート打設作業は，コンクリート打設前に型枠支保工を点検し，異状が発見された場合には直ちに補修をしなければならない。
⑷　型枠支保工の組立て作業を行う場合は，作業主任者を選任し，作業の直接指揮を行わせるが，解体作業を行う場合は，作業主任者を選任する必要はない。

解答と解説　型枠支保工の組立て等の措置

(4)　**型枠支保工**とは，建物のスラブ，けた等のコンクリートの打設に用いる型枠を支持するため，支柱，はり，つなぎ，筋かい等の部材によって構成される仮設物をいう。型枠支保工には，鋼管（単管パイプ），パイプサポート，鋼管枠が用いられる。型枠支保工の組立て・解体作業には，**型枠支保工の組立て等作業主任者**（技能講習修了者）を選任して行う。

解答　(4)

関連問題　労働安全衛生規則に定める型枠支保工の安全に関して，**正しいもの**はどれか。

⑴　鋼管を支柱として用いる場合は，高さ2m以内ごとに水平つなぎを2方向に設け，かつ，水平つなぎの変位を防止すること。
⑵　鋼材と鋼材との接続部及び交差部は，鋼線，繊維ロープを用いて緊結すること。
⑶　支柱の継手は，重合せ継手とすること。
⑷　パイプサポートを支柱として用いる場合は，パイプサポートを4以上継いで用いないこと。

解説　型枠支保工の安全基準

⑵　鋼材と鋼材との接続部及び交差部は，ボルト，クランプ等の金具を用いて

緊結すること。鋼線，繊維ロープの使用はできない。

(3) 支柱の継手は，突合せ継手又は差込み継手とすること。

(4) パイプサポートは3以上継いで用いないこと。

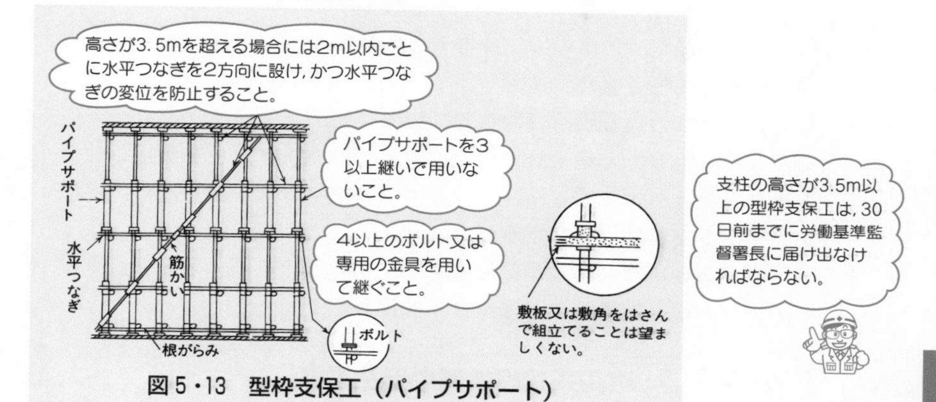

図5・13　型枠支保工（パイプサポート）

解答 (1)

関連問題 労働安全衛生規則に定める型枠支保工の安全に関して，**正しいもの**はどれか。

(1) 強風・大雨の危険が予測される場合には，点検者をつければ解体作業を行うことができる。

(2) 型枠支保工を組み立てるときは，部材の配置，接合の方法等を示した組立図を作成し，かつ，この組立図にもとづいて組み立てる。

(3) 型枠支保工用のパイプサポートは，国土交通大臣が定めた規格のものを使用する。

(4) 型枠支保工の組立て作業は，作業主任者を選任して行うが，解体作業はその必要はない。

解説　型枠支保工の安全基準

(1) 強風，大雨，大雪等の悪天候のため，作業実施について危険が予想されるときは，当該作業に労働者を従事させないこと。

(3) 型枠支保工用のパイプサポートは，厚生労働大臣が定める規格，支柱等の鋼材については日本工業規格に定める規格に適合するものとする。

(4) 解体作業も作業主任者の指揮のもとで行う。

解答 (2)

車両系建設機械の安全基準

車両系建設機械に関する現場の対応として，**正しいもの**はどれか。

(1)　作業工程が遅れていたので，誘導員を配置し，制限速度を超えて車両系建設機械を運転させた。
(2)　落石のおそれのある場所で作業しているブルドーザにヘッドガードの備えがなかったので，危険防止のため運転者にヘルメットを着用させた。
(3)　トラクタショベルによる積込み作業中，作業打合せがあるため，運転者がバケットを上げ運転席を離れた。
(4)　使用中である車両系建設機械は，1年以内ごとに1回，定期に自主検査を実施し，検査結果等の記録を3年間保存した。

解答と解説　車両系建設機械の安全基準

車両系建設機械は，動力を用い，不特定の場所に自走できるもので次の建設機械をいう。①ブルドーザ等の整地，運搬，積込み用機械，②パワーショベル等の掘削用機械，③杭打ち機等の基礎工事用機械，④ローラ等の締固め用機械，⑤コンクリートポンプ車等のコンクリート打設用機械，⑥ブレーカ等の解体用機械。

(1)　車両系建設機械の運転者は，制限速度を超えて車両系建設機械を運転してはならない（制限速度）。
(2)　岩石の落下等により労働者に危険が生じるおそれのある場所で車両系建設機械を使用する時は，当該車両系建設機械に堅固なヘッドガードを備えなければならない（ヘッドガード）。
(3)　運転位置から離れる場合には，バケット等の作業装置を地上に下ろし，原動機を止め，走行ブレーキをかける等の車両の逸走を防止する措置をとる。

解答　(4)

関連問題　事業者が行う建設機械作業の安全確保に関して，**誤っているもの**はどれか。

(1)　車両系建設機械の運転者が運転位置から離れるときは，原動機を止め，かつ，ブレーキを確実にかけ逸走を防止する措置を講じさせる。
(2)　車両系建設機械に接触することにより労働者に危険が生ずるおそれのある箇所には，原則として労働者を立ち入れさせてはならない。

(3) 車両系建設機械を用いて作業を行うときは，あらかじめ，地形や地質を調査により知り得たところに適応する作業計画を定める。
(4) 車両系建設機械の運転時に誘導者を置くときは，運転者の見える位置に複数の誘導者を置き，それぞれの判断により合図を行わせる。

解説 車両系建設機械の安全確保

(4) 車両系建設機械の運転について誘導者を置くときは，一定の合図を定め，誘導者に当該合図を行わせる。車両系建設機械の運転者は，合図に従わなければならない（合図）。なお，(1)は運転位置から離れる場合の措置，(2)は接触の防止，(3)は作業計画の規定。

解答 (4)

関連問題 移動式クレーン作業において，事業者が行うべき事項に関して ☐ に当てはまる語句の組合せとして，**正しいもの**はどれか。

① 移動式クレーンに，その (イ) をこえる荷重をかけて使用してはならず，また強風のため作業に危険が予想されるときは，当該作業を (ロ) しなければならない。
② 移動式クレーンの運転者を荷をつったままで (ハ) から離れさせてはならない。
③ 移動式クレーンの作業においては，(ニ) を指名しなければならない。

	(イ)	(ロ)	(ハ)	(ニ)
(1)	定格荷重（ていかくかじゅう）	注意して実施	運転位置	監視員
(2)	定格荷重	中止	運転位置	合図者
(3)	最大荷重	注意して実施	旋回範囲（せんかい）	合図者
(4)	最大荷重	中止	旋回範囲	監視員

解説 移動式クレーンの安全基準

① **過負荷の制限**（吊具の荷重を除いた吊り上げることのできる**定格荷重**を超える荷重をかけて使用してはいけない），強風時の作業中止の規定。
② **運転位置からの離脱の禁止**の規定
③ 運転の**合図**の規定

 (2)

重要問題65　規格の管理，ヒストグラム

下図のヒストグラムの見方の説明として「**測定値は規格値を満たしているが，今後，測定値が少し変動した場合に注意を要する**」図はどれか。

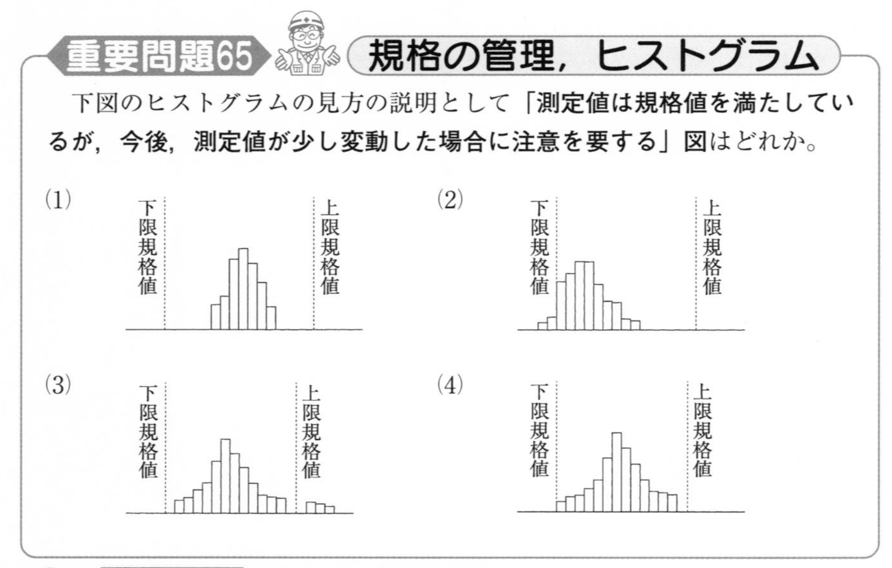

解答と解説　ヒストグラムの見方

品質管理は，規格を**ヒストグラム**で，工程を**管理図**を用いて行う。

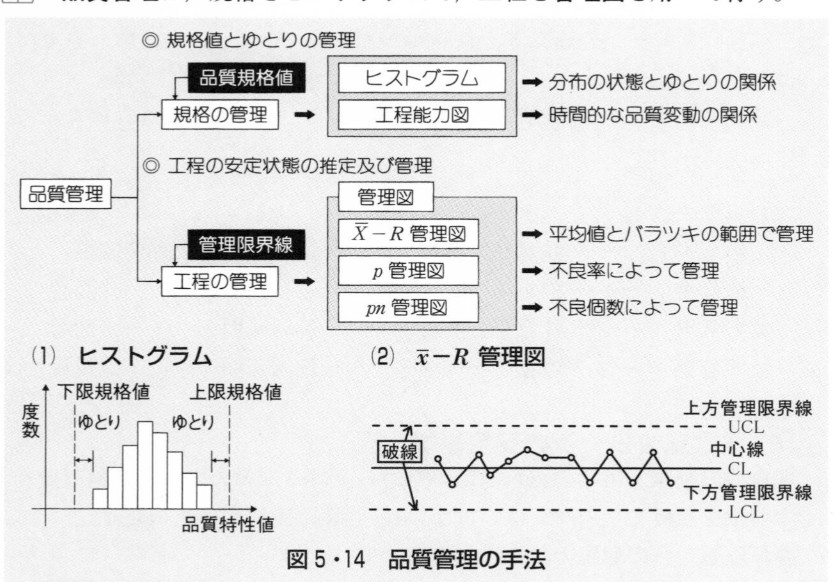

図5・14　品質管理の手法

(1)　バラツキ，ゆとりもよく，平均値も規格値の中心にある。

(2)　分布が左に寄りすぎ，下限の規格値を割っている。平均値を右へずらす。

(3)　飛び離れた山があり，上限の規格値を割っている。測定ミス又は工程に異常がある場合に現われる型である。

(4)　わずかな工程の変化によって規格値を割る。バラツキを小さくする。

解答　(4)

関連問題　ヒストグラムに関して，**適当でないもの**はどれか。

(1)　ヒストグラムは，品質の特性がどんな分布をしているのか，また，その分布が規格値を満足しているかが分かる。

(2)　ヒストグラムは，安定した工程から得られたデータの場合，左右対称形の整った形となる。

(3)　ヒストグラムは，規格値や標準値を入れると全体に対しどの程度の不良品，不合格品が出ているかがわかる。

(4)　ヒストグラムは，個々のデータの状態や時間的順序の変化による品質の情報が得られる。

解説　ヒストグラムから判断できること

(4)　**ヒストグラム**から分かることは，分布の形状，分布の中心，分布の広がり，飛び離れたデータの有無，規格値との関係である。個々のデータの様子やその時間的変化を知るためには，工程能力図を用いる。

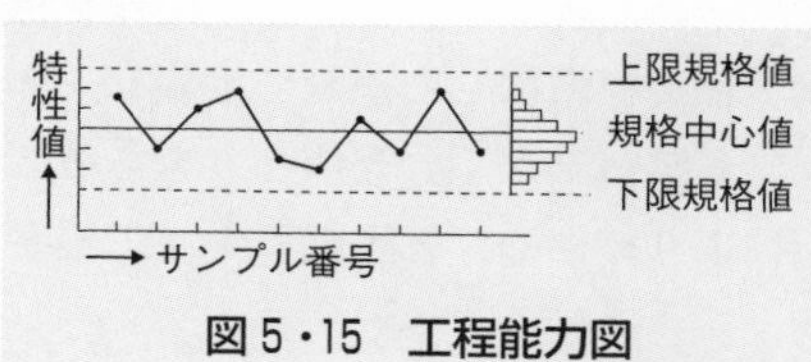

図5・15　工程能力図

解答　(4)

関連問題　$\bar{x}-R$ 管理図に関して，**適当でないもの**はどれか。

(1)　$\bar{x}-R$ 管理図は，ばらつきの限界の線を決めてつくった図表である。

(2)　データが管理限界線の外に出た場合は，その工程に異常がある。

(3)　$\bar{x}-R$ 管理図は，縦軸に管理の対象となるデータ，横軸にロット番号や製造時間などをとり，棒グラフで作成する。

(4)　$\bar{x}-R$ 管理図には，管理線として中心線及び上方管理限界（UCL）・下方管理限界（LCL）を記入する。

解説　$\bar{x}-R$ 管理図

$\bar{x}-R$ 管理図は，工程の平均値 $\bar{x}$ とバラツキの範囲 R の両方で安定状態を把握する。棒グラフ→折れ線グラフ。

解答　(3)

重要問題66  品質管理の手順，品質特性

品質管理を実施するにあたっての一般的手順として**適当なもの**はどれか。但し，(ア)～(エ)の内容は下記のとおり。

(ア)　品質規格を満足しているか，工程が安定しているかを確認する。
(イ)　品質特性を決める。
(ウ)　品質標準を決める。
(エ)　作業標準に従って施工し，データを採る。

(1)　(ウ)→(イ)→(エ)→(ア)　(2)　(イ)→(エ)→(ア)→(ウ)
(3)　(ウ)→(エ)→(ア)→(イ)　(4)　(イ)→(ウ)→(エ)→(ア)

解答と解説　品質管理の手順

品質管理の手順は，次のとおり。

①　管理しようとする**品質特性**（品質を構成する要素）を決める。
②　その特性について**品質標準**（達成すべき品質の目標）を決める。
③　その品質標準を守るための**作業標準**（作業の方法，使用資機材）を決める。
④　作業標準にしたがって実施し，データを採る。
⑤　各データが十分なゆとりをもって品質規格を満足しているか**ヒストグラム**により確かめ，**管理図**により工程が安定しているか確かめる。

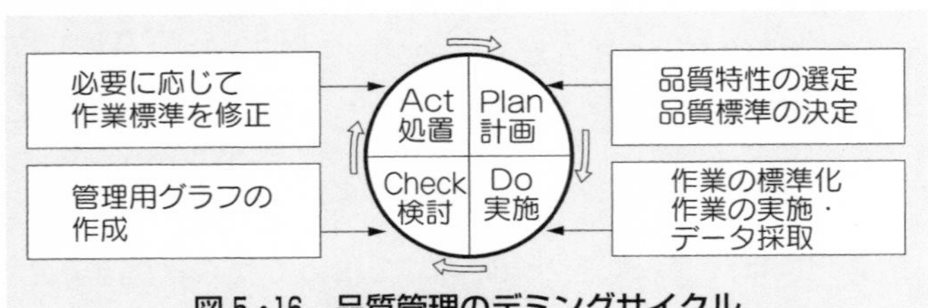

図5・16　品質管理のデミングサイクル

解答　(4)

関連問題　建設工事の品質管理における「工種」・「品質特性」とその「試験方法」との組合せとして，**適当でないもの**はどれか。

［工種］・［品質特性］　［試験方法］
(1)　土工・最適含水比……………………………突固めによる土の締固め試験
(2)　路盤工・材料の粒度…………………………ふるい分け試験
(3)　コンクリート工・スランプ………………スランプ試験

(4) フレッシュコンクリートの空気量………プルーフローリング試験

解説 品質特性とその試験方法

○ **品質特性**（管理項目）を決定するにあたっては，次の点に留意する。

① 工程の状態を総合的に表すもの

② 代用特性が明確なもの（真の品質特性の代わりとなるもの）

③ 設計品質に重要な影響を及ぼすもの

④ 測定しやすいもの

⑤ 工程に対して処置のとり易いもの

(4) プルーフローリング試験→空気量試験

解答 (4)

表 5・9 品質特性と試験方法との組合せ

工種		品質特性	試験方法
土工	材料	最大乾燥密度・最適含水比 粒度 自然含水比 液性限界 塑性限界 透水試験 圧密係数	締固め試験 ふるい分け試験 含水比試験 液性限界試験 塑性限界試験 透水試験 圧密試験
	施工	施工含水比 締固め度 CBR たわみ量 支持力 貫入指数	含水比試験 現場密度の測定 現場 CBR 試験 たわみ量測定 平板載荷試験 各種貫入試験
路盤工	材料	粒度 含水比 塑性指数 最大乾燥密度・最適含水比 CBR	ふるい分け試験 含水比試験 液性限界・塑性限界試験 締固め試験 CBR 試験
	施工	締固め度 支持力	現場密度の測定 平板載荷試験，CBR 試験
コンクリート工	骨材	密度および吸水率 粒度（細骨材，粗骨材） 単位容積質量 すりへり減量（粗骨材） 表面水量（細骨材） 安定性	密度および吸水率試験 ふるい分け試験 単位容積質量試験 すりへり試験 表面水率試験 安定性試験
	コンクリート工	単位容積質量 配合割合 スランプ 空気量 圧縮強度 曲げ強度	単位容積質量試験 洗い分析試験 スランプ試験 空気量試験 圧縮強度試験 曲げ強度試験

重要問題67 盛土の品質

盛土の締固めに関して □ に入る組合せで，**適当なもの**はどれか。

・工法規定方式は，使用する締固め機械の機種や締固め (イ) 等を規定するもので，品質規定方式は，盛土の (ロ) 等を規定する方法である。
・盛土の締固め効果や性質は，土の種類や含水比，施工方法で (ハ) 。
・最もよく締まるのは，最大乾燥密度が得られる (ニ) 含水比である。

	(イ)	(ロ)	(ハ)	(ニ)
(1)	回数	材料	変化しない	最大
(2)	回数	締固め度	変化する	最適
(3)	厚さ	締固め度	変化しない	最適
(4)	厚さ	材料	変化する	最大

解答と解説 盛土の品質

(2) 土の締固め規定には，**品質規定方式**（乾燥密度規定，空気間隙率又は飽和度規定，強度規定）と**工法規定方式**（締固め機種・転圧回数，巻出し厚さ）がある（P 19 参照）。

解答 (2)

関連問題 盛土の品質に関して，**適当でないもの**はどれか。

(1) 盛土材料の性質は，敷均しや締固めが容易で，せん断強度が大きく圧縮性の小さいものがよい。
(2) 盛土の乾燥密度の計測は，RI（ラジオアイソトープ）計器による計測の方が砂置換法による計測に比べて測定時間がかかる。
(3) 盛土の締固めは，透水性を低下させ，圧縮沈下の抑制及び土構造物の安定に必要な強度特性を得るために行う。
(4) プルーフローリング試験は，締固めが適切であるかダンプトラックを走行させて，たわみ量を確認する試験である。

解説 盛土の品質

(2) 盛土の乾燥密度の計測には，砂置換法，RI 計器による方法がある。**砂置換法**は，現場に穴を掘り，掘り出した土の質量と置き換えた試験用砂の体積から密度を求める。**RI 計器による方法**は，現地のガンマ線量や中性子線量から密度を求めるもので，簡単で短時間で測定できる。

解答 (2)

関連問題 盛土の締固めの目的に関して，**適当でないもの**はどれか。

(1) 土の空気間隙を大きくし，透水性を大きくする。
(2) 盛土の法面の安定や土の支持力増加など，必要な強度を得る。
(3) 完成後の盛土自体の圧縮沈下を抑える。
(4) 雨水の浸入による土の軟化や吸水による膨張を小さくする。

解説 締固めの目的

① 土の空気間隙を小さくし，密度を高めることにより透水性を低下させ，水の浸入による軟化，膨張を小さくして，土の最も安定した状態にする。
② 法面の安定，支持力の増加など，盛土として必要な強度特性を持たせる。
③ 盛土完成後の圧縮沈下など変形を少なくする。

解答 (1)

関連問題 含水比の高い粘性土が厚く堆積する地盤に，土留め支保工を用いて地盤を掘削する場合，ヒービング防止対策として，**適当でないもの**はどれか。

(1) 土留め壁の根入れと剛性を増す。
(2) 掘削面側の地盤改良を行い，地盤強度を高める。
(3) 掘削面側の矢板の根入れ先端部に薬液注入により不透水層を形成する。
(4) 土留め壁背面の上部地山をすき取るような掘削を行い，土留め壁にかかる荷重を少なくする。

解説 ヒービング防止対策

土留め工法は，わき水の多い軟弱地盤には**鋼矢板工法**が，地下水が低くわき水の少ない地盤には**親杭横矢板工法**が用いられる（P 44）。

ヒービングとは，粘性土を掘削した場合に，掘削底の地盤が盛り上がる現象をいう。ヒービングが起こると，土留め杭が支持力を失い，土留めが崩壊する。ヒービングの原因として，土留め壁の根入れ長と剛性の不足，地盤強度の小ささ，背面地盤の土圧の大きさがある（P 45）。

なお，(3)の不透水層を形成しても，地盤全体が動くヒービングに対しては効果はない。

資料 4 ⇒ P 212 参照 **解答** (3)

アスファルト混合物の品質

道路舗装におけるアスファルト混合物の現場受入れ時に，品質を確認する項目として，**該当しないもの**はどれか。

(1) 目視による色及びつや　(2) 目視による粒度のバラツキ
(3) 骨材の比重・吸水率　(4) 敷均し温度の測定

解答と解説 アスファルト混合物の品質

(3) 加熱アスファルト混合物の現場受入れ時に品質を確認する項目は，外観（目視による観察），温度（敷均し温度），粒度，アスファルト量，締固め度（密度）である（表5・10）。(3)は該当しない。

解答 (3)

関連問題 アスファルト舗装の品質管理に関して，**現場で行わないもの**はどれか。

(1) プルーフローリング試験　(2) 舗装路面の平たん性測定
(3) 針入度試験　(4) RIによる密度の測定

解説 アスファルト舗装の品質管理

(3) **針入度試験**は，アスファルト材料の硬さを調べるための室内試験である。

なお，(1)**プルーフローリング試験**は，路床・路盤のたわみ量を確認する試験，(2)**平たん性試験**は舗装路面の平たん性を確認・評価する試験，(4)**RI（ラジオアイソトープ）法**は締固め後の密度を測定する試験である。

解答 (3)

関連問題 道路のアスファルト舗装の品質管理における品質特性と試験方法との次の組合せのうち，**適当なもの**はどれか。

	〔品質特性〕	〔試験方法〕
(1)	粒度	伸度試験
(2)	針入度	ふるい分け試験
(3)	アスファルト混合物の安定度	CBR試験
(4)	アスファルト舗装の厚さ	コア採取による測定

解説　アスファルト舗装の品質特性と試験方法

(4)　アスファルト舗装の厚さの測定は，**コア採取**による。なお，(1)粒度の測定は**ふるい分け試験**で，(2)アスファルト材料の硬さを調べる針入度は**針入度試験**で，(3)アスファルト混合物の安定度（強さと変形量）はマーシャル**安定度試験**で調べる。

表 5・10　アスファルト舗装工の品質特性

工種		品質特性	試験方法
アスファルト舗装工	材料	骨材の比重及び吸水率 粒度 単位容積質量 すり減り減量 軟石量 針入度 伸度	比重及び吸水率試験 ふるい分け試験 単位容積質量試験 すり減り試験 軟石量試験 針入度試験 伸度試験
	プラント	混合温度 アスファルト量・合成粒度	温度測定 アスファルト抽出試験
	舗設現場	敷均し温度 安定度 厚さ 平坦性 配合割合 密度（締固め度）	温度測定 マーシャル安定度試験 コア採取による測定 平坦性試験 コア採取による配合割合試験 密度試験

解答　(4)

関連問題　道路の舗装工事において，受注者が自主的に行う品質管理に関して，**適当でないもの**はどれか。

(1)　舗装路盤の基準高測定値が管理の限界値を外れた場合は，試験頻度を減らし異常の有無を確かめる。
(2)　舗装作業中に作業員や施工機械などの組合せに変更が生じた場合は，一般に，試験頻度を増やし，新たな組合せによる品質の確認を行う。
(3)　作業の進行に伴い，管理の限界を十分満足できることが分かれば，それ以降，当初の品質確認のために増やした試験頻度を減らしてもよい。
(4)　品質管理の合理化を図るためには，密度や含水比などを非破壊で測定する機器を活用することが望ましい。

解説　品質管理の留意事項

受注者は，所定の品質を確保するために，施工の工程を管理し，各工種における品質を確認する。

(1)　工程能力図で規格値を外れた場合，一方に片寄っているなどの結果が生じた場合には，試験頻度を増やして異常の有無を確かめる。　**解答**　(1)

5・4 品質管理

コンクリートの品質

レディーミクストコンクリート（JIS A 5308 普通コンクリート，呼び強度 24 N/mm²）を購入し，圧縮強度の試験結果が下記のように得られた。この結果の判定として**適合しているもの**はどれか。

〔圧縮強度・試験結果〕 単位：N/mm²

試験回数 / 試験工事	1 回	2 回	3 回	平均値
A 工 事	19	20	21	20
B 工 事	26	27	19	24
C 工 事	22	20	24	22
D 工 事	25	23	27	25

(1) A工事　(2) B工事　(3) C工事　(4) D工事

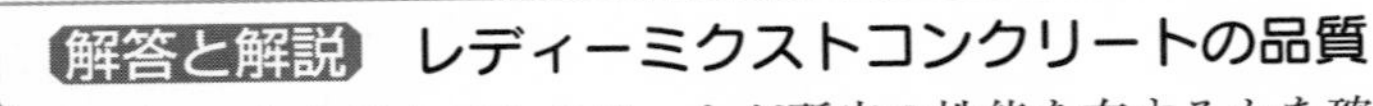

解答と解説 レディーミクストコンクリートの品質

レディーミクストコンクリートが所定の性能を有するかを確認するため**受入れ検査**を行う。圧縮強度は，①1回の試験結果は購入者が指定した呼び強度の85%（20.4 N/mm²）以上で，かつ②3回の試験結果の平均は，購入者が指定した呼び強度（24 N/mm²）以上であること。

①の規定でA工事，B工事及びC工事が不合格であり，②の規定でA工事，C工事が不合格となり，両条件を満たすのはD工事となる。

解答 (4)

関連問題 レディーミクストコンクリート（JIS A 5308）の受入れ検査の判定基準に関して，**適当なもの**はどれか。

(1) 購入者が指定したスランプ8 cmのスランプの許容差は，±2.5 cmである。
(2) 購入者が指定したコンクリートの材齢28日の強度の3回の試験結果の平均値は，指定した呼び強度の75% 以上でなければならない。
(3) 購入者が指定した塩化物含有量は，塩化物イオン量として原則として3.0 kg/m³ 以上である。
(4) 購入者が指定した空気量の許容差は，コンクリートの種類に関係なく±2.5% である。

解説　レディーミクストコンクリートの受入れ検査

レディーミクストコンクリートの受入れ検査は，受入れ側の責任のもとに実施し，荷卸し時に行うことを標準とする。

(1)　スランプ 8 cm 以上 18 cm 未満のコンクリートのスランプの許容差は ±2.5 cm である（P 35，表 1・10 参照）。

(2)　3 回の試験結果の平均値は，購入者が指定した呼び強度以上で 1 回の試験結果は，購入者が指定した呼び強度の 85% 以上であること。

(3)　原則として 0.30 kg/m³ 以下であること。

(4)　空気量に対する許容差は，コンクリートの種類にかかわらず，±1.5% である。

解答　(1)

表 5・11 コンクリートの受入れ検査

項　目	検査方法	時期・回数	判定基準
フレッシュコンクリートの状態	コンクリート主任技士やコンクリート技士による目視	荷卸し時 随時	ワーカビリティーが良好で，性状が安定していること
スランプ	JIS A 1101 の方法	荷卸し時 1 回/日又は構造物の重要度と工事の規模に応じて 20～150 m³ 毎に 1 回，及び荷卸し時に品質の変化が認められた時	許容誤差： スランプ 5 cm 以上 8 cm 未満：±1.5 cm スランプ 8 cm 以上 18 cm 以下：±2.5 cm
空気量	JIS A 1116 の方法 JIS A 1118 の方法 JIS A 1128 の方法		許容誤差：±1.5%
フレッシュコンクリートの単位水量	フレッシュコンクリートの単位水量試験から求める方法		許容範囲内にあること
フレッシュコンクリートの温度	JIS A 1156 の方法		定められた条件に適合すること
単位容積質量	JIS A 1116 の方法		定められた条件に適合すること
塩化物イオン量	JIS A 1144 の方法	荷卸し時 海砂を使用する場合 2 回/日，その他の場合 1 回/週	原則として 0.30 kg/m³ 以下
アルカリシリカ反応対策	配合計画書の確認	工事開始時及び材料あるいは配合が変化したとき	対策が取られていること
圧縮強度（材齢 28 日）（注）	JIS A 1108 の方法	荷卸し時 1 回/日又は 20～150m³ 毎に 1 回	設計基準強度を下回る確率が 5 %以下であること

（注）受取りから 28 日経過後でないと結果が得られないため，受入の判定には適用できない。不合格となった場合，非破壊試験，コアの採取等で検査する。

重要問題70 騒音・振動の防止対策

建設工事に伴う土工作業における地域住民の生活環境の保全対策に関して，**適当でないもの**はどれか。

(1) 切土による水の枯渇対策については，事前対策が困難なことから一般に枯渇現象の発生後に対策を講ずる。
(2) 盛土箇所の風によるじんあい防止については，盛土表面への散水，乳剤散布，種子吹付けなどによる防塵処理を行う。
(3) 土工作業における騒音，振動の防止については，低騒音，低振動の工法や機械を採用する。
(4) 土運搬による土砂飛散防止については，過積載防止，荷台のシート掛けの励行，現場から公道に出る位置に洗車設備の設置を行う。

解答と解説 生活環境の保全対策

(1) 地下水の水位低下・井戸枯れや水質汚濁等の近隣の迷惑を及ぼす工事については，事前に防止対策を立てる（近隣環境の保全）。
(2)自然環境の保全，(3)公害の防止，(4)現場作業環境の保全対策である。

解答 (1)

関連問題 建設工事に伴う環境保全計画で考慮すべき環境問題に関する事項として，**適当でないもの**はどれか。

(1) 公害問題（騒音，振動等）
(2) 交通問題（工事用車両交通による沿道障害等）
(3) 労働環境問題（作業環境，労働条件等）
(4) 近隣環境問題（近接構造物への影響，自然生物の保護等）

解説 施工計画上考慮すべき環境問題

施工計画上，考慮すべき環境問題は次の事項である。(3)は該当しない。

① 自然環境の保全（植生の保護，生物の保護，土砂崩壊の防止等）
② 公害の防止（騒音，振動，ばい煙，粉じん，水質汚濁防止等）
③ 現場作業環境の保全(排気ガス，騒音，振動，ばい煙，粉じんの防止対策)
④ 近隣環境の保全（工事用車両による沿道障害対策，掘削等による近隣建物などの影響，耕地の踏み荒し，工砂・排水の流出，井戸枯れ等）

解答 (3)

関連問題 ブルドーザ，トラクタショベル等の土工機械の騒音・振動の発生防止に関して，**適当でないもの**はどれか。

(1) 騒音は，エンジンの回転数に比例するので高負荷となる運転を避ける。
(2) 履帯式の土工機械では，摩擦音の発生を防止するため，履帯の張りの調整に注意する。
(3) 土工板，バケットは，衝撃的な操作を避ける。
(4) 履帯式の土工機械は，走行速度が大きくなると振動が小さくなるので，高速走行で運転する。

解説 **建設工事に伴う騒音・振動対策**

(4) ブルドーザ等の掘削押土の場合，能力以上の量を押すなど無理な運転をするとエンジン音が著しく大きくなるので，ていねいな運転をする。また，高速で後進を行うと，足回り騒音や振動が大きくなるので避ける。
騒音・振動防止についての技術的な対策は，次のとおり。
① 一般に大形機械は，小形機械に比べて騒音・振動が大きくなりやすい。
② エンジンは同程度の出力であれば，回転数の小さい方が騒音が小さい。無理な運転をすれば，回転数が大きくなりエンジン音が大きくなる。
③ エンジンに比べ電動モータの方が，騒音が小さい。
④ 整備の悪い機械は，騒音が大きくなりやすい。
⑤ 履帯式の土工機械では，車輪式（ホイール式）に比べ移動時の騒音振動が大きいので履帯の張りの調整を行う。また土工板・バケットの落下による衝撃的な操作を避ける。

解答 (4)

関連問題 市街地で地下連続壁工法により地下構造物を築造する場合，現場周辺で行う一般的な環境対策調査項目として，**該当しないもの**はどれか。

(1) 地下水水質調査　(2) 日照調査
(3) 井戸枯れ調査　(4) 騒音・振動調査

解説 **環境対策調査項目**

(2) 地下構造物の場合，日照調査は該当しない。

解答 (2)

重要問題71  資源の有効な利用

資源の有効な利用の促進に関する法律（リサイクル法）に関して，**適当でないもの**はどれか。

(1)　建設業における指定副産物には，土砂，コンクリートの塊又はアスファルト・コンクリートの塊が該当し，木材は該当しない。

(2)　建設工事に係る発注者等は，その建設工事に係る副産物の全部若しくは一部を再生資源として利用を促進するよう努めなければならない。

(3)　指定副産物は，その全部又は一部を再生資源として利用を促進することが特に必要な副産物として，業種ごとに定められている。

(4)　建設工事における再生資源には，建設工事に伴う副産物のうち有用なもので，原材料として利用できるもの又はその可能性のあるものをいう。

解答と解説　資源の有効な利用

(1)　**資源の有効な利用の促進に関する法律**（リサイクル法）では，建設工事に伴い副次的に得られる建設副産物のうち，「建設発生土，コンクリート塊，アスファルト・コンクリート塊」の３種類を**再生資源**として利用すべきとして指定している（再生資源利用計画の作成）。また，上記の３つの再生資源に建設発生木材を加えた４種類を再生資源の利用に促進すべきとして**指定副産物**としている（再生資源利用促進計画の作成）。

なお，図５･17に建設副産物のうち，再生資源と廃棄物との関係及び循環型社会の構築に向けた製品のライフサイクルの法令体系を示す。

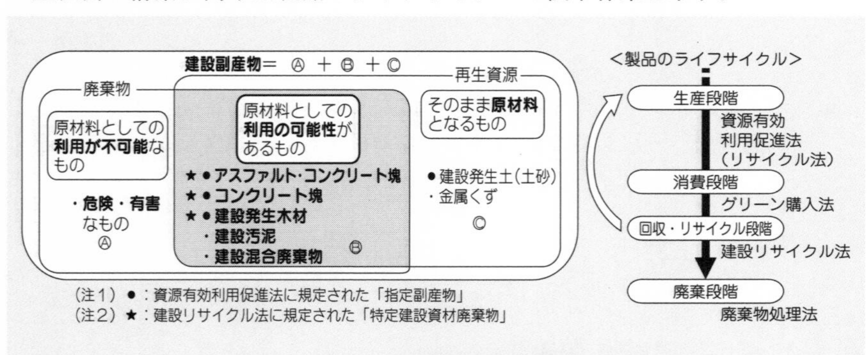

図５･17　建設副産物の構成

解答　(1)

関連問題 工事現場で発生する建設発生土等の利用に関して，**適当でないもの**はどれか。

(1) アスファルト・コンクリート塊は，再生処理し再生粒度調整砕石として，駐車場の舗装の上層路盤材料に利用できる。

(2) 含水率の高い粘性土は，安定処理すれば道路の路体盛土材料として利用できる。

(3) コンクリート塊は，再生処理し再生クラッシャーランとして，土木構造物の基礎材に利用できる。

(4) 建設汚泥（コーン指数 200 kN/m² 未満）は，そのまま一般堤防の盛土材として利用できる。

解説 建設発生土等の利用

建設副産物適正処理推進要綱では，建設工事の副産物である**建設発生土**（コーン指数 200 kN/m² 以上，第 1 種～第 4 種に区分し，利用用途を定めている）と**建設汚泥**（コーン指数 200 kN/m² 未満）等の建設廃棄物の適正な処理に必要な基準を示している。含水比の高い粘性土は，安定処理により道路の路体盛土材料として利用が可能である。

(4) **建設汚泥**（コーン指数 200 kN/m² 未満）は，脱水・乾燥・セメント等の安定処理により再生資源化し，建設資材として利用は可能となるが，一般堤防の盛土材としては利用できない。

表 5・12 特定建設資材の処理方法と用途

特定建設資材	具体的な処理方法	処理後の材料名
コンクリート	① 破砕 ② 選別 ③ 混合物除去 ④ 粒度調整	① 再生クラッシャーラン ② 再生骨材，路盤材 ③ 基礎材，埋戻し材 ④ コンクリート用骨材
コンクリート及び鉄から成る建設資材	① 破砕 ② 選別 ③ 混合物除去 ④ 粒度調整	① 再生クラッシャーラン ② 再生骨材，路盤材 ③ 基礎材，埋戻し材 ④ コンクリート用骨材
木材	① チップ化	① 木質ボード，堆肥 ② 再生木質マルチング材 ③ 燃料，クッション材 ④ コンクリート型枠
アスファルト・コンクリート	① 破砕 ② 選別 ③ 混合物除去 ④ 粒度調整	① 上層路盤材 ② 基礎用材料 ③ 表層用材料

（注）特定建設資材とは，建設リサイクルに規定する上記 4 種類をいう。

(4)

重要問題72  建設廃棄物の再資源化

建設工事に係る資材の再資源化等に関する法律（建設リサイクル法）の目的に関する下記の文章の［　　］に当てはまる適切な語句はどれか。

特定の建設資材について，その［(イ)］等及び再資源化等を促進するための措置を講ずるとともに，解体工事業者について［(ロ)］を実施すること等により，再生資源の十分な利用及び廃棄物の減量等を通じて，資源の有効な利用の確保及び廃棄物の適正な処理を図り，もって生活環境の保全及び国民経済の健全な発展に寄与することを目的とする。

	(イ)	(ロ)		(イ)	(ロ)
(1)	環境保全…………	許可制度	(2)	環境保全…………	登録制度
(3)	分別解体…………	許可制度	(4)	分別解体…………	登録制度

解答と解説　建設工事に係る資材の再資源化等

(4)　**建設工事に係る資材の再資源化等に関する法律**（建設リサイクル法）の目的は，次のとおり。

① 特定の建設資材について，分別解体及び再資源化等を促進する。

② 再生資源の十分な利用及び廃棄物の減量等を通じ，資源の有効な利用の確保及び廃棄物の適正な処理を図る。

③ 解体工事業者の登録制度を実施する。

解答　(4)

関連問題　建設工事に係る資材の再資源化等に関する法律（建設リサイクル法）で定める特定建設資材に**該当しないもの**はどれか。

(1)　コンクリート

(2)　木材

(3)　コンクリート及び鉄から成る建設資材

(4)　建設汚泥

解説　建設リサイクル法に定める特定建設資材

特定建設資材とは，建設資材が廃棄物となった場合にその再生資源化が資源の有効な利用及び廃棄物の減量を図る上で，特に必要な次の4種類をいう。（　）内は建設資材廃棄物を示す。

① コンクリート（コンクリート塊）
② コンクリート及び鉄から成る建設資材（コンクリート塊）
③ 木材（建設発生木材）
④ アスファルト・コンクリート（アスファルト・コンクリート塊）

(4) 建設汚泥（コーン指数 200 kN/m^2 未満）は，廃棄物の処理及び清掃に関する法律に規定する産業廃棄物であり，また，資源の有効な利用の促進に関する法律に規定する建設副産物（建設廃棄物）に該当するため，再生利用が図られるように努める必要のあるものである。

解答 (4)

関連問題 建設工事に係る資材の再資源化等に関する法律（建設リサイクル法）に関して，**正しいもの**はどれか。

(1) 分別解体等は，特定建設資材廃棄物を種類ごとに工事現場において分別するため，定められた基準に従って計画的に行わなければならない。
(2) 建築物の新築工事は，分別解体等，再資源化等の義務付け対象とはならない。
(3) 分別解体等に伴い廃棄物となった場合に，再資源化等をしなければならない特定建設資材として定められている建設資材は，コンクリート，アスファルト・コンクリート，木材，汚泥の 4 品目である。
(4) 特定建設資材を用いた一定規模以上の建築物等に係る解体工事を発注しようとする者は，直接請け負おうとする者に対し，分別解体等の計画等について，書面を交付して説明しなければならない。

解説 対象建設工事の元請業者が行うべき事項

(2) 一定規模以上で特定建設資材を用いた建築物の解体工事（床面積 80 m^2 以上），新築工事（床面積 500 m^2 以上）等の**対象建設工事**については，分別解体し，再資源化等を行うことが義務付けられている。なお，土木工事は，500 万円以上が対象となる。

(3) 特定建設資材とは，コンクリート，コンクリート及び鉄から成る建設資材，木材及びアスファルト・コンクリートの 4 品目である。汚泥は該当しない。

(4) 対象建設工事の元請業者は，発注者に対し分別解体等の計画等の事項を記載した書面を交付して説明し，発注者と契約する。発注者は，工事着手 7 日前までに都道府県知事に届け出る。

解答 (1)

産業廃棄物の処分

廃棄物の処理及び清掃に関する法律（廃棄物処理法）の定めとして，**誤っているもの**はどれか。

(1) 廃棄物は，家庭廃棄物と産業廃棄物とに分類される。
(2) 産業廃棄物管理票(マニフェスト)とは，産業廃棄物の処理状況を管理・記録するための管理票のことである。
(3) 産業廃棄物管理票(マニフェスト)の写しの保存期間は，５年間である。
(4) 建設工事から発生するコンクリートくずは，産業廃棄物に分類される。

解答と解説　産業廃棄物の処理

廃棄物の処理及び清掃に関する法律（廃棄物処理法）は，①廃棄物の排出の抑制，②廃棄物の適正な分別，収集，運搬，再生，処分，③生活環境を清潔にすることを目的としている。

(1) 廃棄物には，**一般廃棄物**と事業活動に伴って生じる**産業廃棄物**がある。

解答 (1)

関連問題 建設廃棄物等の循環資源が適正・有効に利用・処分される「循環型社会」に向けた対策に関する下記の文章の［　］に当てはまる適切な語句の組合せとして，**適当なもの**はどれか。

道路工事からの建設副産物については，設計段階で副産物の［(イ)］に努めるとともに，建設工事から発生する副産物のうち建設発生土は道路盛土材料として［(ロ)］され，コンクリート塊やアスファルト・コンクリート塊は工事現場から再資源施設へ運搬し，再生資材として［(ハ)］を図る。

工事現場から搬出する建設廃棄物の［(ニ)］の処理については，マニフェストの交付により処理が確実に完了したことを排出事業者は確認しなければならない。

	(イ)	(ロ)	(ハ)	(ニ)
(1)	再生利用	再使用	発生抑制	最終処分
(2)	再使用	分別処理	再生利用	最終処分
(3)	発生抑制	再使用	再生利用	適正処分
(4)	分別処理	再生利用	再使用	適正処分

解説　建設廃棄物の有効利用・処分対策

循環型社会の構築に向けて，建設副産物対策に関しては，生産段階でリサイクル法が，使用段階でグリーン購入法が，回収リサイクル段階で建設リサイクル法が，最終廃棄段階で廃棄物処理法がある。これ以外に，建設発生土と建設廃棄物の適正な処理等の基準として建設副産物適正処理推進要綱があり，必要な措置をとる必要がある（P 164，図 5・17 参照）。

解答　(3)

関連問題　廃棄物の処理及び清掃に関する法律に定める産業廃棄物のうち，安定型産業廃棄物に**該当しないもの**はどれか。

(1)　金属くず　　(2)　廃プラスチック類
(3)　木くず　　(4)　ゴムくず

解説　産業廃棄物の最終処分

(3)　有害な廃棄物は**遮断型処分場**で，公共の水域や地下水を汚染する廃棄物は**管理型処分場**で，そのおそれのない廃棄物は**安定型処分場**で行う。

表 5・13　処分場の形式と処分できる廃棄物

処分場の形式	処分できる廃棄物
安定型処分場	廃プラスチック類，ゴムくず，金属くず，ガラスくず及び陶磁器くず，建設廃材等
管理型処分場	廃油（タールピッチ類に限る），紙くず，木くず，繊維くず，動植物性残渣，動物のふん尿，動物の死体及び無害な燃えがら，ばいじん，汚泥，鉱さい等
遮断型処分場	有害な燃えがら，ばいじん，汚泥，鉱さい等

解答　(3)

関連問題　建設工事から発生する廃棄物の種類に関して，「廃棄物の処理及び清掃に関する法律」上，**誤っているもの**はどれか。

(1)　工作物の除去で生ずるコンクリートの破片は，産業廃棄物である。
(2)　防水アスファルトやアスファルト乳剤の廃油は，産業廃棄物である。
(3)　工作物の新築で生ずる段ボールなどの紙くずは，一般廃棄物である。
(4)　灯油類などの廃油は，特別管理産業廃棄物である。

解説　産業廃棄物

(3)　工作物の新築に伴う段ボールは，産業廃棄物である。

解答　(3)

第２次検定

第６章

第２次検定

内容

1．施工経験の記述
2．土工の記述
3．コンクリート工の記述
4．施工管理法の記述

対策

1．第２次検定では，主任技術者として実務経験に基づく施工管理技術の知識と応用能力が求められます。
（参考：必須問題５問，選択問題⑴，⑵の４問）
2．施工経験記述は，各自が経験した土木工事に関する施工経験記述問題（論文）で，毎年同じ形式で出題されるので，事前にまとめておくこと。
3．土工，コンクリート工及び施工管理法の出題形式は，穴あき問題と短問記述です。第１次検定の内容と合わせて学習して下さい。

重要問題74  施工経験記述のポイント

あなたが経験した土木工事の現場において，工夫した○○管理又は工夫した○○管理のうちから１つ選び，次の〔設問１〕，〔設問２〕に答えなさい。〈○○は工程管理，品質管理，安全管理等〉

〔注意〕 あなたが経験した工事でないことが判明した場合は失格となります。

〔設問１〕 あなたが**経験した土木工事**に関し，次の事項について解答欄に明確に記述しなさい。

〔注意〕「経験した土木工事」は，あなたが工事請負者の技術者の場合は，あなたの所属会社が受注した工事内容について記述してください。従って，あなたの所属会社が二次下請業者の場合は，発注者名は一次下請業者名となります。
　なお，あなたの所属が発注機関の場合の発注者名は，所属機関名となります。

(1) **工　事　名**
(2) **工事の内容**
　① **発注者名**
　② **工事場所**
　③ **工　　期**
　④ **主な工種**
　⑤ **施 工 量**
(3) **工事現場における施工管理上のあなたの立場**

〔設問２〕 上記工事で実施した，**「現場で工夫した○○管理」又は「現場で工夫した○○管理」**のいずれかを選び，次の事項について解答欄に具体的に記述しなさい。

(1) 特に留意した**技術的課題**
（７行程度で記述）
(2) 技術的課題を解決するために**検討した項目と検討理由及び検討内容**
（９行程度で記述）
(3) 上記検討の結果，**現場で実施した対応処置とその評価**
（９行程度で記述）

解答と解説　施工経験記述のポイント

〔設問 1〕工事概要の留意事項

(1) **工事名及び工事の内容**：実際に施工した工事名，工事内容とし，工事箇所や工事区間についても明確にしておくこと（工事契約書で確認）。

(2) **工事内容**：主な工種は，アスファルト舗装工，擁壁工，浚渫工，切土工，盛土工等で，施工量は主な工種ごとの数量を記述する。

(3) **施工管理上の立場**：主任技術者，現場監督員，工事主任，現場代理人等。

〔設問 2〕技術的課題の留意事項

(1) 技術的課題について

① **工程管理：**

天候不順・現場条件による工期の遅れ，材料・機械等の調達計画の誤りによる工期の遅れ，事故による工期の遅れ等を取り上げ，工期を取り戻すための配置計画，施工順序，施工方法等の技術的な課題を取り上げる。

② **品質管理：**

盛土工での締固め・含水比等，コンクリート工でのスランプ，空気量・圧縮強度等，アスファルト工での温度，アスファルト量・施工厚さ等，工事工作物の品質確保のための具体的な課題を取り上げる。

③ **安全管理：**

災害を未然に防ぎ作業員の不安定・不安全行為をなくし安全作業の確保，危険予知活動及び法令遵守等の取組みから技術的な課題を取り上げる。

(2) 検討項目と検討理由及び検討内容について

① **工程管理**：工程計画の検討及び残工事期間から大型機械の投入・台数増加，資材調達の円滑化，作業員の増員等の検討。

② **品質管理**：締固め機械の選定，コンクリートの温度管理及び養生方法等。

③ **安全管理**：労働者及び公衆に対する安全対策。法令遵守の徹底，安全灯の設置，交通整理員の配置，安全意識高揚等の安全活動の取組み等。

(3) 現場で実施した対応処置とその評価

検討内容のうち，実際に行ったこととその結果（評価）について記述する。

(1)，(2)，(3)について，与えられた課題に対してストーリを構成して記述する。

ストーリの構成（品質管理）	(1)技術的課題	(2)検討項目・内容	(3)対応処置の評価
	路体，路床，構造物の安全性・耐久性の確保	施工厚・施工方法，含水比，浸透対策の検討	地下排水溝の設置，施工含水比の設定

重要問題75　施工経験・工程管理の記述

工夫した工程管理について次の〔設問１〕，〔設問２〕に答えなさい。

〔設問１〕　工事の概要

(1)　工 事 名　〇〇市〇〇地区配水管改良工事

(2)　工事内容

①　発注者名　〇〇市水道局給水課

②　工事場所　〇〇市〇〇町〇〇地先

③　工　　期　令和〇年〇月〇日～令和〇年〇月〇日

④　主な工種　配水管布設工，アスファルト舗装工

⑤　施 工 量　配水管（PE ϕ 75 mm），布設 L＝1,800 m，舗装工 7,000 m^2

(3)　工事現場における施工管理上のあなたの立場　工事主任

〔設問２〕　工期確保のため工夫した施工法（工程管理）

(1)　特に留意した**技術的な課題**

本工事は〇〇市〇〇地区，工期が６月～10 月の配水管改良工事である。施工にあたり，交通対策等警察署との打ち合わせ，工事が梅雨や台風の季節にあたり，天候不順等により計画どおりに工事が進まないことが想定された。また，ガス会社との競合で，ガス管移設等ガス会社との作業調整が必要となり，工期確保のため余裕を持たせた施工方法が必要となった。

(2)　技術的な課題を解決するために**検討した項目と検討理由及び検討内容**

工期確保のため，社内のスタッフ，関係請負人を含めて以下の事項について検討した。

①　天候不順，ガス管移設による工事中断による工期確保のための対策
　ネットワーク工程表による工事管理の検討

②　交通対策による作業時間の検討及び工事進捗状況の確認方法
　１日あたりの作業量と作業日数及び進捗状況の確認の検討

③　現場図面と既設管等の確認方法と対応策の検討

(3)　上記検討の結果，**現場で実施した対応処置とその評価**

上記検討の結果，以下の対応を実施した。

①　天候不順による工事中断及びガス管移設による工事中断に対して，随時ネットワーク工程表により，工期回復のための対策ができた。

②　作業時間を午前 10 時～午後４時とし，日々の出来高，進捗状況を確認し，工期確保を図ることができた。

③　配水管布設に先行して，既設管の位置確認を実施し，作業能率を高めることにより，余裕をもって工事ができた。

工夫した工程管理について次の〔設問1〕，〔設問2〕に答えなさい。

〔設問1〕 工事の概要

(1) **工　事　名** 県道○○線道路改良工事

(2) **工事の内容**

① **発注者名** ○○県○○土木事務所

② **工事場所** ○○市○○町○○地内

③ **工　　期** 令和○年○月○日～令和○年○月○日

④ **主な工種** 土工，擁壁工，路盤工，舗装工

⑤ **施 工 量** 切土 15,000 m^3，盛土＝25,000 m^3，コンクリート 1,000 m^3

(3) **工事現場における施工管理上のあなたの立場** 主任技術者

〔設問2〕 工程の遅れを取戻す対策（工程管理）

(1) 特に留意した**技術的な課題**

本工事は，延長500 mの道路改良工事である。次の理由により天候不順による工程の遅れ対策が課題となった。施工場所は軟弱地盤で，工期が梅雨期と重なり土工機械のトラフィカビリティーの確保が必要である。

施工にあたり，当初の工程では，擁壁工等の基礎掘削が5月中旬から6月末に集中しており，梅雨の長雨による土工作業の遅れが予想された。

(2) 技術的な課題を解決するために**検討した項目と検討理由及び検討内容**

土工，コンクリート工作業において，次の雨天対策（6月上旬までに完成）について技術的事項の検討を行った。

① 土工機械のトラフィカビリティーの確保の検討
　地盤改良工法，工事用道路の設置について
② 基礎掘削の作業日程の検討
　ネットワーク工程表による日程短縮について
③ 各工種ごとの工程の見直し
　区画割り，作業班等，作業計画の改善について

(3) 上記検討の結果，**現場で実施した対応処置とその評価**

① トラフィカビリティーの改善対策として，路床全体に表層排水工，地下排水工を設け排水対策をとった。また，こね返しによる地盤支持力の低下が予想される箇所では，別に工事用道路を設けた。
② ネットワーク工程表により，基礎掘削及び擁壁工の工程を梅雨に入る前の6月上旬までに終了するよう日程短縮を行った。
③ 日程短縮の結果，土工・鉄筋工・型枠大工等の作業班が1班増え，余分出費となったが，工事を6月上旬までに終了することができた。

施工経験・品質管理の記述

工夫した品質管理について次の〔設問１〕，〔設問２〕に答えなさい。

〔設問１〕 工事の概要

(1) **工事名** ○○県○○地区砂防工事

(2) **工事の内容**

① **発注者名** ○○県○○土木事務所

② **工事場所** ○○市○○町○○地先

③ **工期** 令和○年○月○日～令和○年○月○日

④ **主な工種** 砂防ダム工（えん堤工）

⑤ **施工量** 堤体高さ 10 m，長さ 75 m，側壁 30 m，コンクリート 4,700 m^3

(3) **工事現場における施工管理上のあなたの立場** 現場主任

〔設問２〕 品質確保のための施工方法（品質管理）

(1) 特に留意した**技術的な課題**

本工事は，寒冷地域に設ける砂防ダム工事であり，工期は非出水期間の冬期に限られている。コンクリートの打設時期は，10月下旬から３月上旬である。12月から２月は夜間の気温が氷点下となり，コンクリートの凍結のおそれがあった。特に打込み温度，養生温度等に留意が必要であった。以上の理由により，コンクリートの品質確保について課題となった。

(2) 技術的な課題を解決するために**検討した項目と検討理由及び検討内容**

寒冷時におけるダムコンクリートの品質を確保するため，次の事項について検討を行った。

① マスコンクリートの施工法の検討
区画割り，AE 剤の使用等，寒中コンクリートの施工について

② コンクリートの温度管理，養生の検討
打込み時の温度の設定，養生期間について

③ 型枠及び支保工の脱型時期の検討
凍結による変位防止対策について

(3) 上記検討の結果，**現場で実施した対応処置とその評価**

寒中コンクリートとして，次の処置を講じた。

① 凍害を防ぐため単位水量を少なくし，AE コンクリートとした。

② 打込み時のコンクリート温度を５～20℃ に保つため，水・骨材を 30℃ まで加熱した。また，打設後の養生温度を５℃以上に保つため，コンクリート全体に養生シートを覆い，その間に保温台等を置いた。

③ 保温性の良い型枠を用い，コンクリートの最高・最低温度を測定し，型枠の取外しはコンクリートの急激な温度低下に留意して行った。

工夫した品質管理について次の〔設問 1〕，〔設問 2〕に答えなさい。

〔設問 1〕 工事の概要

(1) **工 事 名** ○○市○○線舗装改修工事

(2) **工事の内容**

① **発注者名** ○○市建設部道路維持課

② **工事場所** ○○市○○町○○地内

③ **工　　期** 令和○年○月○日～令和○年○月○日

④ **主な工種** 路面切削工，アスファルト舗装工

⑤ **施 工 量** 路面切削(± 5 cm, 1,520 m^2), アスファルト舗装(表層 1,760 m^2)

(3) **工事現場における施工管理上のあなたの立場** 現場監督

〔設問 2〕 アスファルト舗装の品質管理（品質管理）

(1) 特に留意した**技術的な課題**

本工事は，既設舗装路面の老朽化による損傷の改修工事（路面切削 5 cm，アスファルト舗装 5 cm，延長 250 m）である。

施工場所は交通量が多く，片側通行の交通規制がある。路面切削後，舗装をするための基層との密着性の確保，工期が冬季のためアスファルト混合物の温度管理が課題であった。

(2) 技術的な課題を解決するために**検討した項目と検討理由及び検討内容**

アスファルトの品質確保のため，次の項目を検討した。

① 密着性を良くするため，切削後のダスト等の清掃方法及びタックコートの散布方法の検討。

② アスファルトプラントからのアスファルト混合物の温度低下の検討と出荷温度の検討

③ 施工の各段階の温度設定及び締固め度の測定方法の検討

(3) 上記検討の結果，**現場で実施した対応処置とその評価**

① ダストの除去清掃は，路面スイパーで行い，側溝脇は人力によって行った。また目視にてダスト残りを確認した。

② アスファルトプラントからの運搬時間，待機時間の温度低下を考慮し，出荷温度を 200℃ とした。敷均し温度 170℃，初期転圧温度 160℃，二次転圧温度 80℃，開放温度を 40℃ とし散水で温度低下させた。

③ デジタル温度計により温度管理を行い，所定の温度が確保された。

重要問題77 施工経験・安全管理の記述

工夫した安全管理について次の〔設問１〕,〔設問２〕に答えなさい。

〔設問１〕 工事の概要

(1) **工 事 名**　○○県○○線道路改良工事

(2) **工事内容**

① **発注者名**　○○県○○土木事務所

② **工事場所**　○○市○○町○○地内

③ **工　　期**　令和○年○月○日～令和○年○月○日

④ **主な工種**　重力式擁壁工，アスファルト舗装工

⑤ **施 工 量**　擁壁工（ℓ＝100 m，H＝2.0～3.5 m），舗装工 7,000 m^2

(3) **工事現場における施工管理上のあなたの立場**　工事主任

〔設問２〕 安全管理体制の確立（安全管理）

(1) 特に留意した**技術的な課題**

本工事は，交通量 8,000 台／日，４車線で近くに住宅地,小中学校の通学路があり,交通の確保及び道路切換時の通行者の安全対策が課題となった。

施工にあたり，工事現場内での工事車両の出入，各種建設機械の混在，各下請負業者の混在作業等，現場内の安全管理体制の確立及び強化が大きな課題となった。

(2) 技術的な課題を解決するために**検討した項目と検討理由及び検討内容**

安全対策として，次の安全管理項目について検討した。

① 作業現場への工事車両の交通流の安全確認，夜間の保安灯等の設置，道路標識・標示板の設置，迂回路の確保・仮歩道について

② 安全衛生管理体制の強化，労働者の安全意識の向上について

③ 各作業の安全基準（安全作業標準）の厳守について

④ 各作業の作業主任者の職務の確認と作業主任者の選任について

⑤ 安全朝礼，安全ミーティングの実施と安全点検について

⑥ 公衆災害防止対策，現場内の整理整頓について

(3) 上記検討の結果，**現場で実施した対応処置とその評価**

① 施工にあたっては，迂回道路を確保し，２車線の交通を可能とし両側に幅２m の仮歩道を設け，誘導柵道路標識，照明灯等の設置，ガードマンを配置した。

② 安全施工サイクル活動として，安全朝礼・安全ミーティング，作業前点検，職長・作業主任者による作業の指導・監督，作業所長の現場巡視，安全工程の打合せ，後片付け等の徹底の結果，事故なく工事を完了することができた。

工夫した安全管理について次の〔設問 1〕，〔設問 2〕に答えなさい。

〔設問 1〕 工事の概要

(1) **工　事　名**　○○市○○ 3 号線圧入工事

(2) **工事の内容**

① **発注者名**　○○市下水道局

② **工事場所**　○○市○○町○○地内

③ **工　　期**　令和○年○月○日～令和○年○月○日

④ **主な工種**　下水道管布設工（セミシールド工）

⑤ **施 工 量**　ϕ 1200 mm，ℓ =67.0 m，立坑 6.0 m，掘削土量 V=220 m^3

(3) **工事現場における施工管理上のあなたの立場**　主任技術者

〔設問 2〕 安全管理活動（安全管理）

(1) 特に留意した**技術的な課題**

本工事は，ϕ 1,200 のヒューム管を圧入するセミシールド工法で，立坑の深さ 6.0 m，圧入長さ 67.0 m である。立坑内及び坑内からの酸素欠乏，地山からのメタンガス等の発生の危険があった。

施工にあたり，酸欠危険場所における安全対策・毎日の安全管理活動が特に重要な課題であった。

(2) 技術的な課題を解決するために**検討した項目と検討理由及び検討内容**

施工着手前に監督員と酸欠空気や可燃性ガス発生対策について，以下の①～③について検討を行った。

① 作業員の特別教育，作業主任者の選任の検討
作業主任者による直接指揮，作業員の特別教育について

② 酸欠危険場所における作業方法の検討
たて坑内，切羽等の常時換気対策について

③ 立入り禁止，退壁及び救急処置の検討
労働者の安全意識向上，避難訓練の実施について

(3) 上記検討の結果，**現場で実施した対応処置とその評価**

① 酸欠及びメタンガス等の危険性について，特別教育を行い，酸欠時の処置及び坑内での火気の注意を毎日の作業開始前に徹底した。

② 入坑前及び作業中も十分な換気を行った。現場に酸素欠乏危険作業主任者を置き，作業開始前に酸素・メタンガス等の濃度を測定させた。

③ 切羽に定置式の測定器を設置し，酸欠及びメタンガスの発生が生じた場合は，坑内外ですぐ分かるようにした。

以上の結果，事故もなく安全に工事を終了することができた。

重要問題78  盛土・切土の施工

盛土に関する文章の［　　］に当てはまる**適切な語句を**記入しなさい。

盛土材料の性質は，施工の難易や完成後の盛土の性質を左右するものである。一般的な盛土に適する材料は，施工が容易で［(イ)］が大きく，［(ロ)］が小さい性質をもった土である。

盛土の締固め作業は，盛土の品質を直接決定する最も重要な施工段階である。締固めの目的は，土の中の［(ハ)］を減少させることにより，透水性を低下させ，水の浸入による軟化及び［(ニ)］を小さくして土を最も［(ホ)］した状態にすることである。また，盛土法面の［(ホ)］や支持力など土構造物に必要な強度特性をもたせる。

［語　句］

空気間隙	含水比	水　圧	圧縮性	耐久性
平坦性	せん断強度	荷　重	接地圧	膨　張
縮　小	粘　土	安　定	乾　燥	飽　和

解答と解説　盛土材料，盛土の締固め

解答

(イ)	(ロ)	(ハ)	(ニ)	(ホ)
せん断強度	圧縮性	空気間隙	膨　張	安　定

関連問題　切土の施工に関する次の文章の［　　］の(イ)～(ホ)に当てはまる**語句を下記の語句から選び**記入しなさい。

(1)　施工機械は，地質・［(イ)］条件，工事工程などに合わせて最も効率的で経済的となるよう選定する。

(2)　切土の施工中にも，雨水による法面［(ロ)］や崩壊・落石が発生しないように，一時的な法面の排水，法面保護，落石防止を行う。

(3)　地山が土砂の場合の切土面の施工にあたっては，丁張にしたがって［(ハ)］から余裕をもたせて本体を掘削し，その後，法面を仕上げる。

(4)　切土法面では［(イ)］・岩質・法面の規模に応じて，高さ5～10mごとに1～2m幅の［(ニ)］を設ける。

(5)　切土部は常に［(ホ)］を考えて適切な勾配をとり，かつ切土面を滑らかに整形するとともに，雨水などが湛水しないように配慮する。

［語　句］

浸　食	親　綱	仕上げ面	日　照	補　強
地表面	水　質	景　観	小　段	粉じん
防護柵	表面排水	越　水	垂直面	土　質

解説　切土の施工

(1)　自然地盤は，土質が極めて不均質で変化に富んでいる。切土した法面は，盛土と異なり複雑で不均一な構造で，時間の経過とともに不安定となる。掘削方法として，ショベル系掘削機やトラクタショベルによる**ベンチカット工法**（階段式掘削）とブルドーザ，スクレーパによる**ダウンヒルカット工法**（傾斜面掘削）がある。施工機械は，地質・(イ)土質条件等考慮して最も効率的で経済的となるように選定する。

(2)　施工中にも，雨水等による法面の(ロ)浸食や崩壊・落石等が発生しないように，一時的な法面の排水，法面保護，落石防止を行う。また，掘削終了を待たずに切土の施工段階に応じて順次上方から保護工をする。

(3)　地山が土砂の場合，丁張にしたがって(ハ)仕上げ面から余裕をもたせて本体を掘削し，その後人力やバックホウ等で仕上げる。

(4)　切土法面の小段は，法面排水と維持管理時の点検作業を考慮して設ける。切土高が高い場合，土質・岩質が変化する場合は，高さ5～10 m ごとに1～2 m 幅の(ニ)小段を設ける。

(5)　切土施工時の排水については，切土法面の法肩付近は雨水の流下による浸食を受けやすいので，(ホ)表面排水を考えて3％程度の勾配をとり，切土面を円滑（ラウンディング）にする。

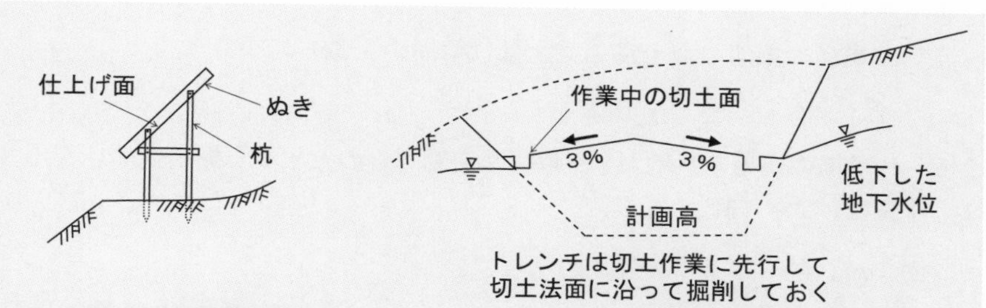

図6・1　切土法面の丁張

図6・2　切土面の横断勾配

解答

(イ)	(ロ)	(ハ)	(ニ)	(ホ)
土質	浸食	仕上げ面	小段	表面排水

重要問題79  土量の変化，土量の計算

A現場の切土3,000 m^3（地山土量）と，土取場の土をバックホウで掘削し，B現場へダンプトラックで運搬して盛土6,000 m^3（締固め土量）を行う土工工事に関して［　　］に**当てはまる適切な数値を**記入しなさい。

［条　件］

$$Q = \frac{q_0 \times K \times f \times E}{C_m} \times 3,600$$

Q：バックホウの時間当たり作業量（m^3/h）

q_0：バケットの平積容量0.6 m^3，K：バケット係数0.8

f：土量換算係数　　（与えられた条件により算出）

　C：土量変化率0.80，L：土量変化率1.20

E：作業効率0.75

C_m：サイクルタイム36 sec

ダンプトラックの1台の積載土量（ほぐし土量）は，5.0 m^3 とする。

(1)　A現場の切土を，稼働時間が5時間／1台・1日のバックホウ2台を用いて掘削したときの延べ掘削作業日数は［ (イ) ］日である。

(2)　A現場（切土）からB現場（盛土）への運搬に使用するダンプトラックの延べ台数は［ (ロ) ］台である。

(3)　B現場への運搬を，運搬回数9回／1台・1日のダンプトラックを使用して延べ掘削日数［ (イ) ］日で終了させるときの1日あたり必要台数は［ (ハ) ］台である。

(4)　A現場で掘削した土量を盛土量（締固め土量）に換算すると［ (ニ) ］m^3 である。

(5)　B現場の盛土の不足土を土取場から補うものとすると掘削すべき地山土量は［ (ホ) ］m^3 である。

［数　値］

7　　8　　10　　20　　72　　80　　480　　600

720　　2,400　　3,000　　3,600　　4,500

解答と解説 土工量の計算

表 6・1 土量換算係数 f の値

求める土量 (Q) ／ 基準の土量 (q)	地山の土量	ほぐした土量	締固め後の土量
地山の土量 (A)	1	L	C
ほぐした土量	$1/L$	1	C/L
締固め後の土量	$1/C$	L/C	1

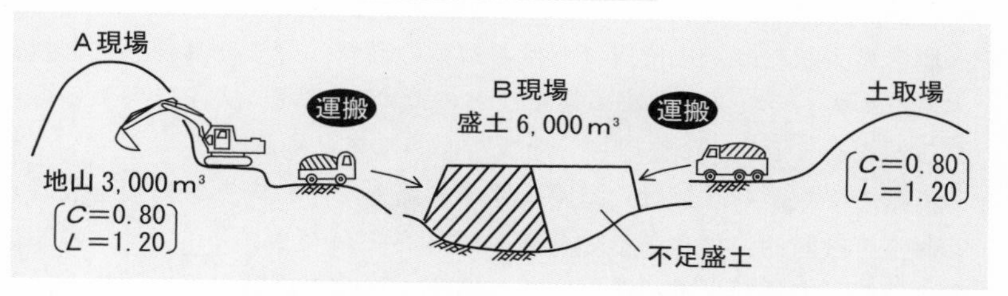

(1) バックホウの時間当たりの作業能力 (m³/h) 及び掘削日数は，次のとおり。なお，バックホウのバケット容量 q_0 は平積み（ほぐした土量），地山土量に換算すると，土量変化率 f は $1/L$ となる (P 20)。

$$Q = \frac{q_0 \times K \times f \times E}{C_m} \times 3,600 = \frac{0.6 \times 0.8 \times (1/1.20) \times 0.75}{36} \times 3,600 = 30\ \mathrm{m^3/h}$$

$$\text{掘削日数} = \frac{3,000\ \mathrm{m^3}}{30\ \mathrm{m^3} \times 2\,\text{台} \times 5\ \mathrm{h}} = \underline{10\,\text{日}}$$

(2) 地山土量 3,000 m³ をほぐすと，3,000 m³×1.2＝3,600 m³ の土量が生じる。ダンプトラックの積載土量（ほぐした土量）は，5.0 m³ であるから，

$$\text{延べ台数} = \frac{3,600}{5.0} = \underline{720\,\text{台}}$$

(3) ダンプトラックの必要台数は，次のとおり。

$$\text{必要台数} = \frac{720\,\text{台}}{9\,\text{回} \times 10\,\text{日}} = 8\,\text{台／日}$$

(4) A 現場 3,000 m³ の地山土量を，締固め土量（盛土量）に換算すると，
盛土量＝3,000 m³×C＝3,000×0.8＝<u>2,400 m³</u>

(5) 不足盛土＝6,000－2,400＝3,600 m³
地山土量＝3,600 m³／C＝3,600／0.8＝<u>4,500 m³</u>

解答

(イ)	(ロ)	(ハ)	(ニ)	(ホ)
10	720	8	2,400	4,500

重要問題80  原位置試験，法面保護工，土留め工

土の原位置試験に関する［　　］に当てはまる**語句**を記入しなさい。

(1) 原位置試験は，土がもともとの位置にある自然の状態のままで実施する試験の総称で，現場で比較的簡易に土質を判定しようとする場合や乱さない試料の採取が困難な場合に行われ，標準貫入試験，道路の平板載荷試験，砂置換法による土の［(イ)］試験などが広く用いられている。

(2) 標準貫入試験は，原位置における地盤の硬軟，締まり具合などを判定するための［(ロ)］や土質の判断などのために行い，試験結果から得られる情報を［(ハ)］に整理し，地質断面図にまとめる。

(3) 道路の平板載荷試験は，道路の路床や路盤などに剛な載荷板を設置して荷重を段階的に加え，その荷重の大きさと載荷板の［(ニ)］との関係から地盤反力係数を求める試験で，路床，路盤の設計や締め固めた地盤の強度と剛性が確認できることから工事現場での［(ホ)］に利用される。

［語　句］

品質管理	粒度加積曲線	膨張量	出来形管理	沈下量
隆起量	N値	写真管理	密度	透水試験
土積図	含水比	土質柱状図	間隙水圧	粒度

解答　土の原位置試験

(イ)	(ロ)	(ハ)	(ニ)	(ホ)
密度	N値	土質柱状図	沈下量	品質管理

関連問題　植生による法面保護工と構造物による法面保護工について，**それぞれ1つずつ工法名とその目的又は特徴について**記述しなさい。

(1) 植生による法面保護工　　(2) 構造物による法面保護工

解答　法面保護工

	工　法　名	工法の目的又は特徴
(1)	種子散布工	侵食防止，凍上崩落抑制，植生による早期全面被覆。
	張芝工	芝の全面貼り付けによる侵食防止，凍上崩落抑制，植生による早期全面被覆。
(2)	プレキャスト枠工	中詰が土砂やぐり石の空詰めの場合は侵食防止。
	ブロック積擁壁工	ある程度の土圧に抵抗。

関連問題 下図の土留め支保工(イ)〜(ホ)に示す**部材の名称**を記入しなさい。

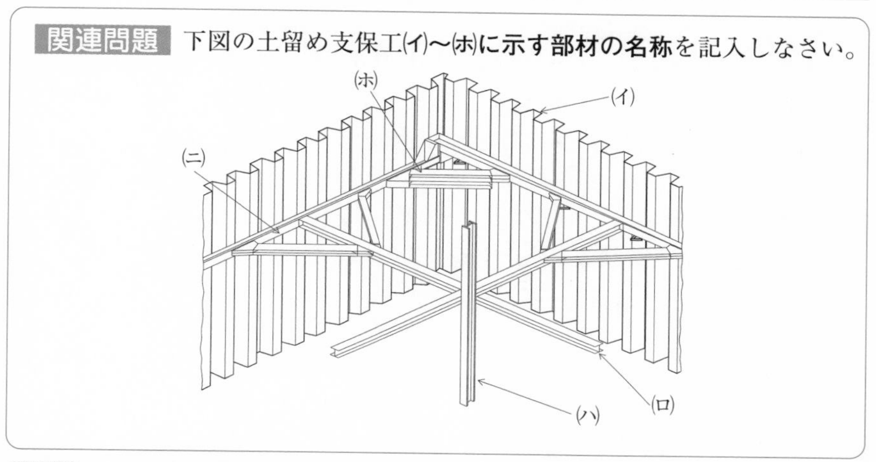

解説 鋼矢板土留め工

土留め工を分類すると，①**矢板工法**（鋼矢板，コンクリート矢板），②**親杭横矢板工法**（H 形鋼，I 形鋼），③**地中連続壁工法**（壁式，柱列式）等がある。

矢板土留め支保工の各部材の役割は，次のとおり。

① **腹起し**：矢板や親杭を支え，その力を切梁に伝える部材。

② **切　梁**：腹起しを利用して突っ張りとして働いて壁を支える部材で，一般に圧縮材。

③ **火打ち材**：切梁と腹起し間又は腹起し間の隅角部に取り付ける方杖の部材。

④ **中間杭**：支保工の自重を支え，切梁の座屈防止，切梁全体の湾曲防止のための部材。

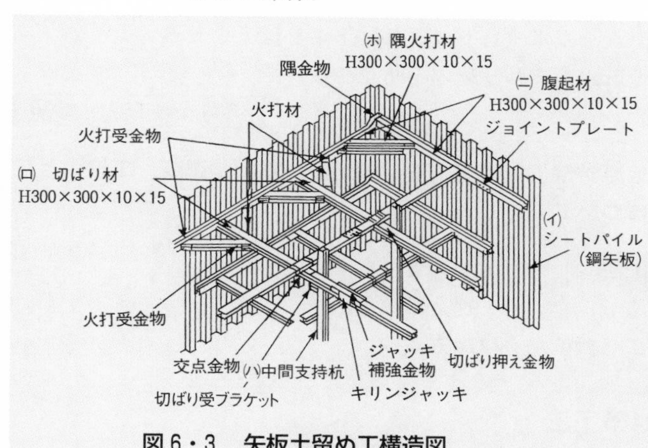

図 6・3　矢板土留め工構造図

解答

(イ)	鋼矢板
(ロ)	切ばり
(ハ)	中間支持杭
(ニ)	腹起し
(ホ)	隅火打ち

重要問題81  軟弱地盤対策

下図に示す地盤で遮水性の高い土留め壁を用いて掘削する場合，掘削の進行に伴って，土留め壁背面側と掘削面側の水位差が徐々に大きくなる。

この水位差のため，掘削底面の安定が損なわれ，水と砂が湧き出す現象が起こり，最悪の場合，土留め壁の崩壊も考えられる。

この**現象名とその現象を防止するための対策**を簡潔に記述しなさい。

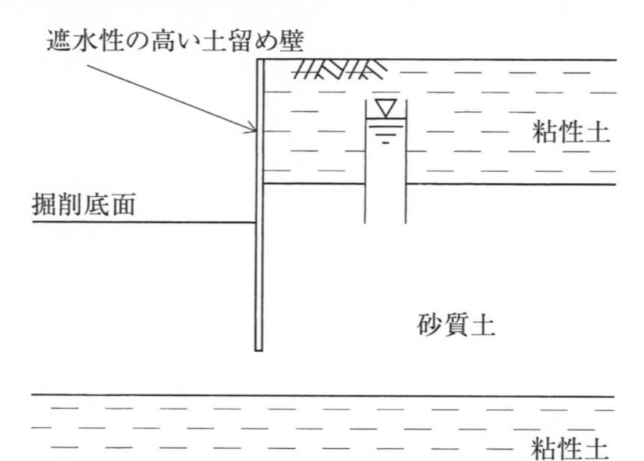

解答と解説　地盤破壊現象

ボイリング現象である。防止対策は次のとおり。

① 土留め壁の根入れを長くする。

② ディープウェルやウェルポイントにより地下水を低下させる。

③ 地盤改良により地下水のまわり込みを防止する。

資料4⇒P212参照

関連問題 軟弱地盤対策工法に関する次の工法から**2つ選び，工法名とその工法の特徴について**記述しなさい。

・サンドドレーン工法　　・サンドマット工法
・表層混合処理工法　　・押え盛土工法
・深層混合処理工法（機械かくはん方式）

解説　軟弱地盤対策工法

P25，P208参照。簡潔に記述する。

解答

工法名	工法の特徴
サンドドレーン工法	透水性の高い砂を用いた砂柱を地盤中に鉛直に造成することにより，水平方向の排水距離を短くし，地盤の強度増加を図る。
サンドマット工法	地表面に厚さ0.5～1.2mの砂を敷設することで，軟弱層の圧密のための上部排水の促進と，施工機械のトラフィカビリティーの確保を図る。
表層混合処理工法	表層の軟弱なシルト・粘度と固化材（セメントや石灰等）とかくはん混合し，地盤の安定やトラフィカビリティーの改善等を図る。
押え盛土工法	盛土法先に小規模の盛土を行って，すべり面に沿う滑動モーメントの減少や抵抗モーメントの増大を図り，盛土の安定性を向上させる。
深層混合処理工法（機械かくはん方式）	粉体状またはスラリー（泥状物）状の主としてセメント系の固化材を地中に供給してかくはん混合することにより，強固な柱体状，ブロック状または壁状の安定処理土を形成する。

関連問題 軟弱地盤対策には種々の工法があり，これらの工法はそれぞれ特徴を持っており，目的とする効果も異なっている。

対策工の目的を沈下対策（圧密沈下の促進又は全沈下量の減少）とした時に**最も効果が発揮される工法を下記の工法から3つ選びなさい。**

表層混合処理工法	軽量盛土工法	盛土補強工法
押え盛土工法	サンドマット工法	段階載荷工法
深層混合処理工法	サンドドレーン工法	矢板工法（構造物による工法）

解説　軟弱地盤対策工法

軟弱地盤対策工法の目的は，**沈下対策，安定（側方流動）対策**及び**地震時（すべり破壊）対策**である（P25，P208参照）。

沈下対策には，圧密沈下の促進（地盤の沈下を促進して，有害な残留沈下量を少なくする盛土載荷重工法，**サンドドレーン工法**）と全沈下量の減少（地盤の沈下そのものを少なくする**軽量盛土工法，深層混合処理工法**）がある。

解答 サンドドレーン工法，軽量盛土工法，深層混合処理工法が該当する。

重要問題82  コンクリートの用語，鉄筋の加工等

鉄筋の加工及び組立てに関する記述として**適切でないものを①～⑧から２つ抽出し，その箇所を訂正**しなさい。

① 鉄筋は原則として溶接してはならないが，やむを得ず溶接した鉄筋を曲げ加工する場合には，溶接した部分を避けて加工する。
② 鉄筋は組み立てる前に清掃し，浮き錆び，その他鉄筋とコンクリートとの付着を害するおそれのあるものを取り除く。
③ 鉄筋は，加熱して加工することを原則とする。
④ 鉄筋のかぶりを正しく保つため，はり，床版で１m^{2}当たり４個程度のスペーサーを配置する。
⑤ 鉄筋に大きな引張応力が繰り返し作用する場合は，交点を点溶接（スポット溶接）により堅固に組み立てる。
⑥ 鉄筋を組み立ててから長期間経ったときは，コンクリートを打ち込む前に再び清掃する。
⑦ 鉄筋は，必要に応じ組立用鉄筋を用い，かぶりを確保して正しい位置に配置する。
⑧ 型枠に接するスペーサーは，鋼製を使用することを原則とする。

解答と解説 鉄筋の加工及び組立て

適切でないものは，③，⑤及び⑧である。

③ 鉄筋は，常温で加工することを原則とする。
⑤ 鉄筋は，正しい位置に配置し堅固に組み立てなければならない。必要に応じ組立用鉄筋を用いる。また，鉄筋の交点の要所は，直径0.8 mm以上の焼鈍（なまし）鉄線又は適切なクリップで緊結する。点溶接は局部的な加熱によって鉄筋の材質を害する。特に，疲労強度を著しく低下させる。
⑧ 型枠に接するスペーサーは，モルタル製又はコンクリート製を使用する。

関連問題 次の**コンクリートに関する用語から２つ選んで，その用語の説明**を簡潔に記述しなさい。

・ブリーディング ・ワーカビリティー ・AEコンクリート
・コールドジョイント ・アルカリ骨材反応

解答 コンクリートの用語

1）**ブリーディング**とは，フレッシュコンクリートにおいて，固体材料の沈降又は分離によって，練混ぜ水の一部が遊離して上昇する現象をいう。

2）**ワーカビリティー**とは，材料分離を生じることなく，運搬，打込み，締固め，仕上げなどの作業が容易にできる程度を表すフレッシュコンクリートの性質をいう。

3）**AE コンクリート**とは，コンクリートの品質改善のため AE 剤などを用いて微細な空気泡（エントレインドエアー）を含ませたコンクリートをいう。

4）**コールドジョイント**とは，先に打ち込んだコンクリートが固まり始め，後から打ち込んだコンクリートとの間が，完全に一体化していない打継目をいう。

5）**アルカリ骨材反応**とは，アルカリとの反応性をもつ骨材が，セメント，その他のアルカリ分と長期にわたって反応し，コンクリートに膨張ひび割れ，ポップアウト（表面の局所的なはく離）を生じさせる現象をいう。

関連問題 混和剤を適切に用いた場合の，コンクリートに及ぼす**効果を3つ**簡潔に記述しなさい。

解答 混和剤

① ワーカビリティーが改善される。

② 単位水量を減少できる。

③ 耐凍害性が向上する。

④ ブリーディング，レイタンスが少なくなる。

⑤ 水密性が向上する。

関連問題 コンクリート構造物のコンクリート打設中における，**型枠の一般的な点検事項を2項目**簡潔に記述しなさい。

解答 コンクリート打設時の型枠の点検事項

① コンクリート等の吹出し等により作業員に危険を及ぼすおそれのある場所には，立入禁止措置を講ずる。

② 打設中は，型枠，型枠支保工，シュート下，ポッパ下等の状態を適宜点検し，安全であることを確かめる。

③ コンクリートポンプ車の装置の運転は，有資格者（特別教育修了者）によるものとし，責任者から指示された者以外は運転しない。

重要問題83 コンクリートの運搬・打込み

「コンクリート標準示方書」に定める現場内での**運搬，打込み，締固めの一般的な事項に関する**次の文章の［　　］に当てはまる**適切な語句又は数値を**，下記の語句・数値から選び記入しなさい。

コンクリートは，速やかに運搬し，直ちに打ち込み，十分に締め固めなければならない。練り混ぜはじめてから打ち終わるまでの時間は，外気温が［(イ)］℃を超えるときで［(ロ)］時間以内，［(イ)］℃以下のときで［(ハ)］時間以内を標準とする。

打ち込むまでの間は，日光，風雨から保護しなければならない。また，打込みまでの時間が長くなる場合や外気温が［(イ)］℃を超えるときは，事前に遅延形AE剤，減水剤，流動化剤等の使用を検討するとともに［(ニ)］を避けるために片押し打設等，［(ホ)］について検討する。

［語句・数値］

0.5	1.0	1.5	2.0	2.5
3.0	20	25	30	

コールドジョイント	材料分離	打込み順序
レイタンス	ブリーディング	養生方法

解答と解説 現場内での運搬・打込み・締固め

所要の品質を満足するコンクリート構造物が得られるよう検討する。コンクリートは，練り混ぜてから打ち終るまでの時間は，原則として外気温が(イ)25℃を超えるときで(ロ)1.5時間以内，(イ)25℃以下のときで(ハ)2.0時間以内を標準とする。

打ち込むまでの間は，日光，風雨から保護しなければならない。また，打込みまでの時間が長くなる場合や外気温が(イ)25℃を超えるときは，事前に遅延形AE減水剤，流動化剤等を検討するとともに(ニ)コールドジョイントを避けるために片押し打設等，(ホ)打込み順序について検討する。

関連問題 「コンクリート標準示方書」に定める現場内でのコンクリートの運搬を**コンクリートポンプを用いて施工する場合の留意点を３つ**簡潔に記述しなさい。

解答 コンクリートの運搬（コンクリートポンプ）

コンクリートポンプで圧送されるコンクリートは，圧送作業に適し，圧送後に品質の低下がないものでなければならない。

① 輸送管の径・配管の経路は，コンクリートの種類・品質，粗骨材の最大寸法，コンクリートポンプの機種，圧送条件，圧送作業の容易さ，安全性等を考慮して決める。

② コンクリートポンプの機種・台数は，コンクリートの種類・品質，輸送管の径・配管の水平換算距離，圧送負荷，吐出量，単位時間当たりの打込み量，閉塞に対する安全性及び施工場所の環境条件を考慮して選定する。

③ コンクリートポンプの形式は，ピストン式又はスクイズ式を標準とする。

④ 配管の距離はできるだけ短く，かつ，曲りの数をなるべく少なくする。

⑤ コンクリートの圧送に先がけて，コンクリート中のモルタルと同程度の配合のモルタルを圧送し，コンクリート中のモルタルがポンプなどに付着して少なくならないようにする。

⑥ コンクリート圧送に困難が予想される場合には，事前に実際の施工条件に近い配管条件で試験圧送を行い，ポンプの作動状態，圧送負荷及び吐き出されるコンクリートの状態などを確認しておく。

⑦ コンクリートの**ポンパビリティー**（閉塞しないで圧送量が確保できる）及び品質が損なわれないように，圧送は連続的に行い中断しないようにする。

> **関連問題** シュートを用いた**コンクリートの打込みにおける材料分離を防ぐための留意点を3つ**簡潔に記述しなさい。

解答 コンクリートの打込み（シュート）

① 高所からコンクリートをおろす場合は，縦シュートの使用を標準とする。

② やむを得ず斜めシュートを用いる場合，シュートの傾きは，コンクリートが材料分離を起こさない程度のものであって水平2に対して鉛直1以下を標準とする。また，斜めシュートを用いる場合，シュートの吐き口に適当な漏斗管やバッフルプレートを取り付ける。

③ コンクリートの投入口の間隔，投入順序等は，コンクリートが1ヵ所に集まらないようにする。

④ シュートは，使用の前後に十分水で洗うとともに，使用に先がけてモルタルを流下させる。

⑤ シュートは，コンクリートの材料分離が生じない構造のものを用いる。

重要問題84　コンクリートの締固め・養生

コンクリート打込み及び締固め作業時に関する次表の①～⑧から標準的な施工内容の記述として適切でないものを**２つ抽出し，その番号と適切でない箇所をあげ，その箇所を訂正して解答欄**に記入しなさい。

表　コンクリート標準示方書で対象とする標準的な施工方法

作業区分	標準的な施工内容
打込み作業時	①　シュートの吐出口と打込み面までの高さは，2.5 m 以下とする。 ②　１層当たりの打込み高さは，40～50 cm 以下とする。 ③　外気温 25℃ 以下での上層のコンクリートの打ち込まれるまでの許容打重ね時間間隔は 3.0 時間とする。 ④　外気温 25℃ を超える時での上層のコンクリートの打ち込まれるまでの許容打重ね時間間隔は 2.0 時間とする。
締固め作業時	⑤　締固め作業には内部振動機を用いることとする。 ⑥　内部振動機の挿入間隔は１m 程度とする。 ⑦　内部振動機を下層のコンクリート中に 10 cm 程度挿入する。 ⑧　１箇所当たりの振動時間の目安は５～15 秒程度とする。

解答と解説　コンクリートの打込み及び締固め

1．コンクリートの打込み及び締固め作業の留意事項については，整理し覚えておくこと。

2．**許容打重ね時間間隔**（コンクリートの下層と上層の打込み時間差）は，外気温 25℃ 以下で 2.5 時間，25℃ を超えるときで 2.0 時間を標準とする。現場内での運搬は，コンクリートポンプ，シュート，バケット，ベルトコンベア等が用いられ，シュートを用いる場合は，シュート下端と打込み面の距離は 1.5 m 以下とする。締固めは内部振動機を用いることを原則とする。

解答

番号	適切でない箇所	適切でない箇所の訂正
①	2.5 m 以下	1.5 m 以下
③	3.0 時間	2.5 時間
⑥	1 m 程度	50 cm 程度

関連問題 水平に打ち込まれたコンクリートを締め固める場合の**内部振動機の使用方法について，留意点を２つ**簡潔に記述しなさい。

解答 内部振動機（棒状バイブレータ）

コンクリートの締固めには，**棒状バイブレータ**を用いる。

① コンクリートは，打ち込み後速やかに十分に締め固め，コンクリートが鉄筋の周囲及び型枠のすみずみにゆきわたるようにする。

② 振動締固めにあっては，内部振動機を下層のコンクリート中に10 cm程度挿入する。

③ 内部振動機の挿入間隔（50 cm以下）及び１ヵ所当たりの振動時間（5～15秒）は，コンクリートを十分に締め固められるものでなければならない。内部振動機はコンクリートから徐々に引き抜き，跡に穴が残らないようにする。

④ 内部振動機は，コンクリートを横移動させる目的では使用しない。

関連問題 **コンクリートの養生に関する**次の文章の［　　］の中の(イ)～(ホ)に当てはまる**適切な数値**を，下記の数値から選び記入しなさい。

(1) 日平均気温が［ (イ) ］℃以下となる場合は，寒中コンクリートとして扱う必要がある。寒中コンクリートは，養生終了時の所要圧縮強度が得られるまではコンクリートの温度を［ (ロ) ］℃以上に保ち，さらに２日間は［ (ハ) ］℃以上に保つことを標準とする。

(2) 日平均気温が［ (ニ) ］℃を超えることが予想される場合は，暑中コンクリートとしての対応が必要となる。

(3) マスコンクリートの養生のためのパイプクーリングにおいて，パイプまわりの温度と通水温度との差の目安は［ (ホ) ］℃以下である。

［数　値］

0　4　5　10　15　20　25　30　35

解説 コンクリートの養生

日平均気温が４℃以下の場合は**寒中コンクリート**として，日平均気温が25℃以上の場合は**暑中コンクリート**として取り扱う。**マスコンクリート**では水和熱の温度上昇を考慮して施工する。

解答

(イ)	(ロ)	(ハ)	(ニ)	(ホ)
4	5	0	25	20

重要問題85　受入れ検査，打継目

下記はあなたが**呼び強度 18 N/mm² のレディーミクストコンクリート（JIS A 5308）の受入れ検査を実施した場合の試験結果**である。

(1)，(2)の文章の［　　］の中の(イ)，(ロ)に当てはまる**適切な数値**を下記の数値から選び記入しなさい。

また，(3)の［　　］の中の(ハ)〜(ホ)には判定条件に基づき**合格か不合格のいずれか**を記入しなさい。

(1)　塩化物含有量は，原則として，荷おろし地点で塩化物イオン（Cℓ⁻）量として［（イ）］kg/m³ 以下でなければならない。

(2)　普通コンクリートの空気量の許容差は，荷おろし地点で±［（ロ）］% である。

［数　値］　0.20　　0.30　　0.40　　1.0　　1.5　　2.0

(3)　コンクリートの強度試験の結果表

	3個の供試体の圧縮強度の平均値（N/mm²）			判　定
	1回目	2回目	3回目	
試験結果1	17.0	19.0	18.0	（ハ）
試験結果2	16.0	18.0	17.0	（ニ）
試験結果3	25.0	18.0	15.0	（ホ）

解答と解説　レディーミクストコンクリートの受入れ検査

レディーミクストコンクリートについては，P 34，コンクリート工及び P 160 の品質管理（コンクリートの品質）と合わせて学習して下さい。

(1)　レディーミクストコンクリートの**受入れ検査**は，強度，スランプ又はスランプフロー，空気量及び塩化物含有量について行う（P 34 参照）。**塩化物含有量**は，荷おろし地点で塩化物イオン（Cℓ⁻）量として(イ) 0.30 kg/m³ 以下でなければならない。但し，購入者の承認を受けた場合は，0.60 kg/m³ 以下とすることができる。

(2)　レディーミクストコンクリートの**空気量**の許容差は，コンクリートの種類にかかわらず(ロ) ±1.5% である。

表6・2　空気量（%）

コンクリートの種類	空気量	空気量の許容差
普通コンクリート	4.5	±1.5
軽量コンクリート	5.0	
舗装コンクリート	4.5	
高強度コンクリート	4.5	

(3)　レディーミクストコンクートの**圧縮強度**は，次の品質規定に適合すれば合格とする。

①　1回の試験結果は，購入者が指定した呼び強度の値の 85% 以上。

②　3回の試験結果の平均値は，購入者が指定した呼び強度の値以上。

〔**強度試験の判定**〕

○　試験結果1は，各回の試験結果が呼び強度 85%（18 N/mm^2×0.85＝15.3 N/mm^2）以上を満足し，3回の試験結果の平均値 $\bar{x}$＝18.0 N/mm^2 は指定した呼び強度 18.0 N/mm^2 を満たしており，(ハ) 合格である。

○　試験結果2は，各回の試験結果は呼び強度 85% の 15.3 N/mm^2 を満足しているが，3回の試験結果の平均値 $\bar{x}$＝17.0 N/mm^2 は指定した呼び強度 18.0 N/mm^2 を満たしていないので，(ニ) 不合格である。

○　試験結果3は，3回の試験結果の平均値 $\bar{x}$＝19.3 N/mm^2 は呼び強度 18.0 N/mm^2 を満たしているが，3回目の試験結果が呼び強度 85% の 15.3 N/mm^2 を満たしておらず，(ホ) 不合格である。

関連問題　**コンクリートの打継目に関する**次の文章の［　　］に当てはまる**適切な語句**を，下記の語句から選び記入しなさい。

(1)　打継目は，できるだけせん断力の［ (イ) ］位置に設け，打継面を部材の［ (ロ) ］の作用方向と直角にするのを原則とする。
やむを得ず，せん断力の［ (ハ) ］位置に打継目を設ける場合には，打継目にほぞ，又は溝を造るか，適切な鋼材を配置して，これを補強しなければならない。

(2)　［ (ニ) ］を要するコンクリートの［ (ホ) ］打継目では，止水板を用いるのを原則とする。

［語　句］

密着	短い	せん断力	曲げモーメント	鉛直
長い	引張力	小さい	強度	一体
伸縮	水密	水平	分離	低い
圧縮力	大きい	高い	養生	

解答　コンクリートの打継目

(イ)	(ロ)	(ハ)	(ニ)	(ホ)
小さい	圧縮力	大きい	水　密	鉛　直

明り掘削の安全

礫質地盤に下図のような橋脚を築造する場合，**床掘りに伴う地山崩壊を防止するための留意事項を2つ**簡潔に記述しなさい。

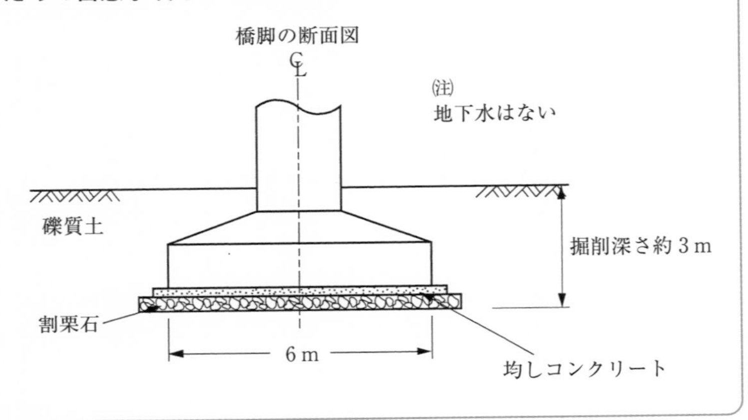

解答と解説　床掘りの地山崩壊防止

以下の1)，2)の中から留意事項を2つ記述する。

1) 明り掘削工法での留意点

① 地質，地層の状態，き裂，含水，湧水等の有無及び状態を調査する。

② 掘削面の勾配を75度以下とする。(P144, 表5・8)

③ 点検者を指名して，作業箇所及びその周辺の地山について，その日の作業を開始する前，大雨の後及び中震以上の地震の後，浮石・き裂の有無及び状態ならびに含水，湧水及び凍結の状態の変化を点検させる。

2) 土留め工法での留意点

① 土留め支保工の材料は，著しい損傷，変形又は腐食があるものを使用してはならない。

② 土留め支保工の構造は，地山に係る形状，地質，地層，き裂，湧水等の状態に応じた堅固なものとする。

③ 土留め支保工を組み立てるときは，組立図を作成し，かつ，当該組立図により組み立てる。(P185, 鋼矢板土留め工参照)

④ 切ばり及び腹起しは，脱落を防止するため，矢板，杭等に確実に取り付ける。

⑤ 圧縮材(火打ちを除く。)の継手は，突合せ継手とする。

⑥ 切ばり又は火打ちの接続部及び切ばりと切ばりとの交差部は，当板をあてボルトにより緊結し，溶接による接合等の方法により堅固なものとする。

関連問題 明り掘削作業時に事業者が行わなければならない安全管理に関し，［　　］に当てはまる**適切な語句又は数値**を記入しなさい。

(1) 掘削面の高さが［(イ)］m 以上となる地山の掘削作業については，地山の掘削作業主任者を選任し，作業を直接指揮させる。

(2) 地山の崩壊又は土石の落下により労働者に危険を及ぼすおそれのあるときは，あらかじめ，［(ロ)］を設け，防護網を張り，労働者の立入りを禁止する等当該危険を防止するための措置を講じる。

(3) 点検者を指名して，作業箇所及びその周辺の地山ついて，その日の作業を開始する前，［(ハ)］の後及び中震以上の地震の後，浮石及び亀裂の有無及び状態ならびに含水，湧水及び凍結の状態の変化を点検させる。

(4) 運搬機械等が労働者の作業箇所に後進して接近するとき，又は転落するおそれのあるときは，［(ニ)］者を配置しその者にこれらの機械を［(ニ)］させる。

(5) 当該作業を安全に行うため作業面にあまり強い影を作らないように必要な［(ホ)］を保持しなければならない。

［語句又は数値］

角度　大雨　3　土止め支保工　突風　4　型枠支保工
照度　落雷　合図　誘導　濃度　足場工　見張り　2

解答 **明り掘削作業の安全管理**

(イ)	(ロ)	(ハ)	(ニ)	(ホ)
2	土止め支保工	大雨	誘導	照度

関連問題 土留め支保工の切ばり，腹起し及び火打ちの取付けにあたっての**危険防止のための留意点を 2 つ**簡潔に記述しなさい。

解答 **土留め支保工の安全**

① 切ばり及び腹起しは，脱落を防止するため，矢板，杭等に確実に取り付ける。

② 圧縮材（火打ちを除く）の継手は，突合せ継手とする。

③ 切ばり又は火打ちの接続部及び切ばりと切ばりとの交差部は，当て板をあててボルトにより緊結し，溶接により接合する等の方法により堅固なものとする。

④ 中間支持柱を備えた土留め支保工にあっては，切ばりを当該中間支持柱に確実に取り付ける。

重要問題87  足場の安全

足場の組立て等の作業に関する次の文章の［　　］の中の(イ)～(ホ)に当てはまる**適切な語句**を下記の語句から選び記入しなさい。

(1) 強風，大雨，大雪等の悪天候のため，作業の実施について危険が予想されるときは，［(イ)］すること。
(2) 組立て，解体又は変更の作業を行う区域内には，関係労働者以外の労働者の［(ロ)］すること。
(3) 足場材の緊結，取外し，受渡し等の作業にあっては，幅 20 cm 以上の足場板を設け，労働者に［(ハ)］を使用させる等，労働者の［(ニ)］による危険を防止するための措置を講ずること。
(4) 材料，器具，工具等を上げ，又は下ろすときは，［(ホ)］等を労働者に使用させること。

［語　句］

保護帽　墜落制止用器具　崩落　作業を制限
バックホウ・ショベルドーザー　見張員を付けて作業
吊網・吊袋　飛来落下　脚立・梯子　注意して作業
墜落　立入りを禁止　救命胴衣　作業を中止　監視を強化

解答と解説　足場の組立て等の作業

足場とは，建設工事において高所作業における作業員の足掛かりのために設ける仮設構造物をいう。

事業者は，吊足場，張出し足場又は高さ 5 m 以上の構造の足場の組立て，解体又は変更の作業を行うときは，**足場の組立て等作業主任者**を選任するとともに以下の措置を講じなければならない（P 146 参照）。

(1) 強風，大雨，大雪等の悪天候のため，作業の実施について危険が予想されるときは，(イ)作業を中止すること。
(2) 組立て，解体又は変更の作業を行う区域内には，関係労働者以外の労働者の(ロ)立入りを禁止すること。
(3) 足場材の緊結，取外し，受渡し等の作業にあたっては，幅 20 cm 以上の足場板を設け，労働者に(ハ)墜落制止用器具（旧安全帯）を使用させる等労働者の(ニ)墜落による危険を防止するための措置を講ずること。
(4) 材料，器具，工具等を上げ又は下ろすときは，(ホ)吊網，吊袋等を労働者に使用させること。

関連問題 労働安全衛生法の法令に基づき，**足場の組立て作業を行う場合の危険防止の措置を 2 つ**簡潔に記述しなさい。
ただし，足場の構造及び点検に関する事項は除く。

解答 **足場の組立作業の危険防止**

① 組立ての時期，範囲及び順序を当該作業に従事する労働者に周知させる。
② 作業を行う区域内には，関係労働者以外の労働者の立入りを禁止する。
③ 強風，大雨，大雪等の悪天候のため，作業の実施について危険が予想されるときは，作業を中止する。
④ 足場材の緊結，取外し，受渡し等の作業には，幅 20 cm 以上の足場板を設け，作業員に墜落制止用器具を使用させる
⑤ 材料，器具，工具等の上げ下ろし時には，吊網，吊袋を使用する。
⑥ 架空電路に接近して足場を設けるときは，電路の移設又は電路に絶縁防護具を装着する。

関連問題 **足場，通路から労働者が墜落する危険を防止するための必要な措置を 2 つ**簡潔に記述しなさい。

解答 **足場・通路からの墜落防止措置**

労働災害のうち，足場・通路・建設物からの墜落・転落による災害は多く，以下の墜落防止措置を講じなければならない。

① 高さが 2 m 以上の箇所で作業を行う場合は，作業床を設け，手すり（高さ 85 cm 以上）を取り付ける。
② 作業床，囲い等の設置が著しく困難なとき，臨時に囲い等を取り外すときは，防護網を張り，作業員に墜落制止用器具を使用させる等の措置を講じる。
③ 足場及び鉄骨の組立て・解体時には，墜落制止用器具が容易に使用できるように親綱等の設備を設ける。
④ 足場等の作業床は，常に点検し保守管理に努める。
⑤ 夜間作業を行う場合には，通路に正常の通行を妨げない範囲内で照明設備を設ける。
⑥ 通路面は，つまずき，滑り，踏み抜き等の危険のない状態に保持する。
⑦ 作業床の端，開口部には，必要な強度の囲い，手すり，覆い等を設置する。
⑧ 床上の開口部の覆いの上には，原則として材料等を置かないこととし，その旨を表示する。

重要問題88 車両系建設機械・移動式クレーンの安全

下図のような道路上で工事用掘削機械を使用してガス管更新工事を行う場合，架空線損傷事故を防止するために**配慮すべき具体的な安全対策について2つ**記述しなさい。

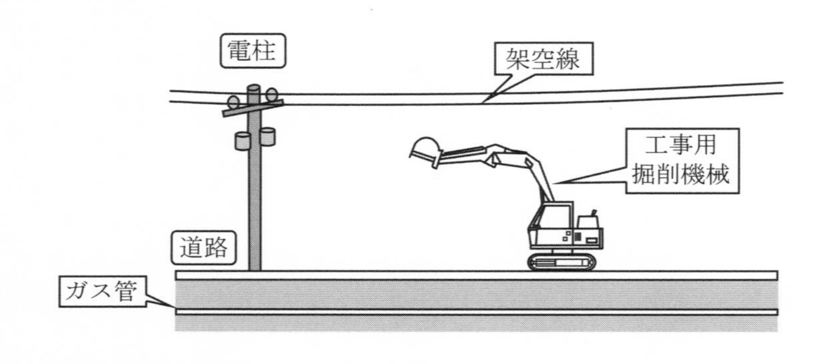

解答と解説　架空線損傷事故防止対策

架空線損傷事故防止対策は，次のとおり。（解答は2つ）

① 架空線上空施設から十分な離隔距離を確保する。

② 架空線上空施設に防護カバーを設置する。

③ 工事場所上空に高さ制限ロープ等を張り危険標識を表示する。

④ 近接して施工する場合は，監視人を配置し離隔距離を確保する。

対策項目	防止対策
工作物の建設等の作業を行う場合の感電の防止 （規則第349条）	・当該充電電路を移設すること。 ・感電の危険を防止するための囲いを設けること。 ・当該充電電路に絶縁用防護具を装着すること。 ・これらの措置を講ずることが著しく困難なときは，監視人を置き，作業を監視させること。

なお，**地下埋設物損傷事故防止対策**については，次のとおり。（参考）

① 施工に先立ち，台帳に基づいて試掘を行い，ガス管，水道管の種類，位置（平面・深さ），規格，構造等を原則として目視により，確認する。

② 試掘では埋設物管理者の立会い，確認を受ける。

③ 埋設管付近では機械掘削をしない。

④ 埋設管の近接部は人力で掘削する。

⑤ 必要な場合，ガス管の防護を行う。

関連問題 **移動式クレーンの作業時の配置・据付けに係る留意事項に関する**次の文章の［　　］に当てはまる**適切な語句を**，下記の語句から選び記入しなさい。

(1) 移動式クレーンで作業を行うときは，クレーンの［(イ)］による労働者の危険を防止するため，場所の広さ，地形及び地質の状態，運搬しようとする荷の重量，移動式クレーンの種類及び能力等を考慮すること。

(2) 移動式クレーンを設置する場所の地盤の［(ロ)］が不足する場合は，［(イ)］しないように地盤の改良，［(ハ)］の敷設等により地盤反力が確保できるまで補強すること。

(3) 移動式クレーンの機体は，水平に設置し，転倒防止のためアウトリガーを［(ニ)］に張り出すこと。

(4) 移動式クレーンで作業を行う場合の吊荷の重さは，［(ホ)］以内であること。

［語　句］

鉄板	主働土圧	防水シート	中央	定格荷重
整備不良	最小限	内部摩擦角	転倒	ワイヤーの破たん強度
トタン板	最大限	支持力	暴走	クレーン総自重

解説　移動式クレーンの配置・据付けの留意事項

(1) 移動式クレーンで作業を行うときは，クレーンの(イ)転倒による労働者の危険を防止するため，場所の広さ，地形及び地質の状態，運搬しようとする荷の重量，移動式クレーンの種類及び能力等を考慮すること。

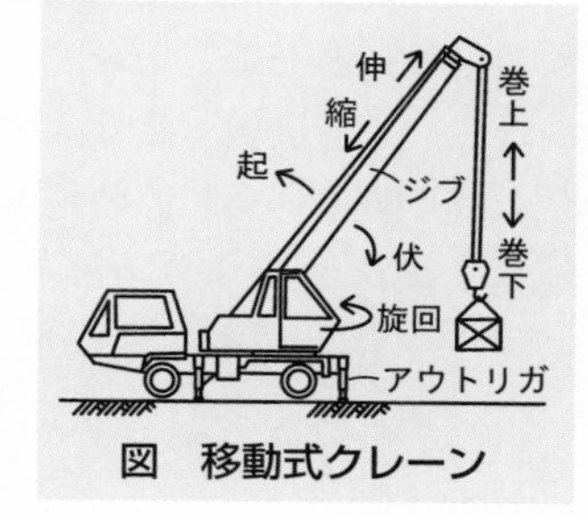

図　移動式クレーン

(2) 移動式クレーンを設置する場所の地盤の(ロ)支持力が不足する場合は，(イ)転倒しないように地盤の改良，(ハ)鉄板の敷設等により地盤反力が確保できるまで補強すること。

(3) 移動式クレーンの機体は，水平に設置し，転倒防止のためアウトリガーを(ニ)最大限に張り出すこと。

(4) 移動式クレーンで作業を行う場合の吊荷の重さは，(ホ)定格荷重（ジブの長さ・傾斜角に応じて負荷（つり具を含む）させることのできる荷重）以内であること。

振動の規制，施工体制台帳

道路舗装の修繕工事を下記に示す条件で行う場合，振動規制法上，特定建設作業に伴って発生する振動の**振動規制に関する項目を2つあげ，その規制内容**をそれぞれ記入しなさい。ただし，災害時の作業を除く。

［条　件］

① 工事内容：油圧ショベルに装着した油圧ブレーカーによる舗装版の取り壊し

② 現場条件：学校がある敷地の周囲おおむね 80 m 以内の区域内として指定された区域

③ 作業日数：10 日間

④ 作業移動距離：1 日における移動作業は，50 m 以内

解答と解説　振動の規制基準

騒音規制法，振動規制法に定める特定建設作業とその規制基準については，P 108〜P 111 を参照して下さい。

ブレーカー（手持ち式のものを除く）を使用する作業で，1 日における 2 地点間の最大移動距離が 50 m を超えないものは，振動規制法の**特定建設作業**に該当し，表 6・3 の規制基準を守らなければならない。

学校の周辺 80 m 以内の区域であるから**1 号区域**（特に静穏の保持を必要とする区域）となる。1 号区域の規制基準は表 3・6 に示すとおり（P 108）。

なお，1 号区域と 2 号区域の規制基準の相違は，夜間・深夜作業の禁止時間帯及び 1 日の作業時間の制限のみである。

解答は表 6・3 より項目を 2 つ選んで，規制内容を記述する。

表 6・3　振動規制基準

項　　目	規　制　内　容
振動の大きさ	特定建設作業の敷地の境界線において，75 dB を超えてはならない。
夜間・深夜作業の禁止時間帯(注)	午後 7 時から翌日の午前 7 時まで
1 日の作業時間の制限	1 日につき 10 時間まで
連続作業の制限	同一場所においては連続 6 日間まで
作業禁止日	日曜日又はその他の休日

（注）1 号区域：夜間午後 7 時から翌日午前 7 時までの作業禁止，1 日の作業時間 10 時間まで
　　　2 号区域：夜間午後 10 時から翌日午前 6 時までの作業禁止，1 日の作業時間 14 時間まで

関連問題 **施工体制台帳及び施工体系図の作成に関する**次の文章の［　　］に当てはまる**適切な語句又は数値を**下記から選びなさい。

(1) 請負者は，工事を施工するため締結した下請契約の請負代金額の総額が［(イ)］千万円以上になるときは，施工体制台帳を作成し，［(ロ)］ごとに備えなければならない。施工体制台帳は工事の目的物の引渡しを行うまでは，［(ロ)］に備え置き，また，工事の目的物の引渡しから［(ハ)］年間保存しなければならない。

(2) 請負者は，各下請負者の施工の分担関係を明示した施工体系図を作成し，工事関係者が見やすい場所及び［(ニ)］が見やすい場所に掲げなければならない。また，下請負者の追加・削除により，施工体系図に変更があった場合は，施工体系図の修正を［(ホ)］に行わなければならない。

［語句・数値］

1	2	3	4
5	10	所属会社	速やか
作業主任者	引渡し前	公衆	発注者
労働者	発注機関	工事現場	工事完了後

解説 施工体制台帳及び施工体系図

P 130，重要問題 54，施工体制台帳とも合わせて学習して下さい。

(1) 請負者は，工事を施工するため締結した下請契約の請負代金額の総額が(イ) 4千万円以上になるときは，**施工体制台帳**を作成し，(ロ) 工事現場ごとに備えなければならない。施工体制台帳は工事の目的物の引渡しを行うまでは，(ロ) 工事現場に備え置かなければならない。また，工事の目的物の引渡しから(ハ) 5年間保存しなければならない。

(2) 請負者は，各下請負者の施工の分担関係を明示した**施工体系図**を作成し，工事関係者が見やすい場所及び(ニ) 公衆が見やすい場所に掲げなければならない。また，下請負者の追加・削除により，施工体系図に変更があった場合は，施工体系図の修正を(ホ) 速やかに行わなければならない。

解答

(イ)	(ロ)	(ハ)	(ニ)	(ホ)
4	工事現場	5	公衆	速やか

重要問題90 バーチャート，土・骨材の品質

下図のようなコンクリート重力式擁壁を築造する場合，施工手順に基づき**バーチャートの作業工程表を作成し，その所要日数を**求めなさい。但し，各工種の作業日数は下記の条件とする。

床掘工６日，基礎工２日，コンクリート打設工２日，型枠組立工３日，養生工７日，型枠取外し１日，埋戻し工２日とし，基礎工については床掘工と２日の重複作業で行うものとする。

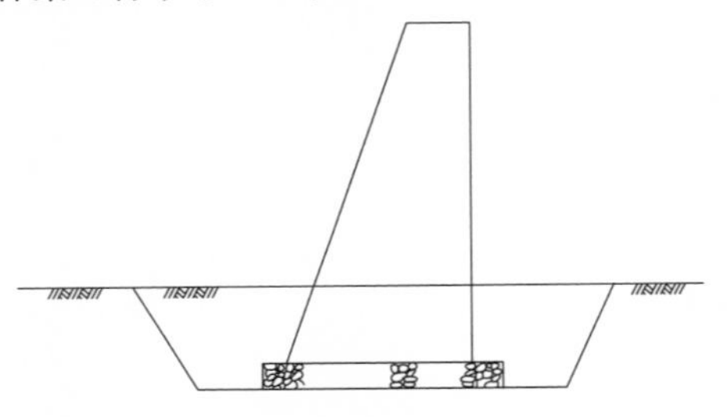

解答と解説 バーチャート工程表

元請事業者が作成する施工計画の施工方針に基づき，専門工事業者は作成手順等の**施工要領書**を作成し施工する。

(1) バーチャート

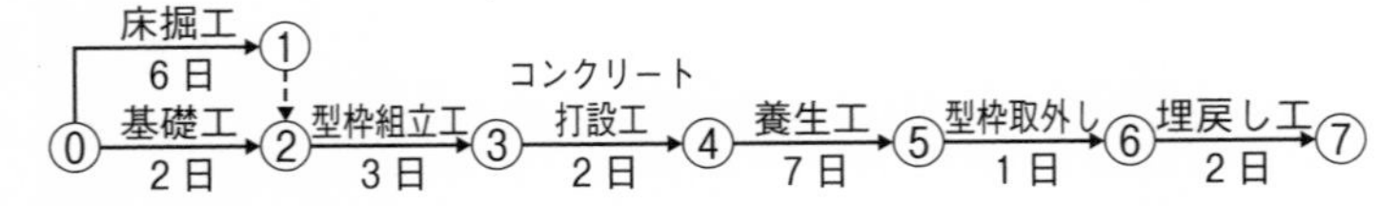

作業＼日程	1	2	3	4	5	6	7	8	9	10	11	12	13	14	15	16	17	18	19	20	21	22	23
床掘工																							
基礎工																							
型枠組立工																							
コンクリート工																							
養生工																							
型枠取外し																							
埋戻し工																							

(2)

所要日数	21 日

関連問題 建設工事に用いる**工程表の特徴について，それぞれ 1 つずつ**記述しなさい。

(1) ネットワーク式工程表
(2) 横線式工程表

解答 **工程表の特徴**

(1) **ネットワーク式工程表**：各作業の所要日数，他の作業との施工順序関係を表し，クリティカルパスや余裕日数が明確となる図表。
(2) **横線式工程表**：バーチャートは作成が簡単で各工事の工期が直線的で分かり易く，ガントチャートは各作業の進捗状況が一目で分かる（P 136 参照）。

関連問題 品質のよいコンクリートとするために，**骨材（砂，砂利，砕石，砕砂）として必要な性質を 5 つ**簡潔に記述しなさい。

解答 **骨材の品質**

① コンクリートの強度及び耐久性に悪影響を与えないために，清浄・堅硬，耐久的で適切な粒度をもち，ごみ，どろ，有機不純物，塩化物等を有害量含まないこと。
② コンクリートの気象作用に対する抵抗性を損なわないために，物理的に安定であること。水分の吸収や温度変化によって破損したり，コンクリートに害を与えるような体積変化を起こしたりするものでないこと。
③ コンクリートが破損しないように，アルカリ骨材反応のようなセメントとの反応，可溶性物質の溶出，風化による酸化などを起こさず，化学的に安定であること。
④ セメントペーストの強度より大きな強度をもつこと。
⑤ セメントペーストとよく付着するような表面組織をもつこと。
⑥ コンクリートの単位水量を少なくするため，また骨材の下面にできる水隙を少なくするため，うすっぺらな石片や細長い石片が有害量含まれていないこと。
⑦ 水密なコンクリートをつくるために密度が大きいこと，すりへり抵抗の大きいコンクリートをつくるために堅硬であること。
⑧ コンクリートの単位水量を少なくするために適切な粒度をもつこと及び均等質なコンクリートをつくるために粒度の変化が少ないこと。

重要問題91 産業廃棄物管理票，特定建設資材

下図は，産業廃棄物管理票（マニフェスト）の流れを示したものである。また，①～⑤は各流れにおけるマニフェストの取扱いを説明したものである。次の［　　］に当てはまる**適切な語句を**，下記の語句から選びなさい。

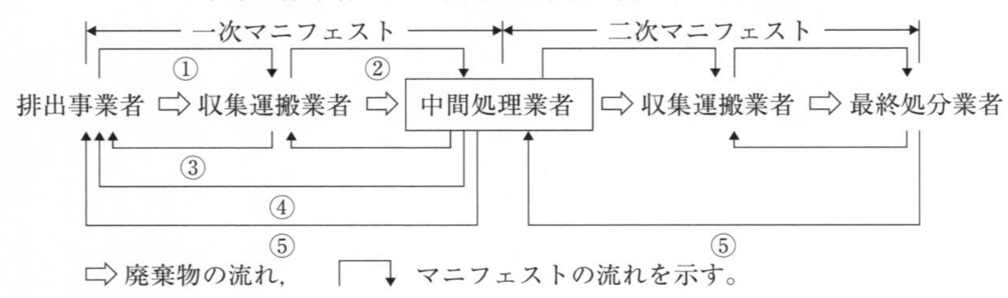

① 排出事業者は，運搬車両ごとに，廃棄物の種類ごとに，全てのマニフェスト（A，B1，B2，C1，C2，D，E票）に必要事項を記入し，廃棄物とともに収集運搬業者に［ (イ) ］する。

② 収集運搬業者は，B1，B2，C1，C2，D，E票を廃棄物とともに処理施設に持参し，［ (ロ) ］終了日を記入して処理業者に渡す。

③ 収集運搬業者は，B1票を自ら保管し，運搬終了後10日以内にB2票を［ (ハ) ］事業者に返送する。

④ 中間処理業者は，D票を［ (ニ) ］終了後10日以内に排出事業者に返送する。

⑤ 中間処理業者は，委託したすべての廃棄物の最終処分が終了した報告を受けたときは，E票の最終処分の場所の所在地及び名称，［ (ホ) ］処分の終了日を記入し，10日以内に排出事業者に返送する。

［語　句］

委託　中間　交付　廃棄　最終　運搬　処分　収集　搬入　排出

解答と解説　産業廃棄物管理票

① 排出事業者は，運搬車両ごとに，廃棄物の種ごとに，全ての**マニフェスト**（A，B1，B2，C1，C2，D，E票の7枚綴り）に必要事項を記入し，廃棄物とともに収集運搬業者に(イ)交付する。収集運搬業者は，全てのマニフェストに運転者氏名を記入し，A票を排出事業者に返す。

② 収集運搬業者はB1，B2，C1，C2，D，E票を廃棄物とともに処理施

設に持参し，(ロ) 運搬終了日を記入して処理業者に渡す。

③　収集運搬業者は，B 1 票を自ら保管し，運搬終了後 10 日以内に B 2 票を (ハ) 排出事業者に返送する。処理業者は，処分終了後 C 1，C 2，D，E 票に処分者氏名及び処分終了日を記載し，C 1 を保管するとともに C 2 を処分終了後 10 日以内に収集運搬事業者に返送する。

④　中間処理業者は，D 票を (ニ) 処分終了後 10 日以内に排出事業者に返送する。中間処理残渣（ざんさ）を最終処分する場合に，排出事業者としての二次マニフェストを交付する。

⑤　中間処理業者は，委託したすべての廃棄物の最終処分が終了した報告を受けたときは，E 票の最終処分の場所の所在地及び名称，(ホ) 最終処分の終了日を記入し，10 日以内に排出事業者に返送する。

> **関連問題**　建設工事に係る資材の再資源化等に関する法律（建設リサイクル法）に定める**特定建設資材の 4 資材のうち 2 つ**記入しなさい。

解答　**特定建設資材（建設リサイクル法）**

建設リサイクル法における**特定建設資材**とは，その再資源化が資源の有効な利用及び廃棄物の減量を図る上で，特に必要な下記の 4 種類をいう（P 167 参照）。
① コンクリート，② コンクリート及び鉄から成る建設資材，③ 木材，④ アスファルト・コンクリート

> **関連問題**　建設工事に係る資材の再資源化等に関する法律（建設リサイクル法）では，建設資材廃棄物の排出の抑制のための方策に関する事項を定めている。
> 　この方策のうち，**建設工事を施工する者の役割を 2 つ**記述しなさい。

解答　**建設資材廃棄物の排出の抑制**

①　端材の発生が抑制される施工方法，建設資材の採用
②　端材の発生の抑制
③　再使用できる物を再使用できる状態にする施工方法の採用
④　耐久性の高い建築物等の施工
⑤　使用済みコンクリート型枠の再使用
⑥　建築物等の長期的使用に資する施工技術の開発
⑦　建築物等の長期的使用に資する維持修繕体制の整備

資料１　軟弱地盤対策工法一覧表

工法		工法の説明	工法の効果
表層処理工法	①敷設材工法 ②表層混合処理工法 ③表層排水工法 ④サンドマット工法	①は，基礎地盤の表面にジオテキスタイル（化学製品の布や網）あるいは鉄網，そだなどを敷き拡げた工法。 ②は，基礎地盤の表面を石灰やセメントで処理した場合。 ③は，排水溝を設けて改良した場合。 ④は，盛土工の機械施工を容易にする。サンドマットはバーチカルドレーン工法などと併用される。	せん断変形の抑制 強度低下の抑制 強度増加促進 すべり抵抗の付与 トラフィカビリティの確保
緩速載荷工法	①漸増載荷工法 ②段階載荷工法	盛土の施工に時間をかけてゆっくり立上げる。圧密による強度増加が期待でき，短時間に盛土した場合には安定が保たれない場合でも安全に盛土できる。（圧密・排水工法） ①は，盛土の立上がりを漸増していく場合。 ②は，一時盛土を休止して地盤の強度が増加してから，また立上げる場合。	強度低下の抑制 せん断変形の抑制
押え盛土工法	①押え盛土工法 ②緩斜面工法	①は，盛土の側方に押え盛土をする。 ②は，法面勾配をゆるくして，すべりに抵抗するモーメントを増加させ，盛土のすべり破壊を防止する。	すべり抵抗の増加 せん断変形の抑制
置換工法	①掘削置換工法 ②強制置換工法	軟弱層の一部又は全部を除去し，良質材で置換する。置換えによってせん断抵抗が付与され，安全率が増加する。 ①は，掘削して置換える場合。 ②は，盛土の重さで押出して置換える場合。	すべり抵抗の増加 全沈下量減少 せん断変形の抑制 液状化の防止
盛土補強工法	盛土補強工法	盛土中に鋼製ネット，帯鋼又はジオテキスタイル等を設置し，地盤の側方流動及びすべり破壊を抑止する。	すべり抵抗の増加 せん断変形の抑制
荷重軽減工法	軽量盛土工法	盛土本体の重量を軽減し，原地盤へ与える盛土の影響を少なくする工法で，盛土材として，発泡材（ポリスチレン），軽石，スラグなどを使用する。	全沈下量減少 強度低下の抑制

載荷重工法（プレローディング工法）	①盛土荷重載荷工法 ②地下水低下工法	盛土や構造物の計画されている地盤にあらかじめ荷重をかけて沈下を促進した後，あらためて計画された構造物を造り，構造物の沈下を軽減させる。 載荷重としては，①盛土が一般的であるが，②ウェルポイントで地下水位を低下させることによって増加した有効応力を利用する圧密・排水工法などもある。	圧密沈下促進 強度増加促進
バーチカルドレーン工法	①サンドドレーン工法 ②ペーパードレーン工法	地盤中に適当な間隔で鉛直方向に砂柱やカードボードなどを設置し，水平方向の圧密排水距離を短縮し，圧密沈下を促進し併せて強度増加を図る。 ①は砂柱，②はカードボードの場合。	圧密沈下促進 せん断変形の抑制 強度増加促進
振動締固め工法	①サンドコンパクションパイル工法 ②バイブロフローテーション工法 ③振動棒工法 ④重錘落下締固め工法	①は，地盤に締め固めた砂杭をつくり，軟弱層を締め固めるとともに砂杭の支持力によって安定を増し，沈下量を減ずる。 施工法として打込みによるもの，振動によるもの，また，砂の代わりに砕石を使用するものがある。 ②は，ゆるい砂地盤中に棒状の振動機を入れ，振動部附近に水を与えながら，振動と注水の効果で地盤を締め固め，ゆるい砂質土層を締まった砂質土層に改良する。 ③は，棒状の振動体に上下振動を与えながら地盤中に貫入し，締固めを行いながら引き抜くものである。 ④は，地盤上に重錘を落下させて地盤を締め固めるとともに，発生する過剰水を排水させてせん断強さの増加を図る。改良効果が施工後直ちに確認できる。	全沈下量減少 すべり抵抗の増加 液状化の防止 圧密沈下促進 せん断変形の抑制
固結工法	①石灰パイル工法 ②深層混合処理工法 ③薬液注入工法	①は，生石灰で地盤中に柱をつくり，その吸水による脱水や化学的結合によって地盤を固結させ，地盤の強度・安定を増すと同時に沈下を減少させる。 ②は，セメント又は石灰などを土と混合し，ブロック状又は全面的に地盤を改良して強度を増し沈下を阻止する。 ③は，地盤中に土質安定剤，薬液を注入して物理反応，化学反応をもたらし強度を増大させる。	全沈下量減少 すべり抵抗の増加

資料 2　混和材料の分類とその効果

	分類		特徴及び効果	用途
混和剤	AE剤		コンクリートの中に微細な独立した気泡を一様に分布させる混和剤。ワーカビリティーが良くなり，分離しにくくなり，ブリーディング，レイタンスが少なくなる。凍結，融解に対する抵抗性が増す。コンクリートの肌が良くなる。	最も一般に用いられる。とくに寒冷地では必ず用いられる。
混和剤	減水剤	標準形	柔らかくなるため同一ワーカビリティーの場合には減水できる。減水に伴って単位セメント量を減らせる。コンクリートを緻密にし鉄筋との付着などがよくなる。コンクリートの粘性が増し，分離しにくくなる。	単位水量，単位セメント量が多くなりすぎるときなどに用いる。
混和剤	減水剤	促進形	標準形と同様の効果をもつが，この混和剤は強度が早く発現するのが特徴。塩化物を含んでいるものが多いので鉄筋の発錆などの問題がある場合は注意を要する。	主に寒中施工の場合に使用。
混和剤	減水剤	遅延形	減水効果のほかにコンクリートの凝結を遅らせる効果がある。コンクリートの水和熱による温度上昇の時間を若干遅らせる。	マスコンクリート 暑中コンクリート
混和剤	高性能AE減水剤		空気連行性をもった高性能減水剤で，スランプロス低減効果を付与された混和剤。	高強度用など，単位水量，単位セメント量を低減したい場合に使用。
混和剤	凝結遅延剤		凝結の開始時刻を遅らせる混和剤。多量に用いると硬化不良を起こすことがある。	暑中施工時
混和剤	硬化促進剤		初期材令における強度を増進させる。無塩化形と塩化物を含むものがあり，後者は，鉄筋の腐食が懸念される場合は使用に注意。乾燥収縮が若干大きくなる。	寒中あるいは急速施工用。
混和剤	分離低減剤		粘性が高く，材料分離を起こさないようにする材料。ブリーディングもほとんどなく，セルフレベリング性が高くなる。	水中コンクリート 逆打ちコンクリート
混和材	ポゾラン	フライアッシュ 高炉水さい シリカフューム	長期強度が大きい，水密性が大きい，化学抵抗性が大きいなどの利点があるが，早期強度が小さい。品質によっては，単位水量が多くなり，乾燥収縮が大きくなることもある。	マスコンクリート 暑中コンクリート
混和材	膨張材		初期材令で若干膨張することによって収縮率を小さくできる。初期の湿潤養生がとくに大切である。使用量が，多過ぎると有害になることもある。	水密コンクリートなどひび割れ防止用。
混和材	急硬材		極短時間でコンクリートの強度発現を期待できる。セッターを適切に用いてハンドリンクタイムを調節できる。	主として補修工事用コンクリートとして使用

資料3 コンクリートの初期ひび割れ

1．水和熱(1)

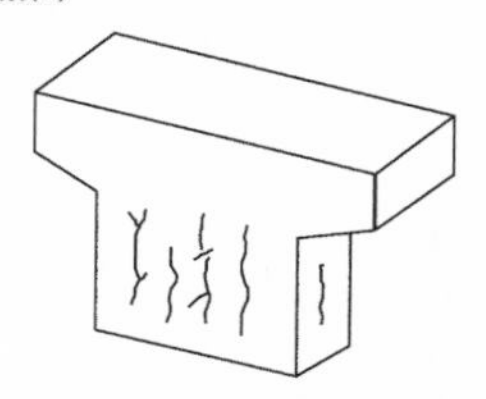

〔セメントの水和反応によって生じた構造物内部と外周の温度差によって生じるひび割れ〕

2．水和熱(2)

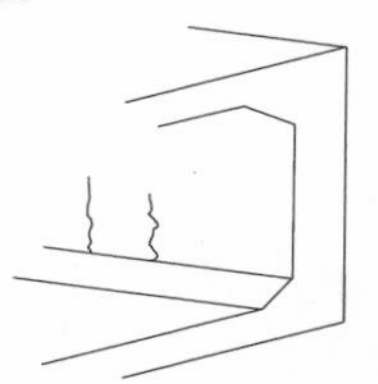

〔先に打設された構造体が，新たに打設されたコンクリートの温度変形を拘束するために生じるひび割れ〕

3．乾燥収縮ひび割れ

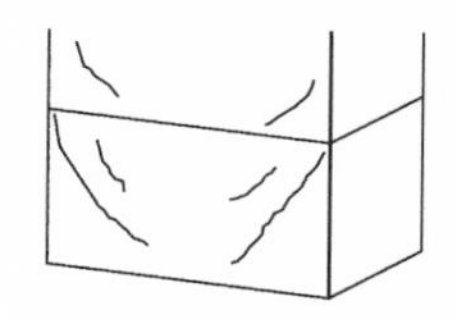

〔大きな壁状の構造物では端部に斜めにひび割れが生じる〕

4．材料や練混ぜの不備に起因する収縮ひび割れ

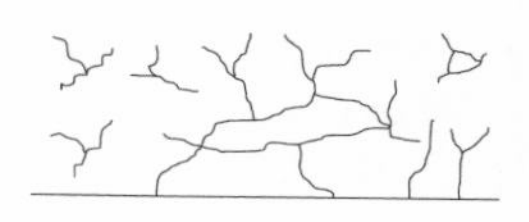

〔打設までに時間がかかりすぎた場合やセメントや骨材の品質に問題がある場合等に発生する全面網目状のひび割れ〕

5．沈みひび割れ

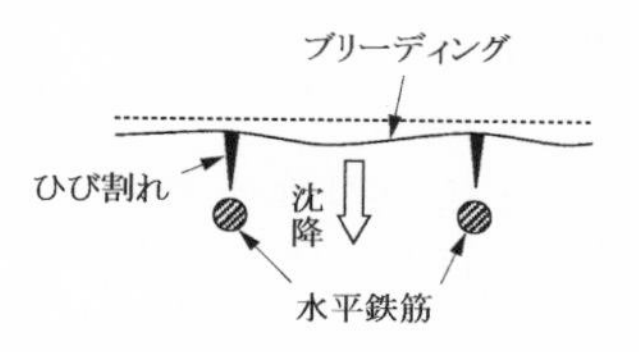

〔コンクリートの沈みと凝固が同時進行する過程で，その沈み変位を水平鉄筋やある程度硬化したコンクリート等が拘束することによって生ずる〕

6．型枠の変形

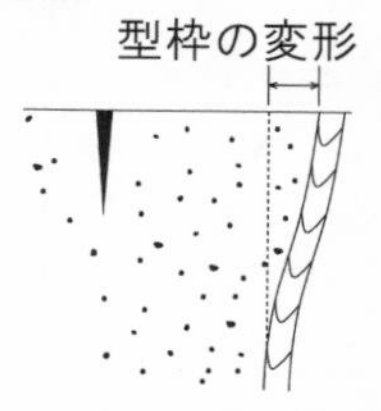

〔コンクリートが硬化し始める時期に型枠が変形，移動することによって生ずる〕

7．急速な打込み

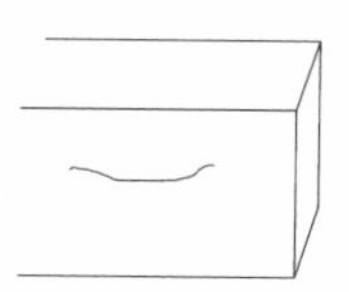

〔コンクリートの沈降により発生するひび割れ〕

8．不適切な打重ね処理

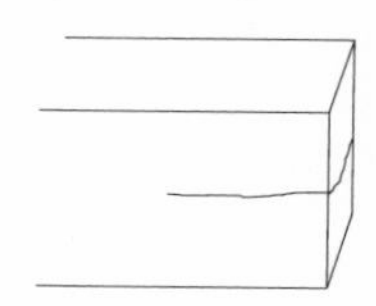

〔コールドジョイントとなる〕

資料4　掘削底面の破壊現象

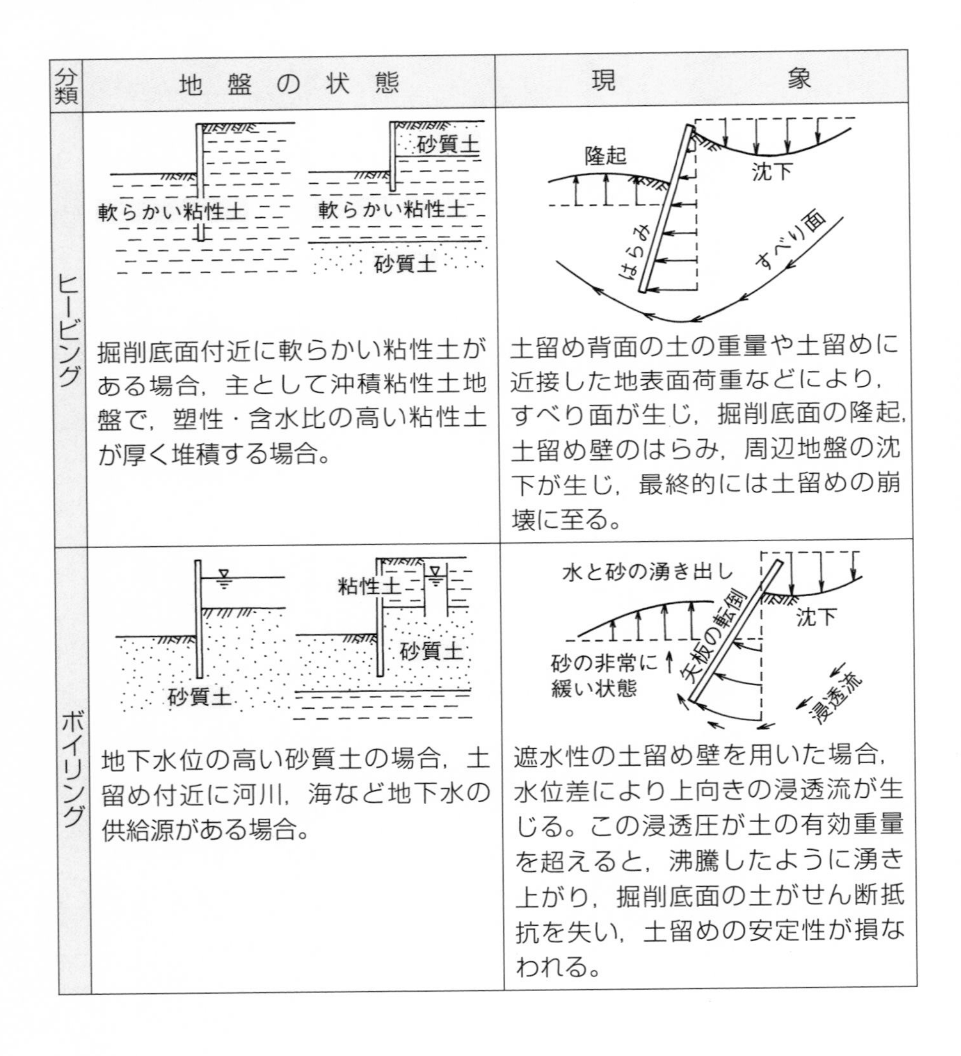

分類	地盤の状態	現象
ヒービング	掘削底面付近に軟らかい粘性土がある場合，主として沖積粘性土地盤で，塑性・含水比の高い粘性土が厚く堆積する場合。	土留め背面の土の重量や土留めに近接した地表面荷重などにより，すべり面が生じ，掘削底面の隆起，土留め壁のはらみ，周辺地盤の沈下が生じ，最終的には土留めの崩壊に至る。
ボイリング	地下水位の高い砂質土の場合，土留め付近に河川，海など地下水の供給源がある場合。	遮水性の土留め壁を用いた場合，水位差により上向きの浸透流が生じる。この浸透圧が土の有効重量を超えると，沸騰したように湧き上がり，掘削底面の土がせん断抵抗を失い，土留めの安定性が損なわれる。

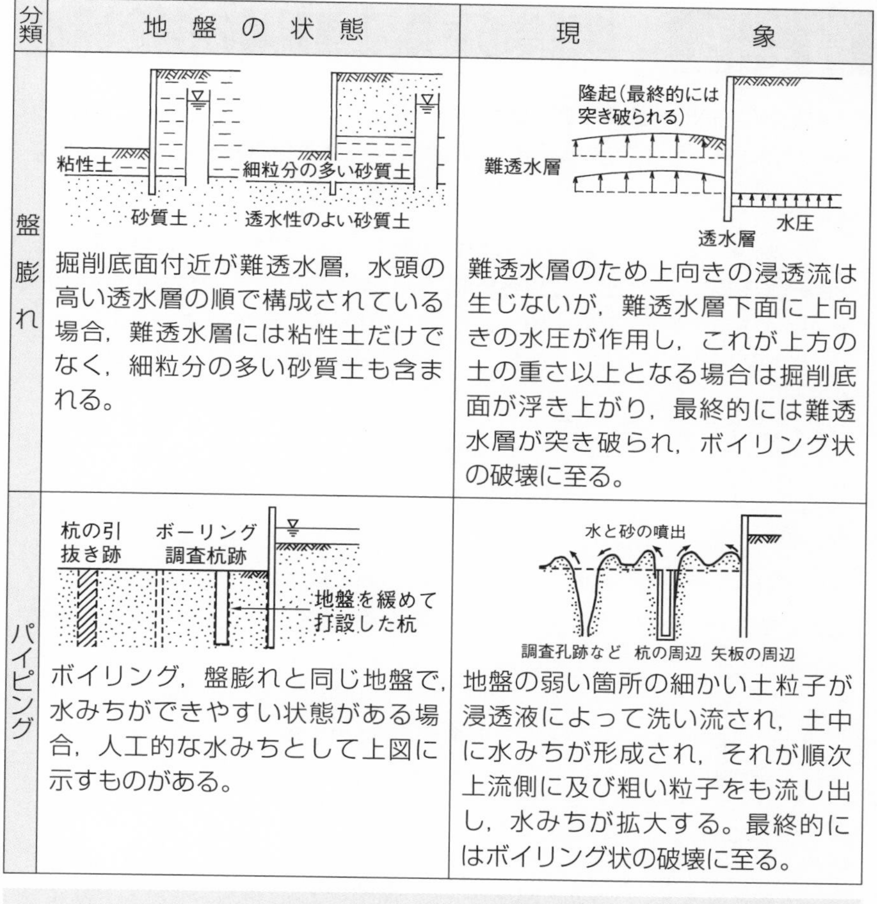

分類	地盤の状態	現象
盤膨れ	掘削底面付近が難透水層，水頭の高い透水層の順で構成されている場合，難透水層には粘性土だけでなく，細粒分の多い砂質土も含まれる。	難透水層のため上向きの浸透流は生じないが，難透水層下面に上向きの水圧が作用し，これが上方の土の重さ以上となる場合は掘削底面が浮き上がり，最終的には難透水層が突き破られ，ボイリング状の破壊に至る。
パイピング	ボイリング，盤膨れと同じ地盤で，水みちができやすい状態がある場合，人工的な水みちとして上図に示すものがある。	地盤の弱い箇所の細かい土粒子が浸透液によって洗い流され，土中に水みちが形成され，それが順次上流側に及び粗い粒子をも流し出し，水みちが拡大する。最終的にはボイリング状の破壊に至る。

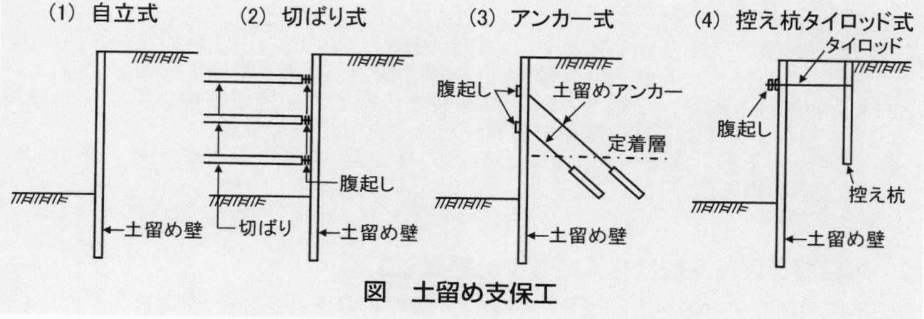

図　土留め支保工

資料 5　建設業の種類，工事現場の技術者制度

◎　**建設業の許可は，土木一式工事と建築一式工事の 2 つの一式工事と 27 の専門工事に分類され，それぞれの工事に対応した 29 の許可業種が定められている。**

表 1　建設工事と建設業の種類

工事の種類	建設業の種類	工事の種類	建設業の種類
土木一式工事	土木工事業※☆	板金工事	板金工事業
建築一式工事	建築工事業※	ガラス工事	ガラス工事業
大工工事	大工工事業	塗装工事	塗装工事業☆
左官工事	左官工事業	防水工事	防水工事業
とび・土工・コンクリート工事	とび・土工工事業☆	内装仕上工事	内装仕上工事業
石工事	石工事業☆	機械器具設置工事	機械器具設置工事業
屋根工事	屋根工事業	熱絶縁工事	熱絶縁工事業
電気工事	電気工事業※	電気通信工事	電気通信工事業
管工事	管工事業※	造園工事	造園工事業※
タイル・れんが・ブロック工事	タイル・れんが・ブロック工事業	さく井工事	さく井工事業
		建具工事	建具工事業
鋼構造物工事	鋼構造物工事業※☆	水道施設工事	水道施設工事業☆
鉄筋工事	鉄筋工事業	消防施設工事	消防施設工事業
舗装工事	舗装工事業※☆	清掃施設工事	清掃施設工事業
浚渫（しゅんせつ）工事	浚渫（しゅんせつ）工事業☆	解体工事	解体工事業☆

※は指定建設業（7 業種）：建設業 29 業種のうち，総合的な施工技術を要するもの。
資格要件：1 級国家資格（1 級土木施工管理技士等）

☆土木工事関係 9 業種：2 級土木施工管理技士の資格で，主任技術者又は一般建設業の営業所の専任技術者となり得る業種。

（注）土木一式工事，建築一式工事は，総合的な企画・指導・調整のもと，複数の専門工事を組み合せて行う工事。

◎　**建設業の許可を受けなくてもよい軽微な工事**

下記の建設工事のみを請け負うものは，建設業の許可を必要としない。

①　工事 1 件の請負代金が 1,500 万円未満の建築一式工事。

②　延べ面積 150 m² 未満の木造住宅工事。

③　請負代金 500 万円未満の建築一式以外の建設工事。

表2　工事現場の技術者制度

<table>
<tr><td colspan="2">許可の区分</td><td colspan="4">特定建設業</td><td>一般建設業</td></tr>
<tr><td colspan="2">許可業種</td><td colspan="2">指定建設業
（7業種）</td><td colspan="2">左記以外の業種
（22業種）</td><td>全ての業種
（29業種）</td></tr>
<tr><td colspan="2">許可に係る建設工事</td><td colspan="2">土木一式工事，建築一式工事，電気工事，管工事，鋼構造物工事，舗装工事，造園工事</td><td colspan="2">左記以外の建設工事
（22種類）</td><td>全ての建設工事
（29種類）</td></tr>
<tr><td colspan="2">元請工事における下請金額合計</td><td>4,000万円以上
（注1）</td><td>4,000万円未満
（注1）</td><td>4,000万円以上
（注1）</td><td>4,000万円未満
（注1）</td><td>4,000万円以上は契約できない。
（注1）</td></tr>
<tr><td rowspan="4">工事現場の技術者制度</td><td>工事現場に置くべき技術者</td><td>監理技術者
特例監理技術者
監理技術者補佐</td><td>主任技術者</td><td>監理技術者
特例監理技術者
監理技術者補佐</td><td>主任技術者</td><td>主任技術者
（注2）</td></tr>
<tr><td>技術者の資格要件</td><td>1級国家資格者
国土交通大臣認定者
1級技士補</td><td>1級・2級国家資格者
実務経験者</td><td>1級国家資格者
実務経験者
1級技士補</td><td>1級・2級国家資格者
実務経験者</td><td>1級・2級国家資格者
実務経験者</td></tr>
<tr><td>技術者の専任</td><td colspan="5">公共性のある施設もしくは工作物又は多数の者が利用する施設もしくは工作物に関する重要な建設工事（個人住宅を除くほとんどの建設工事が対象）で，請負金額が3,500万円以上のとき必要（注3），（注4）</td></tr>
<tr><td>監理技術者資格者証及び監理技術者講習受講の必要性</td><td>専任が必要な工事のとき監理技術者，特例監理技術者のみ</td><td>不　要</td><td>専任が必要な工事のとき監理技術者，特例監理技術者のみ</td><td>不　要</td><td>不　要</td></tr>
<tr><td>参考</td><td>営業所の専任技術者の資格要件
（注5）</td><td colspan="2">1級国家資格者
国土交通大臣認定者</td><td colspan="2">1級国家資格者
実務経験者</td><td>1級・2級国家資格者
実務経験者</td></tr>
</table>

（注1）建築一式工事の場合は，6,000万円。
（注2）特定専門工事（鉄筋工事・型枠工事）の下請負人は不要。
（注3）建築一式工事の場合は，7,000万円。
（注4）監理技術者にあって1級技士補を置くときは，この限りでない。元請負人の主任技術者が，下請負人の主任技術者の職務を行う場合は，この限りでない。
（注5）専任技術者とは，建設業の許可要件として「営業所に常勤して専らその職務に従事することを要する者」をいう。

資料6　各種作業の安全点検項目

	作業の名称	点検の時期	点検の項目
1	作業構台	㋑ 強風，大雨，大雪等の悪天候の後 ㋺ 中震（震度４）以上の地震の後 ㋩ 作業構台の組立，一部解体もしくは変更の後	① 支柱の滑動及び沈下の状態 ② 支柱，梁等の損傷の有無 ③ 床材の損傷，取付け及び掛渡しの状態 ④ 支柱，梁，筋かい等の緊結部，接続部，取付け部のゆるみの状態 ⑤ 緊結材及び緊結金具の損傷及び腐食の状態 ⑥ 水平つなぎ，筋かい等の補強材の取付け状態及び取外しの有無 ⑦ 手すり等の取外し及び脱落の有無
2	足　場	㋑ 強風，大雨，大雪等の悪天候の後 ㋺ 中震（震度４）以上の地震の後 ㋩ 足場の組立，一部解体もしくは変更の後 ㊁ つり足場については，毎日の作業開始前	① 床材の損傷，取付け及び掛渡しの状態 ② 建地，布，腕木等の緊結部，接続部及び取付け部のゆるみの状態 ③ 緊結材及び緊結金具の損傷及び腐食の状態 ④ 手すり等の取外し及び脱落の有無 ⑤ 幅木等の取付け状態及び取外しの有無 ⑥ 脚部の沈下及び滑動の状態 ⑦ 筋かい，控え，壁つなぎ等の補強材の取付け及び取外しの有無 ⑧ 建地，布及び腕木の損傷の有無 ⑨ 突りょうとつり索との取付け部の状態及びつり装置の歯止めの機能
3	土留め支保工	㋑ 設置後７日を超えない期間ごと ㋺ 中震（震度４）以上の地震の後 ㋩ 大雨等により地山が急激に軟弱化するおそれのある事態が生じた後	① 矢板，背板，切梁，腹起し等の部分の損傷，変形，腐食，変位及び脱落の有無及び状態 ② 切梁の緊圧の度合 ③ 部材相互の接続及び継手部のゆるみの状態 ④ 矢板，背板等の背面の空隙の状態
4	型枠支保工	㋑ コンクリートの打設作業を行う日の作業開始前 ㋺ コンクリートの打設中	型枠，型枠支保工，シュート下，ホッパ下等の状態
5	明り掘削	㋑ その日の作業開始前 ㋺ 大雨の後 ㋩ 中震（震度４）以上の地震の後 ㊁ 発破を行った後	① 浮石，亀裂の有無及び状態 ② 含水，湧水，凍結の状態の変化 ③ 発破を行った箇所とその周辺の浮石，亀裂の有無及び状態
6	杭打ち作業	杭打ち機等を組み立てた時	① 機体の緊結部のゆるみ及び損傷の有無 ② 巻上げ用ワイヤーロープ，みぞ車及び滑車装置の取付け状態 ③ 巻上げ装置のブレーキ及び歯止め装置の機能 ④ ウインチの据付け状態 ⑤ 控えで頂部を安定させる杭打機等にあっては，控えのとり方（３以上）及び固定の状態
		常時点検	⑥ 部材，ワイヤーロープ，附属装置，附属部品 ⑦ つり込み用の器具類

	作業の名称		点検の時期	点検の項目
7	車両系建設機械		その日の作業開始前	①　ブレーキ・クラッチの機能
			月例点検	②　ブレーキ・クラッチ・操作装置等の異常の有無 ③　ワイヤーロープ・チェーンの損傷の有無 ④　バケット・ジッパー等の損傷の有無
8	移動式クレーン		始業前点検（その日の作業開始前）	①　巻過防止装置・過負荷警報装置その他の警報装置・ブレーキ・クラッチの機能
			月点検	②　巻過防止装置その他の安全装置・過負荷警報装置その他の警報装置・ブレーキ・クラッチの異常の有無 ③　ワイヤーロープ・つりチェーンの損傷の有無 ④　フック・グラブバケット等のつり具の損傷の有無 ⑤　配線・配電盤・コントローラーの異常の有無
9	玉掛け作業		その日の作業開始前	玉掛け用ワイヤーロープ・つりチェーン・繊維ロープ・繊維ベルト・フック・シャックル等の異常の有無
10	ずい道等の建設	落盤・肌落ちの危険防止	㋑　毎日 ㋺　中震（震度４）以上の地震の後 ㋩　発破を行った後	①　浮石，亀裂の有無及び状態 ②　含水，湧水の状態の変化
		可燃性ガスの濃度測定	㋑　毎日，作業を開始する前 ㋺　中震（震度４）以上の地震の後 ㋩　可燃性ガスに関し異常を認めたとき	③　可燃性ガスの発生している所及び発生するおそれのある所 ④　切羽の上部及び下部，坑道の分岐箇所，通気の妨げになる物がある場所等，可燃性ガスが停滞するおそれのある所
11	圧気工事	高圧室内業務の諸設備	毎日	①　送気管・排気管・通話装置 ②　送気及び排気を調節するためのバルブ又はコック ③　送気用空気圧縮機に附属する冷却装置 ④　呼吸用保護具・繊維ロープその他非常の場合の避難又は救出のための用具
			毎週１回以上	⑤　送気される空気温度の異常を検知するための自動警報装置 ⑥　送気するための空気圧縮機
			毎月１回以上	⑦　圧力計（携帯式の圧力計を含む） ⑧　空気清浄装置及び電路
12	酸素欠乏危険場所における作業		㋑　その日の作業を開始する前 ㋺　作業に従事するすべての作業員が作業を行う場所を離れた後再び作業を開始する前 ㋩　作業員の身体，換気装置等に異常があったとき	空気中の酸素濃度及び硫化水素の濃度の測定
			㊁　右の設備を使用する日の作業開始前	空気呼吸器等，安全帯，取扱け設備の異常の有無
			㋭　作業場所に入退場させるとき	人員の点検

索　引

く

け

こ

さ

し

す

せ

そ

た

ち

ふ

へ

ほ

ま

み

む

め

も

や

ゆ

よ

ら

り

れ

ろ

わ

〈著者略歴〉

國　澤　正　和（くにざわ まさかず）

立命館大学理工学部土木工学科卒業

大阪市立都島工業高等学校（都市工学科）教諭を経て，

大阪市立泉尾工業高等学校長，大阪産業大学講師歴任

主な著書

はじめて学ぶ２級土木施工管理Q&A（弘文社・共著）

大型版 これだけはマスター １級土木施工管理 学科（弘文社）

大型版 これだけはマスター １級土木施工管理 実地（弘文社）

大型版 これだけはマスター ２級土木施工管理（弘文社）

新版　４週間でマスター １級土木施工管理・第１次検定（弘文社）

新版　４週間でマスター １級土木施工管理・第２次検定（弘文社）

全訂版 ４週間でマスター ２級土木施工管理 第１次・第２次検定（弘文社）

４週間でマスター ２級土木施工管理・実地試験（弘文社）

よくわかる！ ２級土木施工管理［学科］（弘文社・共著）

よくわかる！ ２級土木施工管理［実地］（弘文社・共著）

よくわかる！ １級土木施工管理［学科］（弘文社・共著）

よくわかる！ １級土木施工管理［実地］（弘文社・共著）

直前突破！ １級土木施工管理学科試験問題集（弘文社）

直前突破！ １級土木施工管理実地試験問題集（弘文社）

直前突破！ ２級土木施工管理学科・実地問題集（弘文社）

弊社ホームページでは，書籍に関する様々な情報（法改正や正誤表等）を随時更新しております。ご利用できる方はどうぞご覧下さい。 http://www.kobunsha.org
正誤表がない場合，あるいはお気づきの箇所の掲載がない場合は，下記の要領にてお問合せ下さい。

4週間でマスター
2級土木施工管理技術検定問題集　第1次・第2次検定対策編

編　　著　國 澤 正 和

印刷・製本　㈱ 太洋社

発 行 所　株式会社 弘 文 社

〒546-0012
大阪市東住吉区中野2丁目1番27号
☎ (06)6797-7441
FAX (06)6702-4732
振替口座　00940-2-43630
東住吉郵便局私書箱1号

代 表 者　岡 﨑　靖